Enzo Biagi

Quello che non si doveva dire

con Loris Mazzetti

Rizzoli

Proprietà letteraria riservata
© *2006 RCS Libri S.p.A., Milano*

ISBN 88-17-01310-2

Prima edizione: ottobre 2006
Seconda edizione: novembre 2006
Terza edizione: novembre 2006
Quarta edizione: dicembre 2006

«Gli uomini nascono e rimangono liberi e uguali nei diritti. Le distinzioni sociali non possono essere fondate che sull'utilità comune»
Art. 1 della Dichiarazione dei diritti dell'uomo e del cittadino (Francia, 26 agosto 1789)

«Il fine di ogni associazione politica è la conservazione dei diritti naturali e imprescrittibili dell'uomo. Questi diritti sono la libertà, la proprietà, la sicurezza e la resistenza all'oppressione»
Art. 2 della Dichiarazione dei diritti dell'uomo e del cittadino (Francia, 26 agosto 1789)

Grazie a Pierangela Bozzi e a mia figlia Bice per l'affettuoso e indispensabile aiuto.

E grazie anche al gruppo della RCS-Libri per la preziosa collaborazione.

QUELLO CHE NON SI DOVEVA DIRE

PRIMO CAPITOLO

La Rai: ieri, oggi e domani, forse...

Ho sempre detto di non aver mai mentito ai miei lettori, ma non è vero. Una bugia mi è scappata quando Loris, durante un'intervista, mi chiese che cosa avevo provato dopo il mio allontanamento dalla Rai. «Guarda», risposi, «lo dico anche con un po' di vergogna: niente. Ne abbiamo parlato tante volte, ci siamo arrabbiati, l'abbiamo considerata una grande violenza, ma dentro non ho provato niente, perché alla mia età sono altre le cose che segnano.»

Questo concetto l'ho ripetuto parecchie volte, anche a me stesso, però devo confessare che non sono riuscito, come fanno spesso alcuni, a convincermi. Insomma, la televisione mi è mancata e mi manca tuttora. Per carità, so benissimo che a ottantasei anni sarei ridicolo se pensassi a un futuro, o soltanto a un presente, televisivo. Non è solo nostalgia quella che mi è rimasta, ma la voglia di fare che non si esaurisce con l'età, un po' come con le donne, si desiderano per tutta la vita. Quindi sono incazzato non perché mi hanno sostituito su RaiUno, dopo il telegiornale, con i vari Battista, Giannino, Berti e Mimun, anzi, se questi colleghi hanno continuato a copiare la mia formula, mettendo in onda dei «cloni» del mio programma, senza riconoscermi, per altro, i diritti d'autore, vuol dire che *Il Fatto* funzionava e funzionerebbe ancora. Sono incazzato perché non posso più andare in giro con la mia troupe per raccontare quello che succede e incontrare i protagonisti dei nostri giorni. Così in questi anni, non ho smesso in qualche modo di farlo e ogni volta che accadeva qualcosa, immaginavo che insieme a Loris avremmo costruito la nostra trasmissione:

ne parlavamo, discutevamo, prendevamo appunti, facevamo la scaletta del programma, proprio come quando eravamo in corso Sempione. Anche perché, come due ingenui, per tutto questo tempo, abbiamo pensato, chissà, un giorno o l'altro l'esilio finirà. E come un calciatore che viene messo in panchina, anche se immeritatamente, non ho trascurato gli allenamenti per essere in forma nel caso l'allenatore mi avesse chiamato in campo. Qualche volta ho avuto l'illusione che il momento fosse arrivato, soprattutto nell'estate del 2005, con il cambio del Consiglio di Amministrazione in Rai e la nomina di Claudio Petruccioli a presidente. Una delle sue prime dichiarazioni fu che la televisione non poteva rinunciare alla mia professionalità e intelligenza, poi Petruccioli deve aver pensato che se il mondo ha fatto a meno di Michelangelo e Leonardo, la Rai poteva fare a meno di Enzo Biagi. Quella telefonata al mio numero è stata solo promessa ai giornali. Qualcosa però è accaduto. Devo dire grazie a Paolo Gentiloni, allora presidente della Commissione parlamentare che vigila sulla Rai, oggi ministro delle Comunicazioni nel governo Prodi.

In una fredda giornata invernale, era il 23 gennaio 2006, mi venne a trovare a Milano, a casa mia. Di quel viaggio fatto apposta per me gli sarò sempre riconoscente: dopo l'editto bulgaro è stata la prima visita che in qualche modo aveva a che fare con il mio passato televisivo. Gentiloni è stato cortese e affettuoso, è una persona con cui si parla molto bene, colto e capisce di tv, e voleva che il mio esilio terminasse.

Nella realtà la Rai non l'ho mai abbandonata: sono stato ospite più di una volta dell'amico Fabio Fazio a RaiTre ma, soprattutto, i miei programmi hanno continuato ad andare in onda sui vari canali satellitari o venivano utilizzate le mie interviste.

L'incontro con Paolo Gentiloni un risultato lo ha portato: dopo una quindicina di giorni ho ricevuto la telefonata del presidente della Rai Claudio Petruccioli. Evidentemente erano riusciti a rintracciare il mio numero. Quando Agostino Saccà fece in modo che il mio rapporto con la televisione pubblica si chiudesse, immagino quante segretarie rifecero la rubrica telefonica, e alla voce Biagi Enzo una bella riga sopra o un colpo di bianchetto, e chi si è visto si è visto, come si fa con i morti.

Il 6 febbraio, secondo incontro: dopo Gentiloni arriva Petruccioli. Anche con lui c'è stata cordialità. Mi sorprese il suo iniziale imbarazzo, che poi scomparve. Probabilmente quando Silvio Berlusconi da Sofia mi accusò di aver fatto «un uso criminoso della televisione», Petruccioli, che allora era presidente della Commissione parlamentare di vigilanza, sentì di non aver vigilato a sufficienza, ma quella è un'altra storia che ho già raccontato e che voglio lasciare là, nel mio passato. Claudio Petruccioli mi ha proposto di tornare a fare la televisione con Loris, rimandando però qualsiasi approfondimento a dopo l'esito elettorale delle politiche di aprile.

Nel momento in cui sto scrivendo non è ancora successo niente. Io sarei stato disponibile anche da subito, la squadra c'era, in questi anni i componenti della mia redazione li ho sentiti spesso, mi sono stati molto vicini, anche in momenti difficili per me e per la mia famiglia: Annarosa, Pippo, Rosino, Tinin, Paola, Marta, Gaetano, Vladi, Rosi, Terri, Claudia, Walter, Betti e la mia fidata segretaria Pierangela, pronti a mettersi di nuovo in pista per una nuova avventura.

Stiamo buttando giù queste prime pagine alla fine di febbraio, in piena campagna elettorale: le Camere sono state sciolte, Berlusconi ha imperversato giorno e notte in quasi tutti i programmi tv, denunciando che gli impediscono di andare in televisione. Prodi ha accettato il confronto televisivo, il ministro Roberto Calderoli ha già fatto vedere la maglietta con le vignette satiriche su Maometto da Mimun e dopo ci sono stati quattordici morti a Bengasi.

Questo libro nasce da un lavoro fatto di molti appunti e tante chiacchierate, è il racconto di quei programmi che non si dovevano fare. Certo, molte cose sono cambiate da quel 31 maggio 2002: al di là degli avvenimenti epocali, guerre, tsunami, la morte di Arafat e l'ictus di Sharon, il secondo mandato di Bush, l'arrivo della Cina in Europa, le paranoie alimentari per la mucca pazza e l'aviaria, sono mutati i valori, i princìpi dei nostri padri, quegli insegnamenti che hanno accompagnato la mia vita e quella di tanti altri.

Oggi non si fa altro che parlare di business, di profitto, di carriera, di look, di protagonismo e quindi, inevitabilmente, di televisione. Infatti, non sei nessuno se non ti invitano almeno a *La prova del cuoco*, o a *Markette* da Chiambretti. Sei qualcuno se vai a *Unomattina*. Tutti sappiamo che questo non è vero, anche se arrivare in fondo al *Grande Fratello* o in finale ad *Amici* di Maria De Filippi fa aprire un conto in banca. Inviti in discoteche, ospitate d'onore ai Carnevali o all'apertura di un supermercato, serate in piazza, poi, caso mai, due paparazzate con la velina di turno e il gioco è fatto: sei famoso, hai qualche copertina sui rotocalchi rosa, ti riconoscono.

Non voglio fare del moralismo: in questo mondo c'è spazio per tutto e per tutti, ma quando accendi la televisione e guardi che, oltre al *Grande Fratello*, vanno in onda *L'isola dei famosi*, *La fattoria* e *Music farm*, mi pare eccessivo.

Alla mia età sempre più spesso si sta da soli, con se stessi, si ha più tempo per guardarsi intorno e io penso che di fronte al panorama e al campionario che ci offre questa società berlusconizzata, sia giusto.

Vorrei compiere un percorso prendendo ad esempio, per farmi capire meglio, alcune parole che nella mia vita hanno avuto un senso: coraggio, coerenza, umiltà, libertà, rispetto, giustizia, tolleranza, comprensione, solidarietà e amore.

Negli ultimi tempi abbiamo sopportato la presenza ossessiva di Silvio Berlusconi su tutti i canali televisivi. L'istinto era di cambiare rete, qualsiasi cosa era meglio di lui, visto una volta, visto tutto: un'infinita cantilena di ovvietà, false promesse, mistificazioni, concetti ripetuti, dati su dati, progetti faraonici e «io, solo io, sempre e comunque io». Una sera ho fatto una prova. Ho tentato di migliorarlo, come si fa delle volte quando si assiste a una partita di calcio con un commento fuori campo banale e stupido: ho tolto l'audio. Sono stato catapultato in un incredibile film fatto di sorrisi, ammiccamenti, occhi sbarrati, mascella contratta, il tutto in un volto pesantemente inceronato. Il risultato non è affatto cambiato, ma può darsi che io sia prevenuto. Quando voglio dire di qualcuno come dovrebbe essere, semplifico: il contrario di Berlusconi. Questo signore ha cancellato molte di quelle parole che citavo prima. Raccontare la sua avventura a puntate forse farebbe più ascolti di *Beautiful* e tra un po' di pagine vi racconterò anch'io qualche cosa di lui.

Il Cavaliere, negli ultimi cinque anni, ha tentato di cambiare Costituzione all'Italia.

E come tutti i grandi comunicatori, o meglio i grandi venditori, è riuscito a far breccia in mezzo Paese: questo va tenuto presente. In quella mezza Italia che non la pensa come me, ci sta anche il presidente della Cei, il cardinale Camillo Ruini, per Luciana Littizzetto confidenzialmente «Eminence».

Proprio come cinque anni fa, alla vigilia del voto, il porporato, preoccupato dalla crisi economica, è pesantemente intervenuto nelle faccende dello Stato, secondo me dimenticando quella autonomia che a uno Stato dovrebbe essere garantita. Indirettamente, pur non schierandosi, il prelato, attaccando i Pacs e sostenendo la difesa del Concordato, si è schierato. Io ho sempre avuto grande rispetto per la Chiesa perché in tutti i Paesi dove ho incontrato le miserie umane, lì ho incontrato un prete. Ricordo le bidonville in Kenya, con padre Alex Zanotelli, con monsignor Cesare Mazzolari nella diocesi di Rumbec, nel sud del Sudan distrutto da vent'anni di guerra e dalla schiavitù.

Ho amato in Italia tre grandi rivoluzionari, don Milani, don Zeno e don Mazzolari, in più sono cresciuto in parrocchia, ho fatto il chierichetto e credo che la fede per gli uomini sia una speranza e una salvezza, ma sono convinto che il prete debba fare il prete, il medico guarire e il maestro insegnare.

C'è un religioso che spesso ho intervistato, monsignor Luigi Bettazzi, vescovo emerito di Ivrea che, mentre Ruini schierava la Chiesa prima della tornata elettorale, denunciava invece il governo Berlusconi di essere ispirato dalla P2. Testualmente: «La politica dell'attuale governo si è modellata sul programma della loggia massonica P2». L'ha scritto sul giornale dei dehoniani *Settimana*, in risposta alla diffusione dell'opuscolo di Forza Italia mandato a tutti i parroci a firma del coordinatore del partito, Sandro Bondi.

Conclude monsignor Bettazzi: «Votiamo secondo coscienza, valutando ciò che è più utile alla gente, ma diffidiamo e contestiamo di fronte a chi si atteggia a difensore della Fede, mentre in realtà è al servizio dei propri interessi». La stessa posizione sostenuta da due suore missionarie comboniane, Anna Pia De Marchi e Tiziana D'Agostino che hanno replicato alla tesi del coordinatore di Forza Italia, sostenitore delle leggi «berlusconiane» ispirate dal Vangelo: «Ma quali leggi? Quelle per gli immigrati? O quelle che tutelano i ricchi davanti alla giustizia? O ancora altre che sono il rovescio del comando divino che dice di spartire il pane con l'affamato, il vestito con l'ignudo, la casa con il povero senza tetto o l'essere una cosa sola con tutti, non escludendo però i poveri e le masse dei disoccupati senza speranza».

Le monache concludono con il ricordo di aver sperimentato simili mezzi di propaganda nei Paesi sotto dittatura.

SECONDO CAPITOLO
In Calabria, con i ragazzi di Locri

Ho ossessionato tutti quelli che in questi anni mi chiedevano che cosa avrei fatto se fossi tornato in televisione. L'idea era sempre quella, un viaggio in Italia. Nel 1998 realizzai *Cara Italia* perché dopo Guido Piovene nessuno aveva più ripercorso il Belpaese. E volli quel titolo in risposta alla definizione di Giovanni Amendola, «Cara, porca Italia», che mi piaceva molto e mi sembrava anche ragionevole. Ho sempre amato questo Paese: è il mio. Anche se qualche volta lo trovo ingiusto, perché troppo spesso si ricorda dei cittadini solo nel momento del bisogno, per pretendere una tassa in più, per mandarli in Afghanistan o in Iraq, e si pagano poi dei prezzi troppo alti. Il mio viaggio di otto anni fa è rimasto incompiuto; allora raccontai alcune città e alcune regioni, da Torino a Napoli passando per Milano, Venezia, Bologna e Roma, poi l'Emilia, le Marche, la Toscana, la Calabria e la Sicilia, facendo parlare personaggi rappresentativi di quelle terre. Ma non ho raccontato la provincia, quel mondo che mi ha sempre affascinato, forse perché ci sono nato, e soprattutto le storie della gente che ci vive. Credo poi che ci sarebbe molto da dire sull'Italia di oggi. Abbiamo vissuto la fine dei partiti, Tangentopoli, la discesa in campo del Cavaliere, la politica che si mescola con gli affari, le vecchie antenne sostituite sui tetti dalle parabole di Rupert Murdoch, la regionalizzazione imposta dalla Lega (l'uomo del sud diverso da quello del nord?), la salute in mano alle assicurazioni, quindi beati i ricchi. Non bastava: c'è stata la riforma dell'Istruzione voluta dal ministro Letizia Moratti bocciata dall'Ocse (l'Organismo di controllo sull'Europa) per lo scarso numero di diplomati e laureati, in coda addirittura dopo le Filippine, la Corea, la Malesia, il Cile e il Perù, senza considerare gli investimenti da Terzo Mondo per i quali ci facciamo superare dalla Giamaica, dallo Zimbawe, dal Messico e dalla Tunisia.

Non poteva che essere così, basta leggere bene la riforma e pensare a tutto l'iter istituzionale che ha avuto. In pochi hanno raccontato che il lavoro della signora Moratti aveva avuto il parere contrario della Commissione affari costituzionali della Camera, ma la ministra è riuscita, con destrezza, ad aggirare la Commissione. Sarebbe interessante capire, magari con un'intervista all'ex ministro, perché il presidente del Consiglio ha concesso una corsia preferenziale a quella riforma che garantisce un finto diritto allo studio, come poi ha dimostrato l'Ocse.

Questo breve elenco di disgrazie credo meriti un'analisi per capire come gli ultimi anni hanno inciso sulla vita del farmacista, della maestra, dell'operaio, dell'impiegato a contratto, dell'immigrato, dei pensionati, di un ragazzo che deve entrare nel mondo del lavoro, insomma della nostra gente.

Ho sempre amato la Calabria e un suo scrittore, Corrado Alvaro, che ha raccontato la vita in quella terra lontana dalla pianura, i bambini che strillano come passerotti, i mercati che arrivano dalla marina, qualcuno dà fiato alle zampogne, e tutti pensano alle donne, e le spose sono «colombe tranquille». Ho sorvolato con un elicottero della Polizia di Stato i monti cupi descritti da Alvaro: gli alberi stecchiti, le querce sotto le quali pascolano maialetti neri, le tane dove si nascondono i lupi dal pelo grigio, i banditi e i sequestrati, le mandrie chiazzano il verde dei pascoli che la luce del mattino esalta, mentre tra le frasche ricominciano le corse dei ghiri e degli scoiattoli. Di quel mondo scomparso non restano che i ricordi. Nello Stretto ancora le barche, come una volta, vanno all'inseguimento dei pescispada: dall'albero un marittimo dalla vista lunga intravede un'ombra tra le onde e lancia l'allarme. Guai se chi maneggia l'arpione sbaglia la mira. Qualcuno ha detto che solamente le acque dello Stretto hanno diviso Alvaro da Verga, ma anche questa divisione intellettuale ha rischiato di essere cancellata dal faraonico ponte.

Corrado Alvaro era un solitario, poco portato al sorriso e rassegnato alla pena che comporta la nostra condizione. Basta leggere *L'uomo è forte*. «La Calabria», ha scritto Alvaro, «fa parte di una geografia romantica. Eppure non vi è regione più misteriosa e più inesplorata di questa.»

Ed è da questa terra che riparte il mio viaggio immaginario.

Le piccole case oggi come ieri, qui il tempo si è fermato, con i commerci sulle piazze, accanto al campanile, dove si scambiano attrezzi o stoffe con grano, miele, polli e frutti della terra; e poca gente è garbata come i calabresi, così capita che a uno straniero vengano offerti da uno sconosciuto due bottiglie di vino forte. Sui muri, manifesti listati a lutto raccontano a tutti il dolore di qualcuno. «Le feste», scriveva ancora Alvaro, «fanno conoscere la natura degli uomini.» Ho assistito a una processione: ogni Confraternita ha la sua tonaca, la cotta con i pizzi e i suoi emblemi e i banchetti odorano di canditi, di zucchero filato, e, di sera, di acetilene.

Così Corrado Alvaro in *Gente in Aspromonte*: «Non è bella la vita dei pastori in Aspromonte, d'inverno, quando i torbidi torrenti corrono al mare e la terra sembra navigare sulle acque. I pastori stanno nelle case costruite di frasche e di fango, e dormono con gli animali. Vanno in giro con lunghi cappucci attaccati ad una mantelletta triangolare che protegge le spalle, come si vede talvolta raffigurato qualche dio greco pellegrino e invernale. I torrenti hanno una voce assordante. Sugli spiazzi le caldaie fumano al fuoco, le grandi caldaie nere sulla bianca neve, le grandi caldaie dove si coagula il latte tra il siero verdastro rinforzato d'erbe selvatiche. Tutt'intorno, coi neri cappucci, coi vestiti di lana nera, animano i monti cupi e gli alberi stecchiti, mentre la quercia verde gonfia le ghiande dei porci neri. Intorno alla caldaia, ficcano i lunghi cucchiai di legno inciso, e buttano dentro grandi fette di pane. Le tirano su dal siero, fumanti, screziate di bianco purissimo come è il latte sul pane. I pastori cavano fuori i cortelluzzi e lavorano il legno, incidono di cuori fioriti le stecche da busto delle loro promesse spose, cavano dal legno d'ulivo la figurina da mettere sulla conocchia, e con lo spiedo arroventato fanno buchi al piffero di canna. Stanno accucciati alle soglie delle tane, davanti al bagliore della terra, e aspettano il giorno della discesa al piano, quando appenderanno la giacca e la fiasca all'albero dolce della pianura. Allora la luna nuova avrà spazzato la pioggia, ed essi scenderanno in paese dove stanno le case di muro, grevi delle chiacchiere e dei sospiri delle donne. Il paese è caldo e denso più di una mandra. Nelle giornate chiare i buoi salgono pel sentiero scosceso come per un presepe, e, ben modellati e bianchi come sono, sembrano più grandi degli alberi, animali preistorici. Arriva di quando in quando la nuova che un bue è precipitato nei burroni, e il paese, come una muta di cani, aspetta l'animale squartato, appeso in piazza al palo del macellaio, tra i cani che ne fiutano il sangue e le donne che comperano a poco prezzo».

È come un quadro, un affresco fermo ad anni lontani. Invece è ancora così: basta viaggiare tra Bagnara, Palmi, Scilla, Sant'Eufemia e per i paesi intorno al Monte Cocuzza per accorgersi che qui il tempo si è fermato. Se è vero che il calabrese è chiuso, in qualche modo duro, rustico, è anche vero che è capace di grandi aperture e soprattutto di accoglienza.

C'è un paese, in provincia di Catanzaro, Badolato, piccolo borgo medioevale in alto sulla costa ionica, in cui vivono alcune famiglie curde perfettamente integrate con quelle del luogo. È un'esperienza unica. I curdi stanno come a casa loro: sono artigiani, coltivano la terra, gestiscono bar e ristoranti, i bambini vanno a scuola, imparano l'italiano e la cultura del Paese che li ha ricevuti. Non solo: quando gli stranieri, sbarcati da una delle tante carrette della speranza arrivarono sulla costa, Badolato offrì il primo rifugio e l'ex sindaco, Gerardo Mannello, e tutto il consiglio comunale chiesero alla popolazione la disponibilità delle case abbandonate per ospitare i profughi. Furono consegnate ottanta chiavi. In più fu dato il monastero, una delle chiese più importanti del paese, perché i curdi potessero professare il loro culto, quello musulmano. Quando venne il momento dell'addio, tredici di queste famiglie decisero di rimanere.

Corrado Alvaro non ha vissuto la Calabria della 'ndrangheta, della società mafiosa, ma di essa ha scritto: «I mafiosi, forti della violenza, acquistavano un rango sociale. Disprezzati fino a ieri, diventavano terribili; quando una società dà poche occasioni di cambiar stato, o nessuna, far paura è un mezzo per affiorare».

Qualcosa è cambiato. Il 16 ottobre 2005, il giorno delle Primarie per l'Unione, votazioni che hanno dato la leadership a Romano Prodi con il 74,1% di preferenze, a Locri un sicario uccide a colpi di pistola Francesco Fortugno, vicepresidente del Consiglio regionale della Calabria, e indisturbato scappa in un'auto guidata da un complice. L'esponente della Margherita, che aveva militato nella Democrazia cristiana poi nel Partito popolare, è la ventitreesima vittima dall'inizio dell'anno. L'omicidio avviene in pieno giorno: il killer colpisce a volto scoperto di fronte a quattro potenziali testimoni, osserva la vittima cadere sotto l'androne del portone e poi raggiunge il compare e sparisce.

Cinquantaquattro anni, sposato con due figli, medico specialista in chirurgia generale, Fortugno era stato primario al pronto soccorso dell'ospedale di Locri dove aveva lavorato per trentacinque anni. La moglie, Maria Grazia Laganà, medico anche lei, vicedirettore sanitario nello stesso ospedale, il giorno dei funerali chiede ai calabresi di reagire. Non riesce a trovare un motivo, ma ha una certezza: come suo marito amava profondamente la Calabria, da quel 16 ottobre lei non ha mai pensato di abbandonare questa terra.

Ma a creare un nuovo corso sono i giovani: gli studenti scendono in piazza a Locri e chiedono giustizia. Il loro corteo viene aperto da uno striscione su cui è scritto: «E adesso ammazzateci tutti». Per la prima volta si rompe il silenzio e grazie a quei ragazzi il fatto non viene archiviato nella cronaca, ma fa il giro del mondo. Si raccontano come «ragazze e ragazzi con storie e percorsi di vita diversi, che vogliono tracciare insieme la strada per un vero riscatto civile della nostra terra. Siamo giovani donne e giovani uomini, da oggi vogliamo essere gli occhi, la bocca, le braccia e le gambe di Francesco Fortugno, che voi, uomini di tutte le mafie, credete di aver ucciso».

Ho conosciuto i protagonisti di Locri nei telegiornali, dai primi piani fatti da una telecamera, occhi grandi e scuri, lineamenti duri, decisi e, contro ogni aspettativa, tanti capelli biondi. Hanno le facce di tutti i ragazzi del mondo: ingenue, pulite, piene di curiosità e di speranza. Sono vestiti come i coetanei del nord: magliette strane, jeans, giubbotti, stivali. Nelle loro manifestazioni, tanti striscioni con scritte inquietanti: «'ndrangheta, sporcizia della nostra terra», «l'ignoranza è mafia», «Munch lo ha dipinto, noi gridiamo forte: no all'omertà», «l'ira rende brillanti gli uomini confusi ma li fa restare poveri», e poi la frase che più mi ha colpito: «abbiamo tolto le maschere della paura». A vederli in tv sembrano più grandi e forse lo sono per le storie che hanno segnato le loro vite.

Non è vero che chi nasce al sud è uguale a chi è nato al nord. In comune c'è solo la voglia di una società migliore. Sui ragazzi di Locri c'è stata molta retorica e forse qualche uso improprio: riunioni politiche, trasmissioni televisive per appropriarsi dei loro slogan, comparsate in zona di vari politici. Questo movimento esisteva già da parecchio tempo, con organizzazioni impegnate nel sociale: tanti di quei giovani, attraverso la scuola, si erano avvicinati a idee e a un modo di pensare più aperto, più libero, più dedicato al prossimo. Chi in quei giorni non è sceso in piazza, non aveva capito quello che stava accadendo.

Ho parlato con Annamaria, diciotto anni il 14 aprile: il padre l'ha chiamata come una sua sorella morta a quattordici anni. È lei la voce dei ragazzi di Locri, la sua foto è finita su tutti i giornali ma mi ha detto: «La cosa più emozionante è stata vedere che in una delle manifestazioni c'era la figlia di un boss mafioso che portava uno striscione. La madre è divorziata dal marito e lei ha ripudiato il padre, ma questo è un conto familiare, altro è uscire allo scoperto. Quando l'ho vista ho pensato che qualcosa eravamo riusciti a fare e che quella era la nostra vittoria più importante. I ragazzi che provengono da famiglie mafiose hanno vissuto con la convinzione di essere dalla parte del bene e pensano che quei poliziotti, quei magistrati, quei politici che non sono con loro, siano il male. Sono cresciuti così e credono di essere nel giusto perché è l'educazione che hanno ricevuto dai loro genitori. Quando un padre dice di un poliziotto "chista è cosa lerda" (questa è una cosa sporca), il figlio è convinto che sotto quella divisa ci sia il male. Noi vogliamo parlare con i figli dei mafiosi, io ci convivo, li conosco, siamo compagni di scuola. A Locri ci conosciamo tutti, siamo solo quindicimila».

Tutto comincia da uno striscione bianco realizzato dagli studenti del liceo scientifico Zaleuco, il primo grande legislatore del mondo occidentale nato proprio a Locri. Il giorno dopo l'omicidio di Fortugno quello striscione sfila per le strade davanti al tribunale e alla casa della vittima.

«Eravamo in cinquanta», mi racconta ancora Annamaria. «Ho chiesto tante volte a mio padre che cosa potevamo fare. È possibile che ci siano stati ventitré morti in un anno? E la Locride non ha reagito? Sono stati uccisi alcuni nostri amici: Fortunato Correale è stato per me un secondo papà, era compare d'anello di mio padre, il suo più grande amico, faceva il meccanico e ha avuto il torto di denunciare chi aveva fatto saltare in aria una macchina di fronte a un negozio. Gli hanno sparato dopo pochi giorni, senza che fosse tutelato da nessuno: le forze dell'ordine e la magistratura lo avevano lasciato solo. Vincenzo Grasso era un altro amico di mio padre, come lui era stato iscritto al Pci, e portava avanti la sua attività commerciale nel modo più onesto possibile. Aveva denunciato le persone che gli avevano chiesto il "pizzo"; nemmeno lui è stato protetto. Un altro che frequentava la mia famiglia era Fortunato La Rosa, una persona tranquilla: aveva due figli che studiavano al nord e lui, oculista in pensione, si era ritirato in campagna. Lo hanno ammazzato, non si sa perché e neanche come stanno andando le indagini. Alla manifestazione del 4 novembre eravamo in quindicimila, avevano aderito le città di Cosenza e Napoli, erano arrivati ragazzi da Firenze, da Torino, dalla Sicilia. Noi non siamo schierati con alcun partito, quello che rappresentiamo singolarmente non c'entra: io appartengo alla Sinistra giovanile, ma tra di noi ci sono quelli che vanno da Alleanza nazionale a Rifondazione. Conosciamo bene i traffici della mafia, quali sono i giri della droga in zona, sappiamo come viene smerciata da quando arriva al porto di Gioia Tauro. E se lo sappiamo noi, lo sanno anche quelli che questi traffici dovrebbero fermare. Spesso si parla di politica sporca, di politici che fanno accordi con i mafiosi. La mafia è come l'acqua:

riesce a trovare il suo contenitore dovunque, non ha forma e assume quella di ciò che la contiene. Il rapporto tra criminalità organizzata e Stato è come quello dei vasi comunicanti: quando l'acqua che rappresenta lo Stato si abbassa, automaticamente si alza quella della mafia. E viceversa. Dove non c'è Stato c'è la mafia che è poi ciò che sosteneva il generale Carlo Alberto Dalla Chiesa. Quando intervenni a fianco di Romano Prodi alla manifestazione dell'Unione, urlai quello che mi venne in mente lì per lì: "Lo Stato in Calabria non c'è mai stato". Vidi di fronte Pecoraro Scanio che sorrideva per il mio improvvisato gioco di parole: "Stato e stato".»

Anna Rita ha diciotto anni, anche lei fa il liceo classico e si è unita agli altri ragazzi perché è stata colpita: suo padre è morto sotto casa il 13 aprile 2000. Era un imprenditore edile con il difetto, per qualcuno, di essere perbene. A distanza di sei anni, l'Associazione Antimafia non ha ancora riconosciuto alla famiglia l'attestato di vittima della 'ndrangheta ed è dura arrivare alla fine del mese. La madre di Anna Rita non lavora e gli aiuti arrivano da uno zio. Anna Rita è convinta che «la criminalità organizzata non si può sconfiggere. Tra mafia e Stato il rapporto è stretto, le istituzioni sono inquinate e se lo Stato non si ripulisce dal di dentro, la mafia continuerà a esistere. Non possiamo essere noi giovani a decidere, quello che stiamo facendo è un passo, ma da soli dove possiamo arrivare? In questi sei anni ho sentito solo parole».

Antonio ha sedici anni, frequenta il liceo sperimentale Mazzini ed è di Careri, vicino Bovalino. La sua lotta è iniziata un anno e mezzo fa, quando con altri compagni della Sinistra giovanile decise di fondare un giornale che si occupasse di antimafia, *Voce libera*. Racconta: «Nonostante le difficoltà perché i tipografici ci dicevano di no, i pochi sponsor che ci davano i soldi chiedevano che il loro marchio non venisse pubblicato, e solo i genitori di alcuni di noi che avevano una fabbrichetta o qualche attività commerciale non hanno avuto remore a mettere il logo, siamo usciti con quattro numeri. Il primo, settecento copie, gli altri millesei. *Voce libera* aveva portato la parola 'ndrangheta nelle case dei bovalesi, in una zona dove c'è la 'ndina storica di San Luca che esiste da più di duecentocinquanta anni. Ricevemmo alcune lettere minatorie e dopo poco, per istanza della procura di Reggio Calabria, il giornale venne chiuso senza una ragione. Otto giorni dopo fu ucciso Francesco Fortugno».

Benedetta, sedici anni, frequenta il liceo scientifico di Locri. Non apparteneva ad alcuna associazione, quando c'erano occasioni di volontariato era sempre presente ed è nota perché spesso litiga con gli automobilisti che parcheggiano abusivamente le macchine all'esterno della scuola e impediscono il passaggio. È stata una delle protagoniste dello striscione bianco. Dice: «Era una provocazione per sottolineare che noi non avevamo parole, ma se le avessimo avute, non ci sarebbero bastati i metri dello striscione e le quattro bombolette spray. Abbiamo voluto criticare, parlare, urlare in silenzio».

Questi ragazzi non sono soli. Dietro a loro ci sono famiglie e insegnanti, come il professore di storia e filosofia. Pensa che le manifestazioni, i riflettori che hanno avuto puntati, siano più importanti dei posti di blocco da un po' presenti a Locri perché, gli studenti, scendendo in piazza, hanno attirato l'attenzione sul paese e quindi limitato l'ordinaria amministrazione degli affari mafiosi. La mafia ha bisogno di omertà e di silenzio; da cinque anni non si vedeva nessuno in piazza. Ricorda il professore: «Un primo cambiamento si verificò quando arrivò da Trento monsignor Giancarlo Bregantini. Fu molto discusso: qualcuno si domandava chi è questo del nord che vuole insegnarci la democrazia? Perché ci chiede di rispettare le leggi, come facciamo a guadagnare e mantenere le nostre famiglie? E in questi giorni queste voci si sono fatte risentire, forse a nome della stessa mafia. Hanno detto: "Gli studenti parlano, ma loro non lavorano, gli studenti non pensano ai loro genitori che devono lavorare. Io mia figlia, finché dipende da me, non la faccio andare a queste manifestazioni". La mafia li ha convinti che queste reazioni sono contro di loro e contro la Calabria perché "a noi non ci dà niente nessuno"».

Monsignor Giancarlo Bregantini non aveva avuto un'accoglienza festosa: una finta bomba, messa sotto il palco nel suo primo appuntamento con la comunità. L'ho incontrato a Gerace, a una ventina di minuti di macchina da Locri, uno dei più bei borghi italiani, situato su un altipiano all'interno dell'Aspromonte. Mi fece visitare la Cattedrale che porta il nome di Maria SS. Assunta che fu consacrata all'inizio dell'anno mille, ed è la chiesa più grande della Calabria.

Ho chiesto a monsignor Bregantini se non ha mai avuto paura rompendo certi equilibri. «No», mi ha risposto, «perché il mio scopo non è tanto contrappormi in maniera diretta alla mafia, come forse poteva essere la strategia di qualche anno fa, ma è di creare alternative adeguate in modo che la gente, vedendo segni di speranza, possa crederci. Quindi, la mia è un'opera di costruzione.»

«Nel suo passato c'è anche un'esperienza da operaio. Che cosa umilia di più l'uomo?»

«La mancanza di lavoro, perché gli toglie dignità. E, di conseguenza, un uomo è svenduto o è facilmente svendibile al primo acquirente.»

«Cristo si è fermato a Eboli o ha proseguito?»

«Ha proseguito. Nella realtà del dolore dei calabresi c'è Cristo, come c'è nella storia dei Santi. Certo, ci sono tanti spazi dove Cristo ancora non è arrivato.»

«Difetti e virtù dei calabresi.»

«I difetti sono legati alla loro storia di sofferenza: la passività, il lasciare agli altri la delega, il non impegnarsi, il non vedere lontano, il prendere l'immediato credendo che esso costruisca, e non accorgersi che l'immediato, da solo, non produce futuro. È l'accoglienza la virtù di questa gente. La prima parola che io ho imparato da loro, fu quando, trent'anni fa, mentre venivo in Calabria, il viaggio in treno fu più lungo del previsto e mi trovai senza pane. Una donna che era nello scompartimento preparò il pane tipico di questa terra, e prima di offrirlo al suo bambino lo diede a me dicendo: "favorite". Ecco, la parola più bella della Calabria è "favorite".»

Monsignor Bregantini nella Locride non ha portato solo parole di speranza: ha portato il lavoro. Ha costruito delle cooperative agricole insieme ai giovani, ai disoccupati, agli handicappati e ai tossicodipendenti. Nei campi coltivano primizie: lamponi, mirtilli e fragole, quei frutti che vengono dal suo Trentino e tornano al nord per essere venduti grazie ai rapporti del prelato con la gente della sua terra. Ma la 'ndranghe-ta, nei giorni successivi all'omicidio di Fortugno, quando il ve-scovo si è stretto attorno ai ragazzi di Locri, ha colpito con due attentati, il primo molto grave perché ha avvelenato l'acqua di irrigazione. Tutto il raccolto, valore duecentomila euro, è da buttare. Sono distrutte dodicimila piante. Per il Pastore di Lo-cri è stato come attentare alla vita umana e ha avuto una rea-zione molto dura: ha scomunicato la 'ndrangheta perché ha colpito gli uomini e la terra. In quei giorni di fine marzo è scat-tata la solidarietà e sono arrivati contributi da tutta l'Italia.

Cinque mesi dopo il delitto dell'esponente della Marghe-rita la mafia si è rifatta viva. Viene ucciso un giovane calciatore di Locri, Vincenzo Cotroneo, ventotto anni. Lo hanno ammaz-zato a colpi di lupara e di pistola, forse l'ultima gioia che si è portato dentro è la partita della domenica prima, il derby, vin-to contro il Roccella. Vincenzo si era comportato da grande campione e l'allenatore lo aveva sostituito qualche minuto pri-ma della fine: la sua uscita dal campo era avvenuta tra l'ovazio-ne del pubblico.

Cotroneo aveva giocato nelle giovanili del Torino e anche dalle mie parti, nella Centese, C2, poi in serie B, nel Lecce e non era andato male, ma preferì tornare a casa. Si doveva spo-sare entro l'anno. Domenica 19 marzo, mentre tornava in fa-miglia, la sua macchina è stata affiancata da quella dei killer, e vicino ai carabinieri di Bianco è stato ammazzato.

Le indagini stanno seguendo una pista sentimentale: la sua fidanzata, di Africo, è una Morabito, un cognome molto noto nella zona perché un lontano parente, Peppe «U tiradrit-to» è il capo del traffico internazionale della droga, arrestato un anno fa dopo quindici di latitanza.

Ma c'è un'altra pista. La pistola usata per uccidere France-sco Fortugno poteva essere la stessa che aveva sparato nel 2005 contro il circolo di proprietà di Vincenzo Cotroneo e di suo pa-dre dove i giovani andavano a giocare a biliardo. Per questo motivo, solo pochi giorni prima della sua morte, Vincenzo ave-va ricevuto un invito a comparire dai giudici del caso Fortugno.

Attorno a questi ultimi omicidi, forse anche per merito dei giovani di Locri, i magistrati stanno facendo passi da gigante.

Compaiono i pentiti: prima uno dei killer, Bruno Piccolo, e grazie ai suoi racconti quattro persone vengono arrestate. Tra queste, una avrebbe deciso di collaborare.

Oggi chi ha sparato ha un nome e un cognome, Salvatore Ritorto: insieme a lui sono incriminati Domenico Audino, Carmelo Dessì, Nicola Pitasi, Gaetano Mazzara, Antonio Dessì, Domenico Novella e Vincenzo Cordì, gli ultimi due già in carcere. Il pentito Bruno Piccolo è il gestore del bar «Arcobaleno» di Locri, la polizia e i carabinieri, con grande fantasia, chiamano l'operazione con lo stesso nome del locale.

Così il racconto di Piccolo: «Ritorto fu accompagnato in macchina alle spalle di Palazzo Nieddu». Il luogo dell'agguato è casuale: a volto scoperto il sicario esplode cinque colpi di pistola, 9x19 Luger, poi sparisce. Francesco Fortugno era stato condannato a morte da tempo.

Il pentito dice anche che per giorni il killer lo aveva aspettato sotto casa. Il clan di Locri che ha organizzato tutto è quello potente di Cordì. Gli inquirenti sono molto più avanti nelle indagini di quanto la cronaca ha raccontato: sembra un romanzo «noir», che parte nel primo capitolo dagli assassini ma solo nell'ultimo si sapranno i nomi dei mandanti. È un delitto eccellente che fa venire in mente un grande film del passato, *Cadaveri eccellenti* di Francesco Rosi. Le indiscrezioni dicono che il compenso di Salvatore Ritorto è notevole; subito dopo l'omicidio si è comprato una berlina di lusso, ha arredato la vecchia casa e si è vantato con gli amici perché gli erano rimasti settantamila euro in tasca.

Facciamo un passo indietro e mettiamo in sequenza quello che è accaduto. Il 15 novembre la polizia cattura quattro presunti affiliati alla cosca Cordì: tra questi Bruno Piccolo. In quell'occasione gli investigatori scoprono che tra le armi dei quattro c'è una pistola calibro 9 dello stesso tipo di quella che ha ucciso Fortugno.

Il 9 dicembre 2005 viene intercettata una lettera del capo clan Vincenzo Totò Cordì a Piccolo. Ci sono le «istruzioni per l'uso»: «L'importante, in questi luoghi, è stare tranquilli, farsi la galera con onestà. Parlare poco, solo quando è necessario. E sai com'è, se qualcuno che fa il furbo, tipo ti dice: "Con questa accusa chissà quanta galera ti fai", tu gli rispondi che non importa quanta galera, l'importante è uscire a testa alta e che la galera non ci impressiona». Nei giorni successivi Piccolo riceve la visita della madre prima, e dello zio Pasquale poi che gli dice: «Sta fermo, non ti far schiantare e non parlare», e gli ricorda che ha due sorelle. Ma di fronte al pm Piccolo crolla e dice: «Il Ritorto è quello che ha sparato, tutto vestito di nero, con berretto e cappuccio. Su questo vi posso far luce perché il dottore Fortugno era sorvegliato da un po', vi voglio dire da codesti tipi che lo pattugliavano sotto casa e poi... ed io so questo fatto che Dessì Carmelo, di solito era lui ad accompagnare il Ritorto, lo portava sotto casa, lì, e poi se ne andava».

Pm: «Ma perché lo hanno ammazzato?». Sulla risposta, nel verbale è scritto: omissis.

Le teorie sull'omicidio del politico calabrese sono diverse: una matrice politica, appalti di oltre tre milioni di euro nella sanità locale, assunzioni facili, addirittura mandanti vicini alla vedova, all'interno della stessa Asl in cui lei lavora.

Il 20 giugno 2006, svolta nelle indagini, viene arrestato il caposala dell'ospedale di Locri che ha la stanza di fianco a quella della vedova. Un secondo pentito, Domenico Novella, rivela che Alessandro Marciano, il caposala, è il vero mandante dell'omicidio e che alla guida dell'auto, che avrebbe accompagnato il killer Salvatore Ritorto, c'era il figlio Giuseppe di ventisette anni, anche lui arrestato. Movente: Francesco Fortugno aveva scoperto un caso di estorsione perpetrato dal caposala, e stava per denunciare il tutto alla magistratura.

Inizialmente gli inquirenti non avevano dato molto peso al racconto di Domenico Novella perché nipote del boss Totò Cordì e il suo pentimento era stato considerato come un tentativo di depistaggio.

Alla fine il solito intreccio tra criminalità organizzata e malavita.

Quello che ho scritto in queste pagine è quanto avrei raccontato se avessi continuato *Il Fatto*.

Mi è capitato, in tanti anni di lavoro, di incontrare gente di ogni specie: persone per bene, ma anche delinquenti, torturatori, responsabili di omicidi, ladri, stupratori e, naturalmente, pentiti. Mi viene in mente, tra questi, Patrizio Peci, ex Br, ma quello che più mi ha colpito, l'uomo con il quale ho passato giorni e notti e instaurato un rapporto d'amicizia, è Tommaso Buscetta. Tant'è vero che sulla sua avventura di boss mafioso e poi di colui che ha permesso, per la prima volta, di scoprire tanti misteri di Cosa Nostra, nel 1986 ho scritto un libro, *Il boss è solo*.

Di Buscetta, un esperto che lo aveva studiato da vicino ha detto: «Ha carisma. Poteva essere un grande generale o un grande manager». E un cronista del *New York Post*: «Ha l'aria di un gentleman». Racconta un detenuto, che lo ha conosciuto all'Ucciardone, che don Masino non chiedeva mai favori, non alzava mai la voce, non minacciava nessuno, diceva: «C'è tempo per tutte le cose». Quando inizia la deposizione con il giudice Giovanni Falcone, si presenta con un linguaggio esplicito, e senza sfumature: «Sono un mafioso. Non ho niente di cui pentirmi. Non sono d'accordo con chi ha scatenato la guerra tra le cosche. Sono stati uccisi innocenti che non c'entravano con i nostri affari». Parla per quarantacinque giorni, poi scattano trecentosessantasei mandati di cattura. Tommaso Buscetta parla, e rivela i meccanismi che regolano la vita all'interno della varie «famiglie»; non spiega le ragioni di certi delitti politici, e neppure rivela come è composto il «terzo livello», la «cupola», quelli che stanno sopra tutti e decidono, e non compaiono mai. Quando gli chiedono perché si è deciso a infrangere la legge della riservatezza, della discrezione, che è l'impegno giurato di ogni «soldato», risponde: «Non avevo altra scelta: o continuavo a tacere, come avevo fatto, oppure andavo fino in fondo. E così è stato». In uno dei nostri molti appuntamenti, raccontò la sua «iniziazione».

«Non ricordo più chi mi fece il discorso: uno che di sicuro è morto. Succedevano tanti fatti, c'erano tanti ammazzati, e io sostenevo che coloro che uccidevano erano miserabili, perché tendevano agguati. "Non devi parlare così", mi disse quello, "se hai dei princìpi seri, di omertà, se pensi che non andare d'accordo con la polizia è bene. Quando uno deve morire, perché lo merita, si provvede, e non si deve passare neppure una notte in camera di sicurezza, e bisogna cercare tutte le scappatoie possibili per non pagare." Cercò di persuadermi e ci riuscì. Io non sono entrato in Cosa Nostra da vecchio, ma da giovanissimo: a diciassette anni. Non c'è un'età per fare quel passo, e la qualità di mafioso non si perde mai: è come essere prete, è per sempre. Poi venne il momento. Quell'uomo, Nicola Giacalone, mi invitò in una casa dove c'erano altre tre o quattro persone. Mi spiegò che esisteva un'organizzazione che non si chiamava mafia, ma Cosa Nostra.»

«E si fidavano di un ragazzino?»

«Si fidavano del carattere, della grinta che il ragazzino aveva. E così feci il giuramento. Non ricordo bene le parole, ma tutta la cerimonia era piuttosto ridicola. Mi punsero il dito con un ago, e mi dissero di strofinare il sangue che gocciolava su un santino. Poi uno diede fuoco all'immaginetta, e io pronunciai la formula del rito: "Se tradirò, le mie carni bruceranno come questa sacra effigie".»

«C'era qualcuno che dirigeva, che officiava?»

«Il padrino. Mi ha fatto gli auguri, che mi hanno portato anche male, e mi ha esortato a essere sempre discreto. Mi disse che dovevo avere una buona condotta, tenere la bocca chiusa, stare lontano dalle donne facili, non rubare, e appena mi avessero chiamato, correre subito, e lasciare qualunque impegno. Cosa Nostra viene prima del sangue, della famiglia, delle relazioni e del paese.»

«Che cosa la affascinava in quella confraternita? Il mistero, lo spirito d'avventura?»

«Una volta era bello sentirsi amici di persone mai conosciute: uno andava in una città, in qualunque posto, e veniva accolto, con una lettera di presentazione, come un fratello. Ti accompagnavano, sentivi cos'è l'affetto, e un senso profondo di rispetto; e oggi questo grande ideale, che faceva di due uomini d'onore due dello stesso sangue, pronti a soccorrersi e a proteggersi l'uno con l'altro in ogni momento di bisogno, è finito. Oggi la corsa è solo al potere finanziario.»

«Chi è un uomo d'onore?»

«Uno che non si può offendere, o schiaffeggiare. Uno col quale si può discutere, o al massimo sparargli. E poi è una persona che non mente: non ha interesse a farlo. Le bugie si ritorcerebbero contro di lui.»

«C'è una procedura per l'arruolamento?»

«Una volta si faceva così: si informavano tutte le cosche, anche per sapere se avevano qualche obiezione da fare. Potevano dire di no: questo è parente di un ufficiale, quest'altro è nipote di un magistrato; non c'era posto per chi, in qualche modo, serviva la legge. Poi c'era il banco di prova: e gli davano l'incarico di eliminare qualcuno.»

«Perché la mafia è destinata a finire?»

«Perché ogni cosa ha la sua evoluzione, la sua parabola ascendente, poi il declino. Decade per la cattiva conduzione. Non è più l'onorata società: è svergognata, ha dato troppi cattivi esempi, e ha fatto dire alla gente avvilita: "Ah, questa è Cosa Nostra". Potranno reclutare ancora nuove forze nell'ambiente dei ladri, degli sfruttatori di prostituzione, perché le persone per bene non la accetteranno mai. Nessun popolo può sopportare tanta ferocia senza difendersi. Io non credo che i siciliani continueranno a tollerare passivamente queste storie spietate. Verrà il giorno che apriranno gli occhi. Non c'è più bisogno dei mafiosi per vivere da cittadino. Forse una volta era necessaria qualche protezione; ora no.»

«Da lei non è mai venuto nessuno a chiedere giustizia?»

«Che ricordi, no.»

«E a domandare appoggi?»

«Molte volte. Ho procurato tanti impieghi. Eh, avevo delle amicizie che contavano, qualche candidato che votavo, al quale davo il mio sostegno nelle elezioni. I rapporti politici, gli appoggi politici, io credo che li abbia il basso, il medio e il grande cittadino italiano. Se non si hanno raccomandazioni, non si va avanti.»

«Per lei che cosa significa essere siciliano?»

«È un dramma spiegarlo. Per me non è un titolo di merito, ma una circostanza negativa, perché vuol dire pensare come si usava nel resto del mondo cinquant'anni fa.»

Recita una massima di Cosa Nostra: «La mafia è come una banca:/paga con denaro contante./Chi deve avere avrà/chi ha avuto ha avuto./I debiti si pagano./Chi tondo è nato/non morirà quadrato./Chi nasce è nato./Chi non è nato/non ha mai vissuto».

Don Masino Buscetta ha vissuto e ha pagato i suoi debiti.

Nel codice d'onore della mafia di Buscetta c'era il rispetto per le donne e i bambini erano sacri. Poi, con la vittoria dei corleonesi, le regole sono saltate e gli ordini di Totò Riina non risparmiavano nessuno.

L'ultimo pentito che ho incontrato è stato Giuseppe Ferone. L'ho incontrato nel carcere di Rebibbia. È stato uno dei più pericolosi e spietati capi mafia siciliani. Mi hanno colpito i suoi occhi di ghiaccio: quando ti guardano, ti penetrano. Sono gli occhi di un uomo che ha ucciso altri uomini e che sicuramente non ha sparato alle spalle, ma ha voluto lasciare loro come ultima immagine il suo volto. Dopo che sono stati uccisi suo figlio e suo padre, ha deciso di collaborare con la giustizia. Con le prime rivelazioni ha approfittato della semilibertà, protetto dalla polizia, per consumare le sue vendette: secondo l'accusa ha ucciso la moglie di Nitto Santapaola e poi ha ordinato l'assassinio della figlia di un altro boss rivale, Antonio Puglisi, colpita a morte insieme al cugino di quattordici anni, nel cimitero di Catania.

Gli ho chiesto: «Quanti morti ha sulla coscienza? Quanti suoi e quanti ne ha provocati?».

«Il discorso dei morti è abbastanza antipatico, fa sempre male parlarne. I morti ci sono stati, oggi lo dico a malincuore, ma erano in un'ottica criminale, malavitosa. Gente che faceva parte del cosiddetto gioco, non gente che non ne faceva parte. Mi sarebbe più facile dire quanti non ne ho fatti fuori.»

«Lei si vendicava? Era quello che la spingeva ad ammazzare?»

«No, vendicarmi no. Ci sono state delle persone che sono state ammazzate, amici miei, per esempio, per le quali ho gridato vendetta, ma erano malavitosi, era nel loro destino.»

«Per suo padre? Per suo figlio?»

«Loro non c'entravano con la vita malavitosa, per loro la molla mi è scattata dopo alcuni mesi. Io non mi sono pentito per fare la vendetta di mio figlio e di mio padre. Volevo già uscire da questo ambiente dove si uccide gratuitamente. La mafia non è più quella di una volta.»

«Lei si sente responsabile di quel ragazzino al cimitero accanto a quella giovane?»

«È normale che mi senta responsabile. Un povero ragazzo morto per sbaglio, scambiato per il fratello di quella ragazza.»

«Mentre per la legge lei era un pentito, in realtà organizzava omicidi. Perché?»

«Perché volevo vendicarmi dei responsabili della morte di mio figlio.»

«C'è qualcosa di cui si pente davvero?»

«Di tutte le cose successe, di quello che ho fatto mi pento davanti a Dio.»

«Chi ha ammazzato la moglie di Santapaola?»

«Io.»

Mi hanno molto colpito le parole del procuratore della Direzione Nazionale Antimafia, allora ancora a Palermo, Piero Grasso: «La mafia vuole che non si parli di mafia. Dunque bisogna parlarne».

Evidentemente c'è chi pensa, stupidamente, che quando si parla di Cosa Nostra bisogna fare dei distinguo e premettere che in Sicilia non tutti sono mafiosi, è un po' come dire che in Italia non tutti sono stranieri.

Giuseppe Fava, Boris Giuliano, Piersanti Mattarella, Giovanni Falcone, Libero Grasso, Peppino Impastato, Gaetano Costa, Carlo Alberto Dalla Chiesa, Rocco Chinnici, Rosario Levantino, Roberto Antiochia, Vittorio Occorsio, Bruno Caccia, Antonio Saetta, Pio La Torre: l'elenco è lunghissimo. So'o tra scorte e magistrati sono quaranta le vittime e so che in questo momento, non ricordando qualche nome, sto comme'tendo offesa alla memoria e mi scuso con le famiglie.

Sempre qualcuno ci tiene a precisare che bisogna, quando si ragiona di criminalità organizzata, fare distinzioni politiche sulle amministrazioni che governano le regioni interessate. Nel 2005, fu realizzata un'inchiesta, ben fatta, che ricordava la televisione di una volta, riportando dati e testimonianze inconfutabili, dove si dimostrava che la mafia ha continuato a fare affari come mai nel passato. L'allora procuratore capo Pier Luigi Vigna disse che solo l'ecomafia, la gestione illecita del ciclo dei rifiuti, valeva ventisette miliardi di euro, i beni sequestrati alla malavita organizzata ammontavano a oltre tre miliardi e le custodie cautelari emesse erano più di settemila: notizie importanti che ci sono date dalla brava Maria Grazia Mazzola la quale, oltre alla firma, ha messo nell'inchiesta anche la faccia (*Report* di Milena Gabanelli, RaiTre).

Ma siccome tutto, da un po' di tempo a questa parte, deve essere in par condicio, ecco che su un'altra rete, RaiDue, un paio di settimane dopo, andò in onda la trasmissione riparatrice in «risposta» a quelli che avevano definito il programma di RaiTre: «un danno per la Sicilia» e «sciacallaggio mediatico». Se nella prima si era parlato della mafia e quindi della Sicilia, regione governata dal presidente Antonio Cuffaro, centrodestra, nella seconda il servizio di apertura è stato dedicato alla camorra in Campania, regione governata dal presidente Antonio Bassolino, centrosinistra.

Su RaiDue ci fu il tentativo, per fortuna non riuscito, di strumentalizzare due vittime di mafia: Beppe Alfano giornalista della *Sicilia* assassinato nel 1993 per il suo coraggioso lavoro e il giudice Paolo Borsellino, etichettandoli come vittime di destra.

Morale, la famiglia del giornalista è intervenuta attraverso il suo avvocato: «Non azzardatevi a strumentalizzare la sua memoria perché la sua morte è dovuta anche al fatto che fu lasciato solo da tutti». Per il giudice è intervenuta invece la sorella Rita: «Mio fratello Paolo, ha fatto parte di un solo partito, quello della legalità».

Negli ultimi anni, a parte qualche caso sporadico, il compito di parlare della mafia è stato assolto, prevalentemente, dalla fiction, *La Piovra, Ultimo*, dalle due importanti puntate dedicate da Canale 5 a Paolo Borsellino e dal cinema, *Cento passi* di Marco Tullio Giordana e *Alla luce del sole* di Roberto Faenza.

Ma anche nella finzione è accaduto un fatto che ci sarebbe piaciuto approfondire. Nel maggio 2006, a margine di una conferenza stampa, una nostra vecchia conoscenza, Agostino Saccà, annunciava, riporto la notizia battuta dall'agenzia Apcom, poi ripresa da tutti i giornali: «C'è una legge sulla par condicio da rispettare, insieme a Giovanni Falcone è protagonista della fiction Paolo Borsellino, ma sua sorella Rita è candidata in Sicilia. Così il direttore di Rai Fiction ha spiegato le ragioni per le quali la Rai ha deciso di non mandare in onda, prima delle elezioni amministrative, le due puntate su Falcone.»

Si è scatenato il finimondo, contro la decisione sono intervenuti alcuni consiglieri di amministrazione e il presidente Petruccioli ha accusato il direttore di RaiUno, Fabrizio Del Noce, altra nostra conoscenza: «Infondato qualsivoglia riferimento alla par condicio, un danno d'immagine e pratico all'azienda. La par condicio non può certo essere estesa ai legami familiari tra un martire della mafia e una candidata alle prossime elezioni regionali siciliane».

Del Noce nella replica ha dato la colpa agli stravolgimenti dei palinsesti che hanno impedito la messa in onda a marzo.

Perché a marzo quando l'anniversario della morte del giudice è a maggio, per la precisione il 23?

Poi il direttore di RaiUno ha aggiunto che dello spostamento era stato informato il direttore generale Alfredo Meocci, il quale ha risposto: «Mai informato da nessuno sulla necessità di rinviare la fiction per la legge della par condicio».

Morale, anche sulle fiction il controllo della politica.

Ma torniamo alla mafia, quella vera, quella che ha ucciso Falcone e Borsellino.

L'attacco che in questi anni i magistrati hanno costantemente subìto da parte del centrodestra è stato vergognoso e si sintetizza nelle parole pronunciate dal primo presidente della Cassazione Nicola Marvulli il 27 gennaio 2006, nel corso dell'apertura dell'anno giudiziario, a proposito della riforma della giustizia che l'ex ministro leghista Roberto Castelli ha voluto a tutti i costi: «Continuo a credere che questa riforma non sia in grado di accrescere l'indipendenza della magistratura. L'indipendenza del giudice è indissociabile dalla sua funzione, è una qualità personale, al pari dell'onestà morale e intellettuale, è una nostra gelosa ricchezza, che nessuno ci potrà sottrarre, se noi vorremo e sapremo conservarla». Sono parole pesanti che devono fare riflettere.

In quei giorni Piero Grasso fece un'altra denuncia: «Combattere Cosa Nostra oggi, con i mezzi a disposizione, è una missione impossibile».

L'ultima volta che l'ho incontrato è stato per un'intervista a *Il Fatto*. Gli ho chiesto: «Cosa si fa per combattere la mafia? Gli strumenti tradizionali sono sempre efficaci?». Mi ha risposto: «No non sono più all'altezza della situazione, perché sono venuti meno i pentiti. Fare indagini su un territorio controllato dalla mafia è diventato sempre più arduo: i pedinamenti, ad esempio, sono difficili».

Da quel giorno sono passati quasi sei anni e il magistrato, alla vigilia delle elezioni politiche lanciò nuovamente quell'allarme unito a un appello a tutti i segretari di partito: «Non candidate gli inquisiti per mafia». Era un sostegno alle parole di un altro giudice, Carlo Rotolo, presidente della Corte d'appello di Palermo, secondo il quale la mafia oggi sceglierebbe i suoi candidati «pilotandone la scalata verso incarichi politici regionali e nazionali, rispetto a un tempo quando la politica sceglieva i suoi rappresentati e Cosa Nostra li votava».

Nella legislatura che si è conclusa da poco, sedevano in Parlamento ben venticinque concittadini condannati per tangenti, corruzione, favoreggiamento, finanziamento illecito e truffa e tanti altri erano inquisiti.

Forse l'età a volte mi porta a ripetermi, ma quando vedo queste cose credo che non ci sia nulla da fare e che la nostra società non cambierà mai. Alcuni amici, più giovani di me, di fronte a questo mio pessimismo mi dicono che bisognerebbe andare a vivere in un altro Paese: io no, non ci sto, io voglio vivere qui e visto che abbiamo scritto di Falcone e Borsellino penso a quel lontano 1992, a loro e agli otto agenti della scorta morti nei due attentati.

Difficile dimenticare quella fila allucinante di bare e, all'uscita dalla chiesa, le parole di Antonino Caponnetto, il padre del pool Antimafia, che disse davanti a un microfono impietoso: «È tutto finito».

Allora si parlò di «indicibile strazio», di «nuova indignazione», le stesse frasi che sono state usate il 16 ottobre 2005 quando fu assassinato Francesco Fortugno.

E ancora: l'omicidio dell'agricoltore di Vibo Valentia, Fedele Scarcella, il corpo è stato trovato l'11 giugno 2006, carbonizzato nella sua auto abbandonata sulla spiaggia. Scarcella era conosciuto per le sue battaglie contro il racket. Nel 1998 aveva prima denunciato, perché gli avevano chiesto il pizzo, gli uomini del clan Piromalli Molè, la cosca che comanda nella Piana di Gioia

Tauro, poi li aveva fatti arrestare dopo atti di vandalismo contro la sua azienda agricola. Subito dopo questo delitto, il presidente degli industriali calabresi, Filippo Callipo, in una intervista a *Repubblica* ha dichiarato: «La Calabria è persa, entro giugno scade il mio mandato e me ne vado per sempre. Non ce la faccio più, se continuo a denunciare quello che gli altri non vogliono mai denunciare finirà che mi prenderanno per pazzo e mi chiuderanno in una clinica per malattie mentali», e aggiunge «prima o poi potrei chiudere le imprese e trasferirmi per sempre».

Le sue parole sono macigni come quelle di Caponnetto. Un anno prima Callipo, in una lettera al presidente della Repubblica aveva chiesto, inutilmente, l'intervento dell'esercito per combattere la 'ndrangheta.

Contro chi dobbiamo rivolgere il nostro sdegno per la nostra impotenza? Oggi come allora mi chiedo: «Questo Stato agonizzante, chi lo ha ridotto così?».

La responsabilità è un po' di tutti, attraverso i colpi di lupara ma anche di retorica. In questi anni non si sono dati ai magistrati i mezzi per combattere la criminalità, ma soprattutto non si è voluto informare il Paese sulla realtà e lo stato di emergenza, raccontando che tutto andava bene. I dati dimostrano che i processi per mafia sono diminuiti del 57%, nonostante nella solo Palermo i reati per usura siano aumentati del 53%, e le estorsioni dai 452 casi del 2004 ai 583 del 2005.

Dopo le stragi di Capaci e di via D'Amelio, il presidente della Repubblica Oscar Luigi Scalfaro disse: «Guai a chi si arrende».

Così è stato. I magistrati e le forze dell'ordine, nonostante tutto quello che non è stato fatto, l'11 aprile del 2006 arrestano, dopo quasi quarantatré anni di latitanza, il capo della mafia Bernardo Provenzano. Lo trovano in una masseria nella campagna di Corleone, dalla sua terra non si era mai spostato. Il mistero lo aveva avvolto, qualcuno diceva che non era mai esistito, qualcun altro che era morto. Di lui Luciano Liggio, che lo aveva avuto come killer, aveva detto: «Spara come un dio, ma ha un cervello da gallina». Sbagliava perché nella storia della mafia non c'è mai stato un capo che abbia saputo fare gli «affari» come Provenzano, eliminare gli amici e i nemici al momento giusto, e portare la pace tra le famiglie, come nei romanzi di Mario Puzo. Piero Grasso è raggiante, il successo è suo, dei suoi collaboratori delle forze dell'ordine e di tutti quelli che di fronte al mafioso non si sono mai piegati, anche a scapito della loro vita.

Durante un servizio del telegiornale dichiara: «La cattura di Provenzano rappresenta anche la fine di un mito: quello dell'onnipotenza e dell'invisibilità mafiosa».

Ma torniamo ai ragazzi di Locri.

Ho sentito Annamaria per telefono e la sua voce, i suoi modi, garbati, pacati contrastano con le parole forti e decise dei suoi discorsi. Ho pensato che ha l'età delle mie nipoti Rachele e Marina e forse poteva essere intimorita davanti a un nonno. Mi ha raccontato che cosa non funziona nella città di Locri: le strade, non ci sono i marciapiedi con l'accesso per i disabili, e i semafori non hanno i segnali per i non vedenti. «Dobbiamo partire da queste cose, che sembrano piccole e che sono comuni a tante città italiane», dice, «ma non favoriscono l'integrazione. Noi vogliamo rappresentare la faccia pulita della nostra Calabria. Dobbiamo insegnare ai bambini che non si butta la carta per terra e dobbiamo impararlo anche noi; e se non c'è un cestino, la carta ce la portiamo a casa. Con l'educazione del cittadino, con il rispetto per le cose degli altri, si arriva anche a rispettare la legalità.»

Le ho chiesto se ha il ragazzo: «No, non mi vuole nessuno. Mi considero ancora troppo piccola. Nel futuro vorrei accanto un uomo che mi capisca, che capisca ciò che faccio. Non tutti condividono la mia scelta, soprattutto i ragazzi. Ho seminato un po' il terrore nella fauna maschile del luogo. Ho la sensazione che abbiano un po' timore a confrontarsi con me: se mi siedo al tavolo con alcuni giovani che non sono quelli del Movimento, è successo che a uno a uno se ne sono andati. Spero che, crescendo, questo atteggiamento intorno a me non ci sia più, ma da quando ero bambina, ho sempre vissuto in un certo modo, sono stata educata ad avere grande libertà di scelta e devo dire grazie ai miei genitori i quali, peraltro, stanno facendo la stessa cosa con mia sorella di quattordici anni. Ho sempre cercato di usare la mia testa e di fare quello che il cuore mi suggeriva».

Il temperamento di Annamaria, la grinta, la voglia di cambiare a tutti i costi, a volte anche un po' l'ingenuità dell'età che fa vedere o tutto bianco o tutto nero, mi ha fatto venire alla mente una grande donna, la «Pasionaria», Dolores Ibarruri, il fiore della passione.

Nata nella città di Gallarta, nei Paesi Baschi, ha lottato per i diritti dei deboli fin dalla gioventù aderendo al Partito comunista di cui divenne prima segretario poi presidente. Nel 1936 fu eletta alla Cortes, il Parlamento spagnolo. Fu considerata il simbolo dell'eroismo della guerra civile perché fece sentire la sua voce nel mondo a difesa della Repubblica. «La guerra di Spagna» scrisse Georges Bernanos, «è un cimitero. È il cimitero dei princìpi veri e falsi, delle buone intenzioni e delle malvagie. Se c'è uno spettacolo compassionevole è quello di tanti disgraziati, accovacciati da tanti mesi attorno alla marmitta, che assaggiano con la forchetta, ognuno vantando il proprio pezzo: repubblicani, democratici, fascisti, antifascisti, clericali e anticlericali, povera gente e poveri diavoli.»

Dalla parte dei repubblicani c'erano Togliatti, Nenni, Pacciardi, e gli scrittori Malraux, Hemingway, Saint-Exupéry, Spender, Dos Passos. Tutto cominciò col «pronunciamiento» nel Messico spagnolo, del generale Francisco Franco Bahamonte che voleva abbattere la Repubblica, a tutti i costi. L'Italia fascista lo appoggiò subito: decollarono dalla Sardegna dodici trimotori da bombardamento S81 al comando del colonnello Ruggero Bonomi. Poi furono inviati cinquantamila uomini, in buona parte volontari, reclutati, con la promessa di una buona paga, tra i disoccupati. Il loro comandante era il generale Bergonzoli, detto «barba elettrica».

Nel 1931 Dolores Ibarruri diventa l'editore di *Mundo Obrero*, Mondo Operaio.

Sul quotidiano comunista nel 1936, poco prima dello scoppio della guerra civile, Federico Garcia Lorca, insieme a Rafael Alberti e altri trecento intellettuali, scrive un manifesto a favore del Frente Popular e il giornale lo pubblica il giorno prima delle elezioni vinte di poco dalla sinistra. Otto giorni prima che gli sparassero, Lorca prese parte a un comizio della sinistra, promosso dall'amico Alberti. «A me, di queste faccende» spiegava il poeta «non importa niente, ma come faccio a dir di no a un amico?» Garcia Lorca fu ucciso nell'estate del 1936, in agosto, la notte che andava dal tramonto del 18 all'alba del 19. Non si sa dove Federico sia sepolto, perché ancora adesso molti tacciono, e qualcuno ha preferito dimenticare. Perché, in fondo, Garcia Lorca non appartiene a nessuno, è una vittima di quelle crudeltà che travolsero operai e vescovi, scrittori e contadini, soldati e miliziani. Tra un milione di fosse c'è anche la sua. Il destino del poeta fu legato alla vendetta di Ruiz Alonso, ex tipografo, ex deputato della Ceda, Confederacion espanola de derechas autonomas, il più forte gruppo di destra. L'assassino tentò, durante un colloquio con un camerata, di dare una spiegazione del suo delitto: «Ha fatto più danno con i suoi libri che gli altri con le rivoltelle».

Dopo tre sanguinosi anni, nel 1939, con la conquista di Madrid, i franchisti piegarono la resistenza delle forze antifasciste. Dolores Ibarruri andò in esilio in Unione Sovietica e ritornò in Spagna solo dopo la morte di Francisco Franco nel 1975.

La «Pasionaria» morì a Madrid all'età di novantatré anni, il 9 dicembre 1989.

Chiesi di lei a Vittorio Vivaldi, comunista, il mitico comandante Carlos del 5° reggimento, intrepido e discusso, ma di sicuro una forte personalità.

Mi disse: «Una gran donna, di carattere basco, duro, e anche molto dolce, una oratrice dall'intuito formidabile».

Ho incontrato Dolores Ibarruri quando stava ancora a Mosca, nella bella casa di via Stanislavskij, dove alloggiavano gli alti funzionari del partito. Mi disse: «Salud, compañero». Corressi: «No, señor». Andava verso i novanta e vestiva ancora di nero. Come quando, ragazza, vendeva sardine, o faceva la sarta o la camiciaia. Poi accanto a un minatore delle Asturie scoprì il fascino della rivoluzione, dimenticò i tocchi del rosario per gli altoparlanti dei comizi, il culto di Nostra Signora della Begonia per quello di Karl Marx. Era la voce che echeggiava per le strade di Barcellona o di Madrid fra macerie, suoni di chitarra, lamenti di feriti. Esortava anche le donne a liberarsi dal potere degli uomini: «Ci vogliono soltanto in chiesa, in cucina e a letto». Visse quel tempo infuocato accanto ad Anton, il giovane commissario politico, l'amante appassionato. Hemingway pensò a Dolores per inventare Pilar, una dei protagonisti di *Per chi suona la campana*. Anche dopo la vittoria di Franco i compagni urlavano: «Viva Dolores, nostra madre, dirigente, signora».

Mi disse: «Noi abbiamo la *ilusion* di andare a morire nella nostra terra».

Aveva ragione, ma suo figlio il tenente Ruben Ruiz Ibarruri, rimase sepolto a Stalingrado. Una piccola lapide porta il suo nome. Erano passati tanti anni dai giorni della gloria e della sconfitta, ma la voce che incitava: «È meglio morire in piedi che vivere in ginocchio», «Noi preferiamo essere vedove di eroi che mogli di vigliacchi», che gridava ai microfoni: «No pasaran», era sempre carica di calore e di forza. Dolores mi offrì del caffè e del cognac, cognac spagnolo che le aveva mandato Fidel Castro. Si avvertiva la forza del capo, era un prestigio che si era sempre portata dietro da allora, quando trascinava la gente verso le trincee, e i battaglioni portavano il suo nome. Mi parlò di Garcia Lorca e di quando il poeta disse alla madre: «Io sono del partito dei poveri». «Non era come la gente immagina, triste e rassegnato, la sua allegria appariva persino smodata, inventava stornelli popolari, suonava il pianoforte, gli piacevano le arene e le osterie, i *banderilleros*, le cantanti di flamenco, i gitani, si considerava fuori dalla mischia. Chi lo ha ammazzato non sapeva di uccidere un genio.»

TERZO CAPITOLO
Per un pugno di telespettatori in più

Il nostro viaggio è partito dai giovani di Locri ed è a loro che noi consegniamo la società che abbiamo costruito. Penso molto a questi ragazzi non solo perché i miei anni sono ottantasei e sono quattro volte nonno, ma perché nella loro giovinezza, nel loro entusiasmo, nel loro candore, nella loro inflessibilità c'è il ricordo della nostra vita, delle nostre speranze e delle nostre emozioni.

Ogni generazione ha avuto la sua primavera, la mia l'ho raccontata tante volte, è stata quella durante la Seconda guerra mondiale, alla ricerca della libertà, della libertà per tutti, insieme a quelli che il mio amico e vicecomandante di Brigata Sandro Contini Bonacossi chiamava «i nostri mascalzoni». Sono morti quasi tutti, ma i loro volti, le voci, sono indimenticabili nonostante il tempo passato. Dimentico cosa ho mangiato ieri sera e a volte quale programma ho visto alla tv, forse perché mi interessava poco, ma quel periodo no, e ne sono orgoglioso. Purtroppo oggi non ascoltiamo i giovani, li usiamo, sfruttando qualità, gioventù, bellezza e anche drammi.

La televisione, in tutto ciò, è importante e responsabile: da una parte offre opportunità di lavoro, di carriera, dall'altra funziona come un miraggio, uno specchietto per le allodole. In ogni tavola rotonda dedicata alle difficoltà dell'età adolescenziale o giovanile, si dibatte e si sproloquia sui cattivi esempi, i modelli sbagliati proposti ai ragazzi.

Non so che modelli abbia avuto quella banda di balordi che qualche mese fa ha rapito e poi ucciso Tommaso Onofri, diciotto mesi, nato e cresciuto, per troppo poco tempo, in un casolare di campagna vicino a Parma. Era sera e come tutte le sere il bimbo Tommaso era seduto a tavola tra mamma e papà sul suo seggiolone, di fronte il fratellino più grande. Ogni tanto un pezzetto di pane e un assaggio di quel che mangiavano i grandi. Chissà cosa c'era nella sua testolina: forse era contento, aveva già preso la medicina che non gli faceva venire le crisi, era già con il suo pigiamino e presto la mamma gli avrebbe raccontato delle belle storie per farlo addormentare. All'improvviso però in quella casa tra i filari di pioppi, lontano il rumore delle automobili che corrono sull'autostrada, viene il buio, quello che faceva paura a Tommy, e poi due brutti uomini vestiti di nero lo sollevano e se lo portano via. Tutta l'Italia ha sperato per tanti giorni che qualcuno chiedesse un riscatto, si sono attivati i soliti medium, gli appelli televisivi e quasi come fu per Vermicino, abbiamo seguito in diretta lo strazio di due genitori.

Non voglio e non posso giudicare Paola e Paolo Onofri, il loro bisogno di parlare alle telecamere per comunicare con chi pensavano tenesse il loro bambino. Non c'è dubbio però, che sul dolore di quella madre e di quel padre si sono inserite tante, troppe trasmissioni televisive e tutte a cercare lo scoop, a fare la gara a chi per primo raccoglieva le dichiarazioni dell'indagato Mario Alessi, della sua compagna, Antonella Conserva, della mamma della compagna. Scoop, naturalmente a pagamento. Ed era impudico andare a cercare in quei volti, nei tic, nel battito delle ciglia un segnale: colpevoli o no? E ancora: ma quei genitori sempre disponibili, come facevano? Come potevano affrontare la diretta dei funerali, non sentire il bisogno di stare in silenzio, da soli?

Non c'è dubbio: la televisione ci ha abituati a tutto, dal processo mediatico di Erika e Omar ci sono professionisti che hanno costruito le loro fortune sul dramma di Novi Ligure e su quello di Cogne, ora anche sulla tragedia di Casalbaroncolo. Mi ricordo, a proposito di Cogne, che i familiari di Samuele e il sindaco del paese chiesero discrezione ai mezzi di informazione, soprattutto pregarono di non riprendere la cerimonia funebre del bimbo. Io, ai tempi, feci una puntata de *Il Fatto* su quel delitto invitando alcuni direttori dei telegiornali Rai e Mediaset e tutti mi risposero che non avrebbero mandato la loro troupe. La stessa sera tutti quei direttori mandarono in onda le immagini di quella piccola bara bianca, si limitarono soltanto a non entrare in chiesa.

Allora, siamo diventati tutti guardoni? Ci solletica il dolore degli altri? E perché ci sono tante trasmissioni di cosiddetto approfondimento? Solo per le botte di ascolto? Il fatto è che la nostra è una televisione piena di violenza, violenza morale, e va in onda a tutte le ore, con poco rispetto per chi sta a guardare.

Il solito copione anche nel caso di Tommaso: dopo il ritrovamento del corpo del bambino e l'arresto degli autori materiali del delitto, fiumi di inchiostro e di parole alla ricerca di un perché e i soliti psicologi, sociologi, criminologi a dire la loro. Come se fosse facile capire o spiegare che cosa scatta in certi uomini e anche in certe donne. Da Erode in avanti, da sempre i bambini sono stati facili vittime di azioni malvagie e mi viene in mente Baby Lindbergh, e tanti fatti di casa nostra, Mirko Panattoni, il piccolo Faruk Kassam, Augusto De Megni, Marco Fiora e l'elenco sarebbe lungo.

Ma in uno di quei rapimenti che tanti anni fa, nell'estate del 1975, hanno riempito le cronache sono stato, in qualche modo, involontariamente coinvolto. Lei, la ragazza rapita, si chiamava Cristina Mazzotti e aveva appena compiuto diciotto anni; la sua era una facoltosa famiglia di origine romagnola, commercianti di granaglie con il Sudamerica. Cristina venne portata via davanti al cancello della villa di Eupilio dove era in vacanza con mamma, papà, la sorella incinta e il fratello maggiore. Un pomeriggio di luglio ricevetti una telefonata dallo zio, Eolo Mazzotti, un uomo garbato che mi chiedeva un appuntamento. Venne a casa mia, insieme con il padre della giovane e mi disse se mi sentivo di lanciare un appello ai rapitori nella mia rubrica sul *Corriere della Sera*. Ricordo perfettamente il mio stupore ma anche il mio imbarazzo, soprattutto il timore che, magari, una parola sbagliata potesse decidere il destino di Cristina. E non volevo che la parola sbagliata fosse la mia. Così consigliai di consultarsi bene con i loro avvocati, poi ci saremmo rivisti. Passò luglio e verso la fine di agosto i Mazzotti mi invitarono a cena a Eupilio.

Era una sera di fine estate, con la luce del tramonto che

sapeva già di autunno e il rumore di una pioggia leggera ma fitta fitta sulle foglie delle magnolie ad accompagnare i nostri discorsi. «Non sa che cosa vuol dire passare la notte vicino a un telefono», diceva la mamma di Cristina, «e poi senti che gli uccellini ricominciano a cantare e capisci che arriva un nuovo giorno ma quel telefono non suona.» Sul divano la figlia maggiore sferruzzava delle scarpine di lana per quel bimbo che non avrebbe mai conosciuto la zia Cristina, gli uomini fumavano una sigaretta dopo l'altra e la speranza di riportare a casa la loro ragazza dagli occhi verdi si consumava in un portacenere colmo. Diceva lo zio Eolo: «Da che cosa nasce il male? Che cos'è la colpa dell'uomo? Io credo che questo che consumiamo sulla terra non è che un breve passaggio, verso il riscatto e la pace. Non serve la minaccia del castigo, non servono le fiamme dell'inferno». E il padre: «Io non sono impegnato nella politica come i miei fratelli, e non sono sicuro della salvezza, una certezza che aiuta mio fratello Eolo, ma ho trovato qualche cosa che non possedevo dentro di me».

I resti di Cristina Mazzotti furono trovati in una discarica, buttati in modo osceno tra carcasse di automobili e lavatrici. Un'altra banda di balordi l'aveva fatta morire di stenti e di dosi eccessive di tranquillanti, nonostante il pagamento di un miliardo, ma non si è potuto chiarire se la ragazza era ancora viva quando la gettarono sotto quella montagna di immondizia. Mi viene in mente la sera in cui lo speaker del telegiornale diede la notizia: Cristina è morta. Ero solo, nella casa vuota e guardavo il divano sul quale si erano seduti il padre e lo zio, due uomini non più giovani, stanchi, le facce segnate dalle notti e dall'angoscia, che combattevano contro una minaccia invisibile, inafferrabile, ma ragionavano senza rancore, come rassegnati al male e al sopruso.

Dei Mazzotti non ho più saputo niente se non che con Cristina è finita una bella famiglia: la madre si chiuse in casa, il padre morì l'anno dopo per un attacco di cuore e nessuno ha mai più trovato la pace.

Davanti a storie come queste mi chiedo ancora una volta che diritto ha la televisione di invadere il cuore e l'anima di chi vive giorni di disperazione e non capisco perché le forze dell'ordine e la magistratura non mettano un freno alla caccia all'esclusiva a tutti i costi. È giusto informare, è immorale speculare per una manciata di ascoltatori in più.

Tanto per rimanere in argomento, qualche anno fa un serial killer di qualche esperienza, Donato Bilancia, fu arrestato con l'accusa di aver compiuto diciassette omicidi, uomini e donne, tra l'ottobre del '97 e il maggio del '98. Durante i primi interrogatori fece una strana richiesta. Voleva andare a raccontare la sua storia in televisione intervistato da Enzo Biagi. Ricordo che la proposta ci colpì e impegnammo una riunione di redazione per capire che cosa potevamo fare. Decidemmo di non farne niente. Perché Bilancia ci voleva parlare, che ragioni aveva? Depistaggio, eccesso di protagonismo, convenienze processuali? Rimasi sorpreso quando lo vidi in onda, dopo qualche anno, a *Domenica in* intervistato da Paolo Bonolis in un orario destinato all'intrattenimento delle famiglie, bambini, mamme, nonne e zie, e pensai che avevamo fatto bene a dire di no a un uomo condannato a tredici ergastoli. Ancora una volta la tv era stata violenta e impudica, con poco rispetto sicuramente per gli spettatori, ma, soprattutto, per le famiglie delle vittime e mi ha stupito Bonolis, uomo intelligente e sensibile, che aveva ceduto al richiamo dell'audience.

Certo, di delinquenti ne ho incontrati tanti anch'io ma l'unico a cui non sono riuscito a stringere la mano, nemmeno come gesto di buona educazione, è stato Gianfranco Stevanin. I giornali l'avevano chiamato «il re dei feticisti», «il Landru della Bassa», «il giustiziere delle prostitute». Nato nel 1960 a Montagnana, un paesino in provincia di Padova, figlio di contadini, Stevanin dopo un incidente in campagna viene portato in un collegio di suore perché i genitori, iperprotettivi, temono si possa fare ancora male. Torna a casa quando compie quindici anni, ma evidentemente non è fortunato perché un anno dopo ha un incidente in motocicletta e rimane in coma per un paio di settimane. Quei giorni gli lasciano in eredità un focolaio epilettico. La difesa userà questi traumi per spiegare i suoi sei omicidi: teatro dei delitti il casolare di Terrazzo dove vive, vittime donne incontrate sulla strada che muoiono per lesioni dovute a rapporti sessuali estremi. Dopo, Stevanin smembra i cadaveri e li seppellisce qua e là in uno dei suoi campi. La prima sentenza è del 28 gennaio 1998: Gianfranco Stevanin è condannato all'ergastolo ma per tre anni dovrà rimanere in isolamento. La Cassazione ha confermato la prima sentenza.

La perizia di uno degli psichiatri che lo hanno analizzato si chiede: «Matto da legare? No, gran Narciso, intelligente, abilissimo nel presentarsi come vittima e carnefice. Le stesse amnesie sugli omicidi sono autentiche simulazioni di fronte agli inquirenti che lo mettevano davanti alle prove ed era costretto a confessare».

Nel 1996 l'omicida consegnò un foglietto manoscritto dal titolo «Come mi vedo» ai magistrati. «Elegante, raffinato, sempre con quell'accenno di quel buon profumo e perfettamente rasato. E da lui ogni cosa è al suo posto, tutto in ordine. E sempre con quella piccola perversione: a lui la donna piace "nature" in minigonna, senza slip né collant e depilata. In questo modo il piacere inizia quando esco dalla porta di casa e termina solo quando rientro in casa.»

Durante le perquisizioni i carabinieri avevano trovato in casa del serial killer indumenti intimi, borsette da donna e i documenti di cinque ragazze, oltre a settecento fotografie porno e decine di videocassette, una capigliatura bionda, contenitori con peli pubici, lettere ad amanti e fidanzate, enciclopedie di medicina, immagini e libri sacri, soprattutto di Padre Pio, e schede sulle prestazioni di alcune donne. Queste saranno fondamentali per collegare Stevanin con le vittime.

L'ho incontrato nel supercarcere di Verona il giorno in cui fu condannato all'ergastolo. In quella piccola stanza che il direttore del carcere ci aveva messo a disposizione mi sono trovato davanti il serial killer. Tra di noi non c'era nulla, nemmeno un normale tavolo e questo mi mise a disagio. Prima di iniziare l'intervista mi chiesi perché ero lì, poi le luci si accesero, Loris mi disse di provare il microfono: «Uno, due, tre, quattro, cinque...». Ok, si comincia. Gli occhi di Stevanin erano micidiali, fissi su di me, ma non duri, forse distanti, dietro pensieri lontani. Mi colpì il fatto che non battesse mai le ciglia. Seguiva il movimento dei tecnici lentamente, spostando lo sguardo ma tenendo sempre la testa rivolta verso di me. In quel momento sapevo che il suo avvocato mi stava usando, d'altra parte io facevo il mio mestiere e dovevo stare molto attento a cogliere tutte le sfumature delle risposte dell'uomo che avevo davanti.

«Qualche donna le ha fatto del male?»

«Sì, in parte sì, anche se diciamo limitatamente.»

«Che tipo di male?»

«Se vogliamo, a livello psicologico più che altro.»

«Da che cosa nasceva il suo rancore contro le donne, questa voglia di sterminio?»

«È questo il fatto: che da parte mia non c'è mai stato rancore verso le donne.»

«Neanche simpatia, mi pare, no?»

«Io ho cercato di fare in modo che ci fosse sempre la massima disponibilità da parte mia.»

«Prometteva dei soldi, dei regali?»

«No. L'unica cosa che promettevo, e davo, soprattutto, era la mia massima disponibilità. Amicizia, affetto: anche quello, cercavo di darne il più possibile.»

«C'è qualche ragazza che ricorda per dei particolari?»

«Beh, il primo amore, quello chiaramente si ricorda, e si ricorderà sempre.»

«Quella, si è salvata o no?»

«Sì, si è salvata.»

«E delle altre?»

«Di ognuna ho un ricordo particolare. È chiaramente il ricordo migliore, per un motivo, magari per un momento d'amore, anche solo per una battuta.»

«Lei qualche cosa riconosce di aver fatto?»

«Indubbiamente qualcosa sì.»

«Che cosa?»

«Quanto meno l'occultamento di cadavere.»

«Dopo averle ammazzate?»

«Dopo che sono morte.»

«Lei come si considera: un giustiziere, un angelo sterminatore...?»

«Né l'uno né l'altro.»

«Che cosa allora?»

«Io credo di essere un uomo normale.»

«Quindi lei chi è: un perseguitato, un incompreso, un uomo infelice?»

«Un infelice certamente, un perseguitato forse no, certamente sfortunato sì.»

«È pentito per qualcosa?»

«Sinceramente non sono mai stato capace di dire di essere pentito.»

«Lei non ha mai fatto niente di sbagliato?»

«Ripeto: qualcosa di sbagliato l'ho fatto, ad esempio l'occultamento di cadavere, ma è una cosa che è avvenuta per panico, più che altro.»

«Lei nascondeva dei cadaveri. Ma come li ha trovati questi cadaveri?»

«Erano ragazze che si occupavano di me.»

«E poi morivano?»

«Sono morte, sì.»

«Queste storie come sono collocate nella sua memoria? Sono sei le donne che sono morte: come le vede, come erano, bionde, brune, allegre, tristi?»

«Quando ci ripenso io vedo sempre delle ragazze che conoscevo, che mi erano care, e quindi le vedo sorridenti, allegre, vedo bei visi di persone simpatiche.»

«E perché muore una bella ragazza che si aspetta tutto dalla vita e che si affida all'amicizia?»

«È un discorso complesso. Alcuni ricordi mi mancano.»

«Sono cancellati?»

«Non saprei come dire, mancano soprattutto i momenti che rappresentano le accuse che mi sono state fatte.»

«Qualche volta ha pensato che cos'è la vita? Che cos'è per lei, una brutta avventura, una speranza delusa?»

«Forse una speranza delusa, al momento è la risposta più giusta.»

«Senta, questa è l'ultima domanda e forse anche l'ultima occasione. Se la sente di chiedere scusa o perdono a qualcuno?»

«Io vorrei chiedere scusa ai familiari, come ho cercato già di fare, ma non sono creduto. Lo vorrei fare con il cuore, spero questa volta almeno di essere creduto.»

«Che cosa devono credere? Che lei è pentito?»

«Sì, che sono pentito, amareggiato per la scomparsa di queste ragazze.»

Qualcuno ha detto: «Per ogni uomo che incontri, qualcosa in te nasce, qualcosa in te muore». È successo anche con Gianfranco Stevanin, un ritratto triste della miseria umana.

Ma la televisione, in questi ultimi anni, non ha portato nelle case solo esempi discutibili riferiti a protagonisti di fatti di cronaca. Abbiamo a lungo dibattuto sulle esternazioni, in vari salotti tv, della mamma di Cogne, sulla difesa in diretta dell'avvocato Carlo Taormina, dei pareri di criminologi e giudici. In definitiva, ci siamo chiesti, è giusto che i processi si facciano negli studi Rai o Mediaset, a *Porta a Porta* e a *Matrix*? La risposta, ovvia, è no, ma non la pensiamo tutti allo stesso modo. Quando certe trasmissioni affrontano temi come il delitto di Novi Ligure, Erika e Omar che uccidono la mamma e il fratellino, l'omicidio, ancora senza colpevole, del piccolo Samuele, anche se la mamma è stata condannata a trent'anni in primo grado, o la morte di Marta Russo, la studentessa uccisa da un colpo di rivoltella nei viali dell'Università la Sapienza di Roma, gli ascolti toccano punte che vanno oltre il 30%, il che vuol dire che sono viste da un cittadino su tre di quanti in quel momento hanno la televisione accesa. E sono gli stessi cittadini che, presi singolarmente, sono contrari alla spettacolarizzazione del dolore. Prevale quindi sempre e ancora la logica di mercato? Sembrerebbe di sì.

Altra domanda: la televisione deve inseguire quello che vuole il telespettatore o in qualche modo guidarne le scelte? Io sono convinto che non sempre all'alto ascolto corrisponda l'alto gradimento. Ancora. La gente guarda quello che la televisione offre, ma non c'è dubbio che poi si abitua e alla fine gli piace. Comunque, senza voler fare della spicciola sociologia, ma solo per spirito di verità, dobbiamo tener presente, quando parliamo dei dati di ascolto, che ci indicano anche che il 50% della popolazione non accende la televisione. E questo mi pare il dato fondamentale.

Non voglio dire che la tv del passato fosse migliore di quella di oggi: non è questo il discorso che mi interessa. Piuttosto credo che una volta si affacciassero al video personaggi che per un verso o per l'altro, chi meglio, chi peggio, comunque, avevano un mestiere. Il cantante era intonato, la ballerina aveva fatto ore e ore alla sbarra, l'attrice aveva studiato dizione e così via. Tutto questo significava proporre modelli di professionalità e il giovane che sognava di diventare un artista sapeva che dietro quel lavoro c'erano studio, impegno e fatica e la televisione era il punto di arrivo di una carriera, non la partenza. Oggi tutto è ribaltato: basta essere bellocci, uomo, donna o altro non importa, l'uso della sintassi è un optional, e se si crede che il 25 aprile sia la festa della Madonna non è un ostacolo per vincere novecentomila euro come è capitato al ragazzo del *Grande Fratello*.

Un giorno Loris mi ha raccontato che una sua studentessa dell'università candidamente gli ha confessato che non sapendo ballare, recitare e cantare, ma volendo entrare nel mondo della televisione, aveva partecipato a tre selezioni per entrare nella casa di Canale 5.

Ammetto di non far parte del pubblico dei reality, ma credo, per quel poco che ne so, di dover fare insieme a voi una distinzione. Se un attore in disuso, una ballerina che ha ormai la cellulite, una presentatrice che non presenta da anni, una cantante lirica che non può più essere Mimì, decidono di digiunare per mesi su un'isola, brutta peraltro, dei Caraibi, ma rinverdiscono la loro popolarità e portano a casa la pagnotta, beh, non ci trovo niente di scandaloso. Per loro è una nuova occasione. Non è accettabile, invece, l'illusione che alcuni programmi delle reti commerciali creano nei giovani: simulano un'accademia di danza, canto o recitazione, ma, in realtà, gli studenti devono solo suscitare, con i loro comportamenti, simpatie o antipatie nel pubblico e, una volta «diplomati», hanno un futuro fatto solo di comparsate in altre trasmissioni della stessa rete. Al massimo qualche serata in discoteche di paese. S'intende ancora come ospiti, ma in quel caso d'onore.

Quanto può durare tutto questo? A questa domanda mi sarebbe piaciuto trovare risposta durante *Il Fatto*. Mi avrebbe incuriosito andare a incontrare i protagonisti delle prime edizioni e forse avremmo scoperto depressioni, difficoltà economiche, sbandamenti.

Secondo me non si può fare la televisione sempre inseguendo «l'estremo»: è vero che un programma non deve indurre al sonno il telespettatore, ma neanche tenerlo sveglio con un incubo. E smettiamola di essere vittime del «format» e di copiare perché all'estero qualcosa ha funzionato.

Chiarisco: questo non vuole essere un libro sulla sociologia della televisione, ma avendo lavorato quarantun anni alla Rai credo di poter dire come la penso.

Mi è capitato di passare dei pomeriggi a casa e ho scoperto, per esempio, che non esiste più, se non su RaiTre di Paolo Ruffini, uno spazio per i ragazzi.

Quello che mi ha colpito è che al posto del mago Zurlì, della *Nonna del Corsaro Nero*, di sceneggiati sul Risorgimento e di Topo Gigio, si dibatte alle 16, di anoressia, suicidio, tette da rifare, omicidi, corna, gravidanze non desiderate, backstage di calendari per camionisti. Mi dispiace per il mio caro amico Emilio Rossi, presidente del Comitato di autoregolamentazione tv e minori, cioè dell'organo che controlla le cosiddette fasce protette, perché mi pare che oltre alla denuncia di violazione, altro non possa fare. In più, ogni tanto qualche politico di moda interviene a sostegno del Comitato, ma a esclusivo beneficio di telecamere e flashes dei fotografi. Riconosco di aver ossessionato per anni la mia redazione ricordando che, quando Ettore Bernabei era direttore generale della Rai, convocava gli autori televisivi a Roma per parlare di programmi. Dopo di lui non ricordo di essere mai stato chiamato. In fin dei conti ero uno del ramo e forse mi poteva capitare di avere l'idea di un programma per bambini. Come quando suggerii al mio amico Franco Iseppi il titolo dell'*Albero azzurro*.

QUARTO CAPITOLO

Il 25 aprile nell'era berlusconiana

Ho raccontato più volte che il periodo della mia vita di cui vado fiero non è stato quando facevo il direttore e neanche quando mi premiavano per il mio lavoro, ma sono stati i quattordici mesi in cui ho fatto il partigiano.

Il 25 aprile del 2005 a Milano, la città medaglia d'oro per la Resistenza, che ha dato, con il suo circondario, per la Liberazione oltre 4000 caduti tra i quali 2525 partigiani, in occasione del sessantesimo anniversario, c'è stata una grande manifestazione, oserei dire una grande festa, con la presenza del presidente della Repubblica Carlo Azeglio Ciampi. C'era anche il senatore Arrigo Boldrini, comandante Bulow, medaglia d'oro al valor militare. Nel suo breve discorso ci sono due frasi che interpretano il significato del giorno del ricordo: «L'antifascismo e la sua unità riscattarono la nazione dal male assoluto che l'aveva colpita e soggiogata determinando il percorso della rinascita sancito nella Costituzione del 1948. La nuova Italia, nata dalla tragedia della guerra mondiale, provocata dalle dittature nazifasciste, trova le sue radici nel sacrificio di quei combattenti e di tutti i perseguitati, torturati, sterminati nei campi di concentramento e nelle carceri di regime». Sottoscrivo.

Nei cinque anni di governo del centrodestra, mai una volta Silvio Berlusconi si è fatto vedere in piazza il 25 aprile, mai una parola dedicata agli antifascisti, d'altra parte governare con gli eredi di Mussolini ha un prezzo che si deve pagare. Comunque, il Cavaliere, in piedi sul palco a Milano in piazza del Duomo, al fianco di partigiani come Ciampi, Boldrini e poi Tina Anselmi, Oscar Luigi Scalfaro, Massimo Rendina, Checco

Berti Arnoaldi, Giovanni Pesce, Bruno Trentin, Giorgio Bocca, Pietro Ingrao, Rossana Rossanda, Giuliano Vassalli e i compianti Luigi Pintor e Aldo Aniasi, sarebbe stato ridicolo nonostante il ruolo istituzionale.

Ho scritto spesso della guerra partigiana, della Liberazione e ho raccontato storie di donne con un coraggio da leone che hanno sfidato fascisti e nazisti, anzi una di loro l'ho amata molto. Era una ragazza conosciuta solo attraverso una fotografia, bellissima, con un sorriso stupendo, labbra carnose sottolineate dal rossetto, capelli ben pettinati. Nella foto poteva essere scambiata per un'attrice dell'epoca dei telefoni bianchi, si intuiva che aveva tre fili di perle al collo sopra a una maglia a giro, lo sguardo rivolto verso l'alto. Quella ragazza si chiamava Irma Bandiera ed è morta per la nostra libertà. Fu catturata il 7 agosto 1944 dalle SS tedesche. Aveva appena fatto una consegna di armi a Castelmaggiore, una frazione poco fuori Bologna, e possedeva documenti cifrati.

Irma, da piccola chiamata Mimma, era figlia di una famiglia benestante, allegra, generosa, mai un eccesso, sempre molto ubbidiente. Era cresciuta coltivando ideali democratici, studiava all'università. Quando l'Italia entrò in guerra poteva sfollare come fecero in tanti in attesa della fine del conflitto. Lei no, rimase e cominciò a frequentare gli ambienti antifascisti e dopo l'8 settembre '43, quando bisognava decidere da che parte stare, lei scelse quella della libertà, della giustizia sociale, di lottare contro i nazisti che occupavano l'Italia e contro i fascisti che li aiutavano a tenerla occupata. Andò con i partigiani entrando in un Gap di Bologna. Fu staffetta e combattente, portava ordini, armi, informazioni e l'unica difesa era l'astuzia. Le istruzioni erano quelle di non far conoscere a nessuno il suo lavoro. «La famiglia, gli amici, devono pensare che svolgi una regolare professione», le aveva ordinato il comandante, «devi avere sempre pronta una giustificazione nel caso che fossi fermata lungo il tragitto e soprattutto, se ti catturano, non parlare mai e non rivelare i nomi dei compagni.» È quello che fece Irma, anzi Mimma, questo fu il suo nome da partigiana. Non parlò per sette giorni nonostante le sevizie e le violenze dei nazifascisti.

Poi il 14 agosto, ancora viva, fu portata sotto la casa dei genitori e quel fascista grande e grosso che non riusciva a farle aprire la bocca neanche per un gemito, guardandola per l'ultima volta negli occhi, quegli occhi che per sette giorni lo avevano sfidato con disprezzo, le chiese di fare i nomi dei partigiani in cambio della vita. In risposta ebbe il suo sorriso, quel sorriso che è in quella foto incorniciata dal filetto dorato sul Sacrario nella piazza di Bologna e che non sarà mai dimenticato. Una raffica di mitra ruppe il silenzio del Meloncello, quei colpi echeggiarono per i tre chilometri di portici che arrivano sino alla Basilica di San Luca, all'interno della quale è custodita la Madonna bizantina, quella che protegge Bologna e che ogni anno, quando a maggio viene trasportata in città è motivo di festa per tutti i credenti. Ma quel giorno, di fronte al sacrificio di Irma era solo un quadro dipinto tanti anni prima, senza pietà per l'agonia di quella ragazza.

Oggi in quel luogo c'è una lapide dedicata a Irma Bandiera. «Il tuo ideale seppe vincere le torture e la morte.»

Di un'altra partigiana mi sarebbe piaciuto raccontare la storia e l'ho cercata più volte quando sono andato in America. Si chiamava Ginetta Sagan, ma purtroppo è scomparsa nel 2000, almeno questa è l'ultima notizia che ho avuto di lei. Era nata a Milano nel 1925, figlia di madre ebrea e di padre cattolico. Entrò nella Resistenza giovanissima, non aveva ancora compiuto quattordici anni, alle prime persecuzioni razziali. Faceva il corriere clandestino e ha aiutato più di trecento ebrei a fuggire in Svizzera. Nel 1943 il padre fu fucilato e la madre morì nel campo di concentramento di Auschwitz.

All'inizio del 1945, a Sondrio, Ginetta viene catturata dai fascisti. Nei quarantacinque giorni di prigionia subisce violenze e torture di ogni genere. In modo rocambolesco, grazie all'aiuto di due soldati tedeschi che avevano disertato, riesce non solo a fuggire dal carcere, ma anche a espatriare clandestinamente con altri ebrei. La sua storia è avvincente anche dopo la guerra. Per ragioni di cuore si trasferisce in America, sposa Leonard, conosciuto a Parigi all'Università della Sorbona nel primo dopoguerra, quando lui studiava medicina. Al di là dell'oceano Ginetta Sagan continua a lottare per i diritti dei più deboli, aderisce ad Amnesty International e comincia a cercare fondi per i detenuti vittime dei regimi. Nel 1994 il presidente Bill Clinton le conferisce la Medaglia per la Libertà, la più alta onorificenza degli Stati Uniti. Oggi il suo nome nel mondo è un simbolo contro la tirannia.

In occasione del sessantesimo anniversario della Liberazione, se avessimo avuto la possibilità di fare la televisione, avremmo realizzato uno *Speciale il Fatto*. Lo avremmo costruito usando la mia voce fuori campo, cercando di far vivere al telespettatore l'avvenimento come se stesse accadendo in quel momento. Non avremmo parlato di quello che è accaduto il 25 aprile, lo abbiamo fatto tante volte e ci sono i telegiornali per questo: il nostro lavoro avrebbe raccontato quello che è successo a partire dal giorno dopo, dal 26 aprile 1945.

Prendendo spunto da un articolo che scrissi tanto tempo fa il titolo del programma poteva essere: «Cronache di un incubo che muore».

Siamo finalmente liberi. Lavoro con il Pwb, Psychology welfare branch: la propaganda degli alleati, alla radio della Quinta armata, e scrivo sul *Corriere dell'Emilia* diretto da Bruno Fallaci, ancora in uniforme inglese. Ho letto con Tommaso Giglio e Antonio Ghirelli la grande notizia: la guerra è finita.

Con gli americani arrivano il ddt, la penicillina, il latte in polvere, le «pin-up-girls», il boogie-woogie: lo ballano anche nella pineta di Tombolo, le «signorine» e i soldati neri che hanno tagliato la corda.

Si vende di tutto, e fortunati quelli che possiedono un autocarro. Ritornano i film di Hollywood, con le nuove dive: Rita Hayworth, detta anche «l'irresistibile rossa chiomata», una svedese, Ingrid Bergman, Ava Gardner e Lana Turner, chiamata cordialmente «la buona Lana».

Le donne che sono state con i tedeschi vengono rapate a zero: ed è una scena umiliante. Badoglio lascia il governo, il partigiano Nuto Revelli, gli ha dedicato una «canta»: «Pietro Badoglio, ingrassato dal fascio littorio/ col tuo degno compagno Vittorio/ ci hai rotto abbastanza i coglion».

La guida del Paese tocca prima a Ivanoe Bonomi, poi a Ferruccio Parri, nominato dai partiti. Guglielmo Giannini sul settimanale *L'uomo qualunque* lo chiama Fessucchio. Imperversa il mercato nero.

A questo punto dello Speciale raccontiamo la fine di Hitler e Mussolini, ma per fare questo bisogna partire da qualche giorno prima del 25 aprile, usando la tecnica del flashback.

Domenica 22 aprile, due lunghe automobili corrono verso il bunker di Hitler: a bordo ci sono il dottor Goebbels, che si guarda attorno, indifferente, e sua moglie Magda e i suoi sei bambini, che piangono. Il ministro della Propaganda ha deciso: aspetterà la fine accanto al suo Führer. Sul ponte di Torgau, i Gi della Prima armata americana e i soldati russi di Zukov si stringono la mano, qualcuno si abbraccia. Un fotografo scatta la scena e scrive un appunto per la didascalia: «Incontro sull'Elba».

Da quattro giorni Benito Mussolini si è trasferito a Milano. Gli hanno preparato un alloggio nelle sale di Palazzo Monforte. La sua anticamera è affollata, c'è molta confusione: ministri e generali vengono a chiedere udienza. Bologna è già stata occupata, le truppe alleate marciano verso il Po. Il Duce sembra sereno, ha sul tavolo un libro di poesie. A un giornalista che è andato a intervistarlo dice: «Per me è finita». Pensa di trattare con i socialisti; non vorrebbe consegnare la sua repubblica ai monarchici e ai borghesi.

Hitler è eccitatissimo. Ha una riunione, l'ultima, con il suo stato maggiore. Urla, impreca, insulta tutti; alla fine licenzia il suo medico personale, il dottor Morell, che l'ha tenuto su a forza di pillole.

Nel Führerbunker la luce artificiale illumina facce sconvolte dall'insonnia e dall'angoscia: il rumore dei cannoni è assordante e continuo. Hitler si abbandona all'ultima illusione, spera che l'armata del generale Wenck possa forzare l'assedio e liberare la capitale. Ovunque fiamme e rovine: si stanno applicando le regole dell'Operazione terra-bruciata. «Poco importa di quelli che rimarranno dopo la lotta» ha detto il Führer «perché i migliori sono caduti.» I soldati della guardia e le impiegate della cancelleria danzano nel bar. Molti si ubriacano.

Tra i devoti di Hitler dell'ultima ora c'è il Flugkapitan Hans Baur, il suo pilota personale. È diventato generale, e fa parte della ristretta cerchia degli intimi. È uno della famiglia, e siede alla stessa tavola del condottiero. Il 30 aprile 1945, ultimo colloquio. È pronto a volare in Argentina o in Giappone, o in qualche Paese arabo, dove ci sono degli amici.

Questo periodo storico mi ha sempre molto interessato, non solo perché è quello della mia giovinezza ma perché ha cambiato il corso della storia e nel bene o nel male ha determinato il futuro del mondo.

Ho cercato di capire, per quello che è stato possibile, ciò che frullava nella testa dei protagonisti: come avevano vissuto certi momenti; se la paura appartiene solo all'uomo comune; se per un attimo il sentimento del rimorso è apparso nei loro cuori.

Ho tentato di rintracciare per anni chi è stato al fianco del Führer e del Duce e nel 1961 ho scritto un libro *Il Crepuscolo degli Dei*, da cui avremmo, per lo Speciale, preso alcune testimonianze, tra queste quella del pilota personale di Hitler.

«Il Führer mi ha detto: "No Baur; per me è assolutamente fuori questione lasciare la Germania. Potremmo resistere qui ancora qualche giorno, ma ho paura che poi cadrei nelle mani dei russi e per loro è molto importante prendermi vivo. Mi rinchiuderebbero in una gabbia di ferro e mi porterebbero in giro per il mondo, e questo vorrei proprio risparmiarmelo, quindi la faccio finita".»

Delle vicende del bunker quello che aveva sconvolto Hans Baur era stata la fine di Goebbels, della moglie e dei loro sei piccoli figli. «Soltanto negli ultimi tempi, ho visto la signora Goebbels in una piccola camera, sedevamo insieme davanti a un tavolino e mi ha detto: "Signor Baur, questa vita è molto difficile per una mamma. Ogni sera temo che ai miei piccoli venga iniettato del veleno, e non so mai se il giorno seguente essi si sveglieranno".

«Continuava a piangere. È andata così: io l'ho saputo dall'ammiraglio Voss. L'ammiraglio era solo e stava mangiando. Improvvisamente è entrata la signora Goebbels e ha chiesto: "Signor ammiraglio, ha visto un medico entrare nella camera dei bambini?". L'ammiraglio ha risposto: "Sì, è appena passato qualcuno con un mantello bianco, ma non ho fatto attenzione a chi fosse". La signora Goebbels è entrata nella camera, l'ammiraglio Voss è rimasto dov'era, e dopo mezz'ora la signora Goebbels è ritornata, piangeva e ha detto: "Signor ammiraglio, per noi sarà più facile morire, abbiamo superato il peggio". In quel momento i bambini erano stati uccisi. Goebbels è rimasto fino alla fine, fino alla morte del Führer si è occupato di tutto. Posso dire che non era solo un grande propagandista, era un uomo d'animo forte. Quando mi sono congedato da lui mi ha detto: "Signor Baur, sarà molto difficile che usciamo di qui. Le auguro di riuscire".»

La sera del 23 aprile la signora Claretta Petacci, che è appena arrivata a Milano, ospite di un amico della sorella, riceve una visita di Mussolini. I suoi familiari sono partiti per la Spagna con un aereo che ha decollato da Milano. Il fratello voleva andare in Svizzera, ma non ce l'ha fatta. «Che sarà di me?» scrive Claretta a un'amica. «Non lo so. Io seguo il mio destino, che è il suo.»

A questo punto si poteva aggiungere allo Speciale quello che mi aveva raccontato di quelle ore Miriam, la sorella di Clara, attrice con il nome di Miriam di San Servolo: «Aveva il senso del destino che stava per compiersi. Una notte si svegliò di soprassalto e mi disse: "Lo stavano uccidendo, però io ero davanti a lui. Lo difendevo e colpivano prima me". Era come un presentimento. Seppi in Spagna che era vero, una mattina, dai giornali. Mi è rimasta la sua lettera testamento, e il suo desiderio che io faccia sapere quanto era grande il suo amore».

Gli angloamericani intanto hanno raggiunto il Po, stanno gettando i ponti di barche: sotto i pioppi sono rimasti mitragliati dagli Spitfire interi reparti della Werhmacht, branchi di cavalli si disperdono per la campagna.

Il 24 aprile al teatro Lirico di Milano, si presenta il *Don Giovanni* di Mozart. C'è un duetto che dice: «Vorrei e non vorrei, mi trema un poco il core». Mussolini riceve Bruno Spampanato e si confida: «Siamo al dunque, non ci sono ordini, non posso più dare ordini». Gli portano anche l'ultimo messaggio del grande alleato, Hitler gli assicura che «il popolo tedesco e quanti sono animati dai medesimi sentimenti faranno mutare il corso della guerra».

I rappresentanti del governo militare alleato assumono intanto l'amministrazione dei paesi e delle città liberate, ma spesso con risultati poco incoraggianti. Benedetto Croce annota nel suo diario: «Io ho osservato e sperimentato che gli inglesi e gli americani che maneggiano gli affari politici a Napoli sono molto tardi nel comprendere».

«Bisogna pensare alla morte e non farsi illusioni» aveva detto Mussolini al parroco di San Cassiano, in un pomeriggio d'autunno del 1943. Era entrato nel cimitero per portare dei fiori sulla tomba del figlio Bruno. «Qui andrò io» aveva poi aggiunto alla moglie che lo accompagnava «e qui tu, Rachele.»

Ma ritorniamo a quello che accadde dopo il 25 aprile. Il 29 *l'Unità* pubblica in prima pagina un breve comunicato: «Patrioti italiani hanno giustiziato ieri alle ore 16,30, in località Giulino di Mezzegra, vicino Como, Benito Mussolini. Gli stessi patrioti hanno fucilato a Dongo: Pavolini, Barracu, Zerbino, Mezzasoma, Romano, Liverani, Coppola, Gatti, Daquanno, Nudi, Bombacci, altri gerarchi e la Petacci. I cadaveri dei criminali sono esposti da questa notte in piazzale Loreto».

Il medico tedesco Zachariae, che vide Mussolini allontanarsi con la colonna verso un irraggiungibile rifugio della Valtellina, racconta: «Il suo viso era contratto e pallido come la morte». Mussolini aveva sessantun anni e nove mesi, meno un giorno.

Alle 4 del mattino di domenica 29 Hitler firma le tre copie del suo testamento e congeda per sempre Frau Junge Traudl, la segretaria. Ha saputo della fine del camerata italiano. Non si conoscono i commenti. Nel pomeriggio dà ordine di avvelenare il suo cane, il grosso lupo che lo seguiva ovunque. Alle 3,30 della nuova notte gli ultimi superstiti del bunker odono uno sparo. Hitler si è tirato una rivoltellata in bocca, è riverso su un divano, accanto a Eva Braun, sua moglie da un giorno, che ha rotto con i denti una capsula di cianuro. I loro corpi vengono dati alle fiamme. È l'alba del 30 aprile; i cannoni dei russi sparano a zero; sono già nei pressi della Cancelleria. Il nuovo presidente del Reich è l'ammiraglio Karl Dönitz, che annuncia l'evento alla radio: «Unser Führer Adolf Hitler ist gefallen», «Il nostro capo è caduto», e tesse un commosso elogio del defunto. Dirà poi: «Non mi pareva onesto denigrarlo subito dopo la sua scomparsa».

L'epilogo si avvicina. «La resa deve essere senza condizioni», avvertono gli alleati.

Dönitz ha fissato il suo quartier generale a Plon, nello Schleswig-Holstein. Le notizie che gli portano sono sempre più catastrofiche. Passeggia per due ore nella foresta, solo, attorno a lui saltellano i caprioli. Pensa ai troppi, inutili morti: anche i suoi due figli sono sepolti in mare. Chiama il suo aiutante, il capitano di corvetta Ludde-Neurath, e dà l'ordine della capitolazione. Alle ore zero e un minuto del 9 maggio non si spara più. L'ammiraglio dirama l'ultimo bollettino di guerra: «Dalla mezzanotte il fuoco è cessato su tutti i fronti. Si chiude in tal modo un conflitto durato quasi sei anni. Esso ci ha recato grandi vittorie, ma anche grandi disfatte. Le forze armate tedesche hanno dovuto, alla fine, soccombere alla schiacciante superiorità nemica. Ogni soldato può deporre le armi a fronte alta e con fierezza».

Andai a trovare il grande ammiraglio nella casetta dove viveva, reduce da Spandau, dieci anni dopo. Era ancora viva Frau Inge, la moglie. «Ogni parola è superflua», disse quando lo arrestarono. E non volle dare spiegazioni. Accettava il suo destino in silenzio. «Dönitz», diceva Churchill, «è l'unico che mi fa paura.» Confessava che quando usciva da un colloquio con il Führer si sentiva «come un piccolo salame». Vide le foto di Dachau e fece un solo commento: «Come possono essere accadute queste cose?».

Berlino è avvolta nei vapori della notte e nel fumo degli incendi. Le macerie hanno invaso le strade. Nella scuola dei sottufficiali di Karlshorst, che è quasi intatta, una grande sala è illuminata dai gruppi elettrogeni. È la mezzanotte precisa del 9 maggio. Una porta si apre. Entra il feldmaresciallo Keitel, è in alta uniforme, collo e paramani rossi. Lo accompagnano l'ammiraglio von Friedeburg, il generale Stumpf, e sei ufficiali dell'aviazione della marina. Portano tutti le decorazioni. I volti sono disfatti, gli occhi accesi, febbricitanti. Keitel, nell'entrare scopre De Lattre de Tassigny: «Accidenti» mormora «ci sono anche i francesi; non ci mancavano che questi». Anche il maresciallo Zukov indossa l'alta uniforme. Ha accanto a sé il generale inglese Arthur Tedder, delegato del comandante in capo Eisenhower, e l'americano Spaatz. Keitel batte i talloni e saluta presentando il bastone da maresciallo. Zukov e gli altri vincitori lo fissano senza rispondere. Keitel depone l'insegna del suo grado, un guanto e il berretto sul tavolo. «Ha i poteri necessari per firmare in nome della Germania l'atto di resa?» gli chiede Zukov.

«Sì.»

«Conosce i termini del documento?»

«Sì.»

«Ha osservazioni da fare in proposito?»

«No.»

«Allora firmi.»

Si sente soltanto il ronzio delle macchine da presa; i fotografi hanno un po' di confusione. Gli orologi segnano le 0,28. I fogli sono tutti siglati.

Keitel e la sua scorta si congedano battendo i tacchi. I soldati russi, che prestano servizio, fanno sgombrare lo stanzone dai giornalisti e dai fotoreporter; viene rapidamente allestito un banchetto. I tavoli sono ricoperti da tovaglie ricamate, il vasellame è di finissima porcellana, preziose sono le argenterie e i bicchieri di cristallo, la lista delle vivande ricorda certi interminabili pranzi narrati da Gogol'. Gli attendenti servono vini del Caucaso, spumante dolce dell'Ucraina, vodka ghiacciata. C'è anche un dolce di fragole. Qualcuno conta i brindisi e i discorsi: ventisette. Quando la cena termina, comincia a far giorno, il primo giorno del dopoguerra.

Gli antichi sovrani ritornano nelle capitali che lasciarono al momento dell'invasione. Il regno di qualcuno sarà assai breve: Michele di Romania se ne andrà dopo un paio d'anni, un figlio di Boris III di Bulgaria, Simeone, non entrerà mai nella corte di Sofia. Grandi feste attendono invece il vecchio Haakon di Norvegia: i suoi sudditi lo vedono tornare diritto, sul ponte di una nave. Per sette ore se ne sta a un balcone della reggia e il suo popolo sfila lentamente. Qualcuno piange. Metà della flotta che aveva seguito il re a Londra è andata a fondo, ma ora è tempo di ricominciare. Sembrano tanto lontani i giorni in cui un poeta scriveva: «Il re di Norvegia è solo come il coniglio nel bosco».

Ritorna Guglielmina d'Olanda. Ha ormai sessantacinque anni. È stanca, veste sempre di nero. Un diplomatico che la conosce bene dice: «È una donna troppo delusa». Va ad abitare in una villa modesta, a Scheveningen; non è difficile vederla passare in bicicletta con la figlia Giuliana.

Anche Federico di Danimarca ha conservato il rispetto dei suoi compatrioti; non proverà, come Leopoldo del Belgio, l'umiliazione di sentirsi respinto. Ha sempre condiviso i dolori del suo popolo, la sua vita è come quella della sua gente: accompagna la regina a fare la spesa nei negozi di Copenaghen, come fanno i bravi agricoltori e gli artigiani, ha il petto tatuato con allegre sirenette, come i suoi marinai; quando può dirige l'orchestra del teatro reale.

Ritornano a Roma anche i Savoia. Umberto porterà la corona un mese, qualcuno lo battezza «il re di maggio»: dopo il referendum del 2 giugno che trasforma l'Italia in una Repubblica, sceglie come sede del suo esilio Cascais in Portogallo.

Ho parlato di quel tempo con la regina Maria Josè durante una intervista televisiva, allora realizzata in pellicola con la cinepresa. Sicuramente è da qualche parte seppellita negli archivi Rai. Lo Speciale poteva essere una buona occasione per recuperarla. La sovrana aveva un rimpianto: non essere andata con i partigiani.

«Sì, l'ho detto e lo penso. Questo è stato un mio grosso rammarico. Sono contenta di poterlo affermare: avrei sempre voluto andare in montagna, anche perché la resistenza fisica ce l'avevo. Sarebbe stata una scelta in sintonia con la mia unica speranza di quegli anni: liberare l'Italia dal giogo tedesco. Non lo feci perché mi dissero: "Se lei va in qualsiasi posto, con i badogliani o con altri, i tedeschi lo sapranno e bombarderanno il luogo dove lei si trova". Non mi sarebbe importato molto di morire, ma non volevo coinvolgere altre persone.»

Molti pensano, e io sono tra quelli, che se Umberto fosse andato con i partigiani, forse la monarchia avrebbe avuto qualche possibilità di salvarsi.

«Che responsabilità attribuisce ai Savoia nella scelta della guerra?»

«Questo devono e possono dirlo solo gli italiani. Io penso,

come ho detto, che avremmo dovuto starne fuori. Si poteva. Si può sempre fare tutto.»

«È vero che lei rientrò in Italia dalla Svizzera, a piedi e da sola?»

«Sì, ma non da sola: con l'aiuto di un gruppo di partigiani. Andai fino al Gran San Bernardo e da lì, con gli sci ai piedi, scesi sino ad Aosta.»

«Perché lei votò socialista al momento del referendum?»

«Votai per Saragat perché me ne avevano parlato bene degli amici fidati. Nella mia famiglia, quella di mio padre, siamo sempre stati sociali, non socialisti, sociali. Cioè per il progresso.»

«E al referendum monarchia-repubblica lei votò scheda bianca.»

«È vero. Sapevo che la monarchia avrebbe perso.»

«Che cosa hanno pagato i Savoia per la guerra?»

«Molto, direi. Nel 1942 è morto il duca d'Aosta mentre era prigioniero degli inglesi; è morta Mafalda nel lager di Buchenwald. Mafalda era una donna molto buona, comprensiva, che capiva molte cose.»

«Quali sono state le ore più drammatiche della vita di suo marito?»

«Senza dubbio quelle in cui ha dovuto lasciare d'Italia. E poi l'esilio: amava troppo il nostro Paese.»

Chi perde paga. Gli alleati presentano il conto al nuovo governo italiano. Lo presiede Ferruccio Parri; c'è tanto lavoro da sbrigare e «Maurizio», il nome che aveva da partigiano, si è fatto mettere una branda vicino al suo studio. Una finestra del Viminale è sempre illuminata, anche di notte. Agli Esteri c'è un democristiano, Alcide De Gasperi, alla Giustizia un comunista, Palmiro Togliatti. Dobbiamo cento milioni di dollari all'Urss, centoventicinque alla Jugoslavia, centocinque alla Grecia, venticinque all'Etiopia e cinque all'Albania. E le cose vanno tutt'altro che bene: manca il grano, scarseggiano gli alloggi, le comunicazioni non esistono, ci sono i banditi e prospera il mercato nero, «signorine» e «sciuscià» affollano le strade, i detenuti si ribellano alle guardie, armati di pistole fabbricate con la mollica di pane. Abbiamo anche due reti radiofoniche, residuo della Linea gotica: quella di Roma si chiama Rai, quella di Milano Mi.

Ha molto successo la rivista. Macario presenta *Febbre azzurra* (la giovane soubrette, Lea Padovani, era allieva dell'Accademia di arte drammatica) e incassa in una recita 458.915 lire. Un primato. È anche vero, precisa un cronista, che «il palcoscenico è affollato di donne svestitissime e, in alcuni quadri, completamente nude».

In Germania la situazione è anche peggiore. A Berlino la gente abbatte gli alberi dei viali o scava tra le macerie per cercare un po' di legna. Nell'Unter den Linden cade il cavallo che trascina una carretta russa, si azzoppa, lo uccidono. Accorrono donne da tutte le parti e si azzuffano per squartarlo. I ragazzi vanno a scuola per due ore. Escono solo tre quotidiani, di formato ridottissimo. Si è aperto un locale notturno che si chiama Femmina; l'orario è dalle 16 alle 18, dalle 19 alle 22. È illuminato con le candele. Il cenino consiste in patate, verdure e pane nero; la bevanda che servono è colorata di rosso, assomiglia al vino: è gremito di belle ragazze, la cui compagnia costa cinque sigarette. Dicono le «fräulein»: «Meglio un russo sulla pancia che un americano sulla testa».

Il 17 luglio si inaugura la conferenza di Potsdam. Qui era la residenza di Federico II, c'è ancora, a Sans-Souci, la poltrona di seta color argento sulla quale morì il grande re.

Stava con il capo abbandonato sulla spalliera, sentiva i canti di un uccello notturno. Gli orologi si fermarono quando il sovrano emise l'ultimo respiro. Qui è nato il militarismo tedesco, lo spirito di rivincita prussiano.

Stalin, Truman e Churchill, che poi perde le elezioni e viene sostituito come primo ministro da Clement Richard Attlee, si radunano nel palazzo dove alloggiava la principessa Cecilia. Dalle finestre si vedono le acque grigie dell'Aavel, i boschi di larici, le abetaie, i giochi delle tortore e gli scoiattoli, il passo delle anatre selvatiche che scendono basse tra le felci e tra i giunchi. La sala delle riunioni ha le pareti rivestite di legno, i velluti, le tende, le coperture delle sedie sono di un rosso acceso. Al centro del grande tavolo sta la bandiera dell'Unione Sovietica, il Paese che ha avuto più morti.

Stalin indossa la solita giacca candida e ha sempre accanto a sé il fedele Molotov. Ogni tanto si ritira a riposare in una stanza d'angolo, davanti a un caminetto ricoperto di mattonelle olandesi. C'è uno scaffale con dei libri, spiccano una *Vita di Napoleone*, l'*Enciclopedia britannica* e le *Memorie* di Saint-Simon. Stalin dice che «se gli Hitler passano, i tedeschi restano», ma chiede per sé, racconta Richard Nixon, dieci miliardi di dollari per i danni subiti dall'aggressione nazista, e un terzo della flotta mercantile del Reich.

Harry S. Truman avrebbe un suo progetto: spartire la Germania in tre stati. La proposta non trova molti consensi, ma Truman non si preoccupa. Ha ricevuto da Washington un telegramma segretissimo. Dice: «I bambini sono nati felicemente». Significa che certi esperimenti che si stavano effettuando nel Nuovo Messico hanno avuto un buon esito; la bomba atomica, insomma, funziona. È costata due miliardi e seicento milioni di dollari.

Il 26 luglio Dwight Eisenhower dà l'ultimatum al Giappone. Truman, senza entrare in particolari, dice a Stalin: «Abbiamo una nuova arma».

«Che ne intendete fare?» chiede Stalin.

«L'adopereremo contro i giapponesi.»

«È una buona idea», commenta il generalissimo.

Gli americani organizzano la *Operation Paperclip*, la caccia allo scienziato. Qualcuno è scomparso: come Grottrop, un genio dell'elettronica, e Putzer, che era definito «il mago dell'organizzazione», e Schierhorn, un'autorità in materia di leghe di alluminio. Siegfried Günter cerca di mettersi in contatto con gli alleati, ma inutilmente: così va dai russi a progettare i Mig 15 e 17, due caccia dalle eccezionali prestazioni. Nell'ottobre del 1946 Peter Lertes, uno studioso di elettronica, viene prelevato nella sua casa di Berlino e spedito nell'Urss. Lassù si trovano già trentamila scienziati, tecnici e specialisti tedeschi. Darà il suo contributo alla costruzione degli automatismi per gli organi di guida dei razzi.

Wernher von Braun è fuggito da Peenemünde, dov'era la base delle V 1 e delle V 2, e si è rifugiato con un centinaio di collaboratori nelle Alpi bavaresi. «I nostri segreti militari» dice «devono andare nelle mani di un popolo che legge la Bibbia.» Parte per l'America. E laggiù va anche Hermann Oberth, «il padre dell'astronautica», il maestro di von Braun. Mi confidò poi un giorno, quasi con rammarico: «Avevo proposto al governo nazista la contraerea a razzi funzionanti a nitrato di ammonio, che avrebbe dato grandi risultati. La mia invenzione fu respinta; troppi industriali avevano interesse a fabbricare aerei da caccia».

Cominciano i processi ai collaborazionisti. Quisling viene impiccato. Lo scrittore Knut Hamsun viene chiuso in un ospizio per vecchi nel nord della Norvegia. Ha ottantacinque anni, è sordo, e una perizia psichiatrica lo giudica infermo di mente. Ancora il 7 maggio ha voluto dettare un necrologio in memoria di Hitler definendolo «difensore dei diritti dei popoli». Più tardi ha qualche dubbio: «So che gli scritti a favore dei nazisti mi hanno molto degradato nella stima dei miei compatrioti. Mi pento amaramente di quanto ho fatto perché ora ho compreso il mio grande errore».

6 agosto: è mattina, sono da poco passate le 8, un grosso B-29, Enola Gay, sgancia Little Boy, il nome dato a un nuovo ordigno, su Hiroshima. È la prima bomba atomica usata per operazioni di guerra. Tutto è calcolato nei minimi particolari, l'ordigno si innesca a poche centinaia di metri dall'impatto, se ciò avvenisse a terra scaverebbe un profondo cratere e perderebbe parte del suo potere distruttivo.

Un lampo improvviso di luce bianca, si alza una nuvola a forma di fungo alta dodicimila metri. In meno di un decimo di secondo la temperatura sale oltre tremila gradi centigradi, ogni forma di vita nel raggio di ottocento metri svanisce in seguito all'evaporazione dovuta al tremendo calore. Nel perimetro di quattro chilometri tutte le abitazioni vengono rase al suolo e dal cielo cade una tempesta di fuoco. In quarantacinque secondi centomila morti. Saliranno a centoquarantamila alla fine del 1945 e dopo cinque anni le vittime saranno duecentomila.

Il 9 agosto, tre giorni dopo, viene sganciata su Nagasaki una bomba al plutonio, ancora più potente: settantamila le vittime. Dopo cinque anni il bilancio sarà raddoppiato.

La conferenza di Potsdam è appena terminata: da quattro giorni Stalin, Attlee e Truman hanno fatto ritorno in patria. Truman commenta con Nixon: «Tutto quello che i russi capiscono è un grosso bastone».

Hanno discusso i nuovi confini polacchi, e approvata la linea Oder-Neisse. I tedeschi perdono un quarto delle loro terre arabili e otto milioni di contadini germanici debbono sloggiare. I territori vengono affidati, perché li amministri, alla Polonia.

Vengono fissati gli scopi dell'occupazione alleata della Germania: scioglimento del Partito nazista, punizione dei criminali di guerra, eliminazione del potenziale bellico, abrogazione delle leggi nazionalsocialiste, difesa della libertà di parola, di stampa e di religione.

Sui fronti della guerra scatenata dalla Germania nazista hanno perso la vita venticinque milioni di soldati: più di sette milioni erano russi, tre milioni e mezzo tedeschi, trecentotrentamila italiani. Hitler aveva scritto in *Mein Kampf*: «Esiste un solo diritto su questa terra, e questo diritto risiede nella propria forza».

Nel carcere di Norimberga ventun celle sono occupate dai più importanti personaggi del nazionalsocialismo. Su ogni porta è scritto un nome: c'è il diplomatico barone von Neurath, e il collega von Papen, ci sono gli economisti Schacht e Funk, gli ammiragli Raeder e Dönitz, il maresciallo Keitel e il generale Jodl, il capo della Hitlerjugend von Schirach, il «re di Polonia» Frank, e Göring che è dimagrito e ha perso l'antica magnificenza. C'è l'altezzoso Ribbentrop, e c'è Rosenberg, il teorico della rivoluzione, il filosofo dell'antisemitismo, Streicher. Il persecutore degli ebrei fa ginnastica tutte le mattine, completamente nudo. Speer disegna sulle pareti, e le guardie protestano; Schirach scrive poesie. Una è dedicata alla moglie Heinriette, figlia del signor Hoffmann, il fotografo ufficiale del regime: «Non ci rendemmo conto della felicità che ci appartenne, e che ora è distrutta. Il presente è minacciato dal pericolo, mentre il passato non torna più. La felicità che fu resta la nostra felicità».

Ma Heinriette si è innamorata di un altro e gli chiede il divorzio.

Keitel e Jodl, Raeder e Dönitz durante la passeggiate si consultano. Hess vaneggia, parla da solo. «Gli manca una rotella» dice Göring. Frank riscopre i classici, e declama versi tragici. I soldati che costudiscono i prigionieri fanno collezione di autografi.

Il trattamento dei detenuti è discreto, meglio di quello riservato ai cittadini: 2900 calorie quotidiane, la più alta razione alimentare in vigore nell'Europa affamata. Mangiano tre volte al giorno. Ecco la lista: prima colazione con biscotti e cereali bolliti; a pranzo minestra, polpette, patate, cavoli e caffè; a cena uova strapazzate, carote e pane. I carcerati devono salutare i visitatori, ufficiali, avvocati, psicoanalisti, alzandosi in piedi e con un cenno del capo; il saluto militare è abolito.

Il processo comincia il 21 novembre 1945, nell'aula numero 600 del tribunale di Norimberga. Le pareti sono foderate di legno scuro, sulle porte hanno rappresentato, in bronzo, i simboli della giustizia e della colpa. C'è anche Adamo con Eva, il primo peccato, il primo castigo. Dalle finestre si vedono le foglie dei pioppi che tremano al vento.

Il barbiere del carcere ha rasato tutti i detenuti; qualcuno ha ricevuto una nuova divisa. La sala è illuminata dai riflettori. Quando gli accusati prendono posto scattano le macchine da presa. Entra la corte: presiede un inglese, lord Geoffrey Lawrence. Gli accusatori sono R.H. Jackson (Stati Uniti), François de Meuthon (Francia), Hartley Shawcross (Gran Bretagna) e il generale Rudenko per l'Urss. Ogni giudice ha il suo sostituto. I francesi indossano ampie toghe, gli inglesi e gli americani sono più sobri, i russi portano le uniformi dell'Armata rossa.

Comincia la lettura dell'atto d'accusa: in tutto trentamila parole, settanta pagine dattiloscritte. I capi d'imputazione ricordano le ripetute violazioni dei trattati di Versailles e di Locarno, le imprese naziste contro l'Austria, la Cecoslovacchia e la Polonia, l'estensione del conflitto a una guerra generale d'aggressione, l'alleanza con l'Italia e con il Giappone e l'attacco agli Stati Uniti, i quattro milioni di morti di Auschwitz e il milione e mezzo di Maidanek, i settecentomila cittadini sovietici uccisi a Lwow e i duecentomila eliminati a Ganow, i quasi cinque milioni di russi deportati e i sei milioni di ebrei scomparsi.

Tutti gli imputati dichiarano di essere innocenti, Hjalmar Schacht sorride. Conosce le storie del mondo e sa come vanno a finire. «Il mio errore» dice «fu quello di non essermi accorto in tempo del progredire della natura criminale di Adolf Hitler. Ma io non ho mai sporcato le mie mani con un atto criminale. La mia mente è retta.»

Gli chiesi un giorno: «Ma come ha fatto, un uomo della sua esperienza, a farsi prendere in trappola dai nazisti?». Rispose: «Ci trovammo, quando Hitler si presentò alla ribalta, con sei milioni e più di disoccupati. C'era una grande depressione, la situazione economica si presentava disperata. Imperversavano gli scioperi, il comunismo avanzava. Ci pareva che Hitler fosse il personaggio capace di mettere in ordine il Paese, il solo adatto a risollevarne la sorte. Certo avevamo letto *Mein Kampf*, ma fin che le cose vanno bene, le teorie non interessano, cosa vuole che importino?».

Durante la prima udienza del processo l'avvocato Stahmer, della difesa, prende la parola anche a nome dei suoi colleghi, e discute la legalità del processo: «Ciò che questo tribunale internazionale vuol fare è applicare una legge nuova a fatti accaduti in precedenza. La legge, per un principio universale, non può avere valore retroattivo. Del resto, non esiste un diritto penale internazionale, e i giudici che emetteranno la sentenza sono scelti unicamente tra i vincitori».

Qualche giornalista, specialmente tra gli inglesi, condivide le obiezioni di Stahmer.

«Non è possibile essere nello stesso tempo» osservano «giudice e parte in un processo.» Qualcun altro ricorda le bombe di Hiroshima e Nagasaki, e li considera crimini contro l'umanità.

Risponde il procuratore generale Jackson: «Qui si tratta di giudicare delinquenti comuni. Hanno dato, o eseguito, ordini contrari al diritto delle genti. Sono criminali secondo la definizione accettata in tutti i Paesi civili. Molti daranno la colpa a Hitler, ma anche per il codice tedesco solo gli ordini conformi alla legge obbligano un subordinato». Osserva Keitel: «Non credo che in Russia vi siano generali che si rifiutano di obbedire al maresciallo Stalin».

La prima udienza è terminata: si andrà avanti per dieci mesi. Comincia l'interrogatorio di Göring. Non sembra più, come dicevano i suoi «una figura del Rinascimento».

I medici americani lo hanno disintossicato dagli stupefacenti, ha perso molti chili, parla e si difende con lucidità. Riconosce di aver avuto l'intenzione di rovesciare la Repubblica di Weimar. «La democrazia» dice «ha rovinato la Germania. E solo una direzione politica energica poteva risollevarla. La dittatura nazista era, nel 1933, la sola forma di governo che conveniva al Reich.» «Nel mio comportamento» ammette «riconosco un punto oscuro: la mia passione di collezionista. È vero, è vero: a quei tempi volevo tutto quanto era bello, ma non per appropriarmene, intendevo cedere tutto allo Stato.»

Non ha illusioni. «L'ultima speranza che ci rimane» dice con Fritzsche, un compagno di prigionia «è che ci facciano un sarcofago di marmo.» Termina il suo racconto citando una frase di Churchill: «Nella lotta per la vita e per la morte non c'è legalità».

Un giornalista gli chiede: «Dei grandi capi alleati, chi ritiene il maggiore?».

E ancora: «Qual è la sua opinione sulla futura importanza della bomba atomica?».

«Il possesso dell'atomica decide dell'avvenire del mondo. Se gli Stati Uniti non mantengono la loro supremazia in questo campo sarà la fine.»

Wilhelm Keitel era il capo dell'Okw, l'Oberkommando della Wehrmacht, il comando supremo dell'esercito. Si presenta ai giudici rigido e impettito. È accusato delle sevizie inflitte ai prigionieri di guerra e alle popolazioni dei territori occupati. La Wehrmacht, a suo parere, non ha responsabilità; la colpa è di Himmler, delle SS e della Gestapo. Fa l'elogio di Hitler come capo militare: «Debbo ammetterlo, in realtà il maestro era lui, io ero l'allievo. Sono stato un soldato ubbidiente e leale».

Il generale Alfred Jodl spiega che Hitler fu costretto ad attaccare l'Unione Sovietica perché i russi avevano concentrato centocinquanta divisioni ai confini orientali. Per difendersi, la Germania avrebbe dovuto mobilitarne trecento, e non ne disponeva assolutamente.

Hitler voleva iniziare «la marcia all'Est», la conquista dello «spazio vitale» il 1° aprile 1941, ma a causa dell'imprevista campagna dei Balcani dovette rimandare l'attacco al 22 giugno. Jodl protestò con il Führer per la fucilazione di commissari sovietici. Hitler gli rispose: «Non posso pretendere che i generali comprendano i miei ordini, ma posso pretendere che mi obbediscano». Jodl racconta che quando Ribbentrop, nell'agosto del 1940, andò a Mosca, «trovò i dirigenti dell'Unione Sovietica perfettamente disposti a riconoscere come pleonastica l'esistenza della Polonia in Europa».

Il giudice russo lo interruppe. L'accusatore inglese domanda: «Siete ancora convinto di essere un soldato onorato, un uomo amante della verità?».

Jodl: «Uscirò tenendo la testa alta come quando sono entrato. In una guerra i provvedimenti energici non sono crimini contro la moralità e la coscienza. L'ubbidienza alla propria patria è sopra ogni altra cosa».

Julius Streicher, il grande persecutore degli ebrei, che girava sempre con un frustino, è rinchiuso nella stessa cella dove, ai bei tempi, fustigò un detenuto. Aveva fatto abbattere nel 1938 la sinagoga di Norimberga «perché l'edificio turbava l'etica cittadina». Su quell'area voleva costruire un planetario. Dà la colpa di tutto «a una voce intima», o al «destino» che gli imponevano certe odiose iniziative. «Se in qualche parte del mio giornale, lo *Stürmer*, parlai di distruzione o di sterminio di ebrei» spiega «fu solo per ragioni polemiche.»

Il 1° ottobre del 1946, il presidente del tribunale lord Lawrence legge la sentenza. La sua voce non ha vibrazioni. Gli imputati sono pallidi, attenti, il silenzio domina l'aula. Göring, Ribbentrop, Rosenberg, Keitel, Streicher, Sauckel, Seyss-Inquart e Bormann (contumace), riconosciuti colpevoli dei reati loro ascritti, sono condannati a morte per impiccagione. Hess, Funk e Raeder trascorreranno la vita in carcere. Von Schirach e Speer sconteranno venti anni di prigione, quindici Neurath e dieci Dönitz; Schacht, von Papen e Fritzsche sono assolti. Il tribunale ha deciso a maggioranza. In caso di un ugual numero di voti, quello del presidente doveva essere considerato preponderante.

Dice Schacht, al momento della liberazione: «Non mi resta un soldo, non possiedo né un letto né una casa, un ricovero qualsiasi per la mia famiglia e sono certo che tutti mi abbandoneranno». Diventò presidente di una banca, consulente di grandi industrie, e lo Stato gli pagava una pensione di duemilaottocento marchi ogni mese.

L'esecuzione dei condannati a morte è fissata per la notte del 16 ottobre.

Dallo spioncino delle celle si possono osservare i detenuti. Keitel sta lavandosi i denti. Ribbentrop prega in ginocchio e ha al fianco un frate cappuccino, Streicher scrive, Jodl legge con la testa tra le mani, Fritz Sauchel parla nervosamente da solo. Göring è sdraiato sulla branda, riverso su un fianco. Si è ucciso. Dicono che ha ricevuto la fiala dalla moglie che lo ha baciato (lui le ha messo in mano un foglietto: «Emmy, ti amo»), poi raccontano che il cianuro di potassio gli è stato dato da un giornalista austriaco che seguiva il dibattito: con la gomma da masticare avrebbe attaccato la fialetta al banco degli imputati. L'una è passata da poco. Si sente lo scricchiolio di una porta. Nella stanza adibita all'impiccagione entra Ribbentrop, ha gli occhi socchiusi, la faccia bianca segnata dalle rughe. Gli tolgono le manette e lo legano con una cordicella nera. Gli chiedono il nome: «Joachim von Ribbentrop». Sale i dodici gradini gridando: «Dio salvi la Germania». Quando è sul patibolo chiede: «Posso aggiungere qualcosa? Il mio ultimo voto è che si realizzi l'unificazione del mio Paese, che si ricongiungano l'Est e l'Ovest dell'Europa, e che la pace riprenda a regnare sulla terra». Gli infilano il cappuccio nero. L'esecuzione è durata tre minuti e mezzo. Calmo e senza emozioni appare il feldmaresciallo Keitel. Si rivolge al cappellano: «Vi ringrazio, padre». Poi aggiunge: «Invoco la protezione di Dio sul popolo tedesco. Oltre due milioni di soldati sono già morti prima di me per la patria, ora mi accingo a raggiungere i miei figlioli. Tutto per la Germania».

Frick urla: «Viva la Germania immortale». Streicher: «Viva Hitler», poi dice al boia: «Sarete impiccati dai russi»; quando gli mettono il cappuccio mormora: «Adele, moglie mia diletta». Sauckel muore compostamente: «Sono innocente. Che Dio protegga la Germania e la mia famiglia».

Jodl indossa la divisa di generale senza gradi e senza decorazioni. Dice: «Ti saluto Germania mia», e Seyss-Inquart: «Io spero che questa esecuzione sia l'ultimo atto di quella tragedia che è stata la Seconda guerra mondiale».

Tutto è durato novantacinque minuti. Il generale francese Morel, che ha assistito alle esecuzioni, conclude: «Ora tutto è finito».

Con queste parole avremmo concluso anche il programma tv.

Sono sempre andato in onda su RaiUno e se mai qualcuno mi dovesse chiedere di tornare, lì dovrebbero stare di casa le mie trasmissioni, anche se in questi anni ho detto a Loris che l'unica rete per la quale avrei lavorato è RaiTre. È quella che mi assomiglia di più. Penso che questo programma si potrebbe ancora fare per la rete diretta da Paolo Ruffini, ma non mi faccio illusioni.

QUINTO CAPITOLO

Da Mogadiscio a Bagdad:
la caduta dell'informazione

Mi pare sia stato uno scrittore francese a dire: «Si scopre tante volte la vita e una sola la guerra». Purtroppo se il destino ci concede di vivere a lungo, come ha fatto con me, le guerre che si incontrano nel corso della vita sono tante. E siccome ogni volta speri che sia l'ultima, quando la incontri di nuovo sei sempre sorpreso, e ti chiedi: «Dove vogliamo arrivare?».

Mi è capitato di pensare che era meglio al tempo della guerra fredda, quando le due superpotenze, l'America e l'Urss, si controllavano a vicenda, ed era solo, si fa per dire, un problema di «intelligence» tra Cia e Kgb. Questo sotterraneo intreccio ha garantito cinquant'anni di pace e risparmiato centinaia di migliaia di vite umane se non milioni, in cambio di alcune centinaia. Con la caduta del muro di Berlino e la fine dell'Unione Sovietica le cose cono cambiate: per carità, non ho nostalgia, solo che la pace «controllata» è finita e si sono moltiplicati i conflitti. Basta pensare a quello che è successo dall'inizio degli anni Novanta a oggi.

Sono stato un po' ovunque ci fossero da raccontare le sofferenze di un popolo, ma soprattutto la sofferenza di un bambino, perché quegli occhi che soffrono senza colpe me li porto dietro da sempre.

Nella vicenda di un giornalista ci sono tanti disastri, e il cronista anticipa o insegue la tempesta. Ho visto cosa era rimasto di Dresda dopo il bombardamento degli inglesi e degli americani: più ammazzati che a Hiroshima. Prima caddero i bengala, bianchi, rossi e verdi, poi le incendiarie. Ogni strada era disegnata dal fuoco. Gli uomini morivano asfissiati o bruciati, l'aria era irrespirabile. Anni dopo ho passeggiato tra edifici vuoti come scheletri, avvolti in un silenzio che faceva paura. La storia non registra le lacrime.

Sono stato in Vietnam. Saigon era un infernale e allegro bordello. Piccoli ruffiani dagli occhi furbi e dai denti coperti d'oro offrivano la loro mercanzia: «Charlie, ti serve una bella ragazza per questa notte?». Una caccia spietata ai vietcong e ai maledetti dollari degli yankees.

Dal buio equivoco dei bar usciva musica jazz, profumi di Parigi e whisky rubato ai depositi Usa. Sui marciapiedi i mendicanti e i lustrascarpe invocavano la loro razione di benessere. «Cinque piastre, per favore. Charlie, accidenti a te, dammi cinque piastre.» Dal tetto dell'hotel Caravelle si vedevano, lontane, le scie dei proiettili traccianti, e il vento portava il rombo cupo delle batterie.

Beirut era l'insidia, l'incertezza, il fiato trattenuto, andai sulla jeep del generale Franco Angioni che ispezionava le sentinelle, anzi voleva fargli sentire che, in quel buio, nella minaccia, viveva anche lui. Rivedo i grossi e schifosi topi, che si muovevano avidi tra i detriti e le rovine, i soli esseri che non avevano nulla da temere.

Mogadiscio, 27 gennaio 1991: i ribelli somali entrano nella città, mettendo fine alla dittatura di Siad Barre. Subito dopo tra i vincitori, Mohamed Aidid, che si autonomina generale, e Alì Mahdi, che si proclama presidente, scoppia una guerra che causa circa cinquecentomila morti. In quel periodo, nell'estate del 1992, ho volato per due giorni consecutivi su un piccolo Piper da noleggio dall'aeroporto di Wilson, periferia di Nairobi, a Mogadiscio e sono atterrato su una striscia di terra battuta vicino all'Oceano Indiano, trasformata in pista. C'è solo un'antenna radio, e una baracca. Sulla spiaggia qualche cormorano, e carcasse di carri armati che il sole distrugge, ricordo di altre battaglie. Una camionetta con ragazzi dalle strane divise, che manovrano una mitraglia anticarro e agitano dei «Kalashnikov», cimeli della fraterna amicizia di una volta con il popolo sovietico, ci sta aspettando. Fanno venire in mente gli eroici cialtroni di Pancho Villa. Ma tra loro, c'è anche l'inevitabile traffichino, che subito mi offre decorative uova di struzzo. Bisogna arruolare una scorta per fare un viaggio all'inferno; a Mogadiscio la popolazione è composta di morti che camminano, di mercenari, di ladri. È la prima volta che incontro la rassegnazione per la fine e la noncuranza per la vita.

Neppure le cifre hanno un senso: la Somalia ha sette o otto milioni di abitanti? Nella guerriglia quanti realmente sono morti? È morto davvero un bimbo su quattro? E chi sa che cosa accade nella boscaglia?

Hanno abbattuto anche gli elefanti per l'avorio, i leopardi per la pelle, le gazzelle nane, i gentili dik-dik. Perché la carestia non conosce ragioni; anche le bestie selvagge sono finite sui fuochi.

Se si scuoia un cammello, c'è chi si affanna attorno perché la pelle è gratis come l'erba; e qualcuno ha masticato anche borse, o gli otri adoperati per trasportare l'acqua.

Gli antichi egizi dicevano che questa «è la terra degli dei», e un amico che quaggiù visse, nei «giorni del colonialismo», che ha combinato anche porcherie, ma mai quanto la libertà, mi raccontava che allora l'aria profumava di gelsomino. E una principessa inglese, all'inizio del Novecento, scriveva che l'Africa «vi mette le mani addosso, e una volta avvinti dal suo tocco magico, non si può più dimenticarla». Forse quella signora era una grande romantica: Mogadiscio adesso è avvolta da un olezzo che opprime, materie che si decompongono, cose che marciscono. Hanno rubato anche le tubature, non sono capaci di aggiustare le pompe dei pozzi e il liquido che riescono a raccogliere abbonda di magnesio che agisce da lassativo su disgraziati già afflitti dalla diarrea. Merda ovunque.

Non c'è una casa che non sia stata colpita dai mortai, o scheggiata dalle raffiche; altro non ho visto, non ricordo un cane o un gatto, e le belle ville che alloggiavano i ricchi bananieri, i diplomatici, i facoltosi mercanti, sono demolite o svuotate: mattonelle, cessi, condutture elettriche, tutto si compera, tutto si vende.

Dice un proverbio di queste parti: «Chi ha un fucile domani comanderà». Ma chi tra questa gente, si salverà? Spiegano che la carestia, se l'Occidente non si sbriga, si porterà via due milioni di somali. Quanti bambini dalle faccine raggrinzite da vecchi, dalla pancia gonfia, dalle gambe sottili come il bambù ci perseguitano dalle tv o dalle foto.

Questo era l'inizio di un reportage che realizzai per il *Corriere della Sera*, per me era stato un viaggio all'inferno, i bambini, trasformati in piccoli mercenari, erano in prima linea con il mitra in mano nella guerra dei dannati. Rividi una situazione analoga quando andai, anni dopo, nel sud del Sudan a incontrare un padre comboniano, il vescovo di Rumbek, monsignor Cesare Mazzolari.

Quando andai in Somalia era già arrivato il contingente dell'Onu formato da francesi, tedeschi, svedesi e americani, mancavamo solo noi italiani. Non era una questione diplomatica: stava avvenendo un genocidio.

Gli anni successivi furono disastrosi. Nel 1994 gli americani abbandonano la Somalia, dopo l'uccisione di 18 rangers da parte delle milizie del generale Aidid. Osama bin Laden disse che quella partenza era la dimostrazione che gli Stati Uniti erano battibili.

Un anno dopo, esattamente il 2 marzo 1995, anche i caschi blu dell'Onu, dopo aver lasciato sul terreno centocinquantuno soldati, abbandonano. E i signori della guerra cominciano a darsi battaglia per il controllo dei porti e degli aeroporti e per realizzare i loro traffici. Per l'Occidente la spedizione nel Paese africano risulta un vero fallimento.

Fu l'Italia, nel 1904 quando fece diventare quelle terre colonia, a chiamarla Somalia, prima era la regione del Benadir, ancora oggi siamo il Paese con cui quella terra intrattiene i suoi affari commerciali. Dopo quindici anni dalla caduta del regime di Siad Barre (che si rifugiò nel 1991 in Nigeria portandosi dietro quindici tonnellate d'oro), e quattordici governi, le «Corti islamiche», che raggruppano anche i fondamentalisti, comandano, sono i nuovi padroni della città. Il loro leader, spirituale e politico, è lo sceicco Shek Cherif Shek Ahmad. Nel giugno 2006 subito dopo la conquista di Mogadiscio, trecentocinquanta le vittime, Jean-Philippe Rémy lo ha intervistato. La sensazione che ci siano i presupposti per la nascita di uno stato talebano è forte.

«Se decidiamo di creare una Repubblica islamica il resto del mondo dovrà rispettare questa scelta», spiega Ahmad. Poi aggiunge: «Ci sono dei luoghi dove tutti si mescolano, gli uomini e le donne. Guardano film, fumano hashish, bevono alcool. I cinema sono dannosi per la salute, dannosi per la società, dannosi per la nostra cultura». Poi alla vigilia dei Mondiali di calcio in Germania, un altro divieto: niente televisione. È stata una brutta sorpresa per le migliaia di somali che, a gruppi, si erano organizzati per assistere alla partita Argentina-Costa d'Avorio. Tutti sono stati obbligati a rientrare nelle loro case.

Per il popolo somalo, vita media di solo quarantotto anni, ancora una volta la violenza e la disperazione bussano alla porta.

Torniamo al mio reportage del 1992 che potrebbe aiutarci a capire i fatti recenti.

Sembra incredibile, ma anche mangiare è difficile. Masticare è una fatica, e non tutti ce la fanno: il medico che ha studiato a Roma mi ha accompagnato al Feeling Center n. 1. A mezzogiorno arrivano le madri. Gli svedesi distribuiscono un biscotto nutriente, poi una minestrina che contiene sali, vitamine, e riempie lo stomaco. È una stazione dalle pareti sporche; non c'è una panchina, un tavolo, non c'è niente. I bambini li fanno sedere sul pavimento, tre file: quanti sono, ottanta, cento? Non ce ne è uno che pianga, aspettano seguendo con gli occhi sbarrati quelli dell'assistenza, sanno attendere. E poi cominciano a biascicare, sempre in silenzio, la razione di gallette.

Hanno due o tre anni, penso: si arrangiano da soli, composti come dei gentiluomini, non un gesto, un sospiro. Si impara subito l'arte di sopravvivere. Molti tossiscono, la tubercolosi dilaga. Ogni tanto li pesano: quanti grammi?

Vanno protetti anche dai genitori che qualche volta rubano il cibo ai figli. Un ragazzino ha raccontato: «Se non porto alla mamma quello che mi avete dato, riceverò tante botte».

C'è un villaggio, il cui nome, se ho capito bene, è Acula; cinquecento abitanti, e sono tutti ciechi. Una strana malattia: non hanno mai assaporato un frutto, o un piatto di verdura.

L'*Economist* pubblica una mappa della miseria, delle carestie. L'*Observer* racconta di quel vecchio che cammina lungo una carovaniera, con il nipotino sulle spalle, in cerca di cibo.

Vaga stremato e non trova nulla, e a un tratto cade, ucciso dall'inedia, dallo sfinimento. Passa per caso un'automobile, una di quelle scassate vetture che non conoscono limiti di peso e di passeggeri, e scorge quella creaturina sbandata, che non dice nulla, perché non sa parlare.

Poi c'è lo sciuscià, il piccolo bandito (e ci sono anche delle vispe Bonnie nere), che punta, senza dire una parola, il mitra contro la pancia di una donna; proprio così: o la borsa, con quel pezzo di carne di cammello, o la vita.

Un po' d'oro può salvarti, anche la buona valuta è gradita; nei mercati ci sono le bancarelle, sulle quali si avventano le mosche e la sabbia grigia, e puoi trovare le Marlboro e i medicinali, i fagioli, che non sanno cucinare, e il granturco degli americani, che ha messo in crisi i pochi contadini che lo seminavano. Nei centocinquanta campi dei rifugiati, una volta al giorno si distribuiscono 150 grammi di riso condito con un po' di olio, un poco d'acqua e poi arrangiatevi.

In una officina sbrindellata e ridotta a dormitorio, stracci, piscio, corpi rannicchiati, immobili, c'era una mamma che bisbigliava qualcosa al bambino che teneva tra le braccia, forse per fargli dimenticare la fame.

«Che cosa gli racconta?», ho chiesto.

«Una favola.»

«Come comincia, e cosa dice?»

«Comincia come sempre: c'era una volta. C'era una volta uno sciacallo che andava a caccia con tre leoni. Cammina e cammina, scorsero, in fondo a un burrone, una antilope ferita. "Andiamo a mangiarla", propose un leone. E lo sciacallo dubbioso: "Ma dopo come facciamo a risalire?". "Ma di cosa ti preoccupi", disse un altro leone. "Quella ci basterà per sempre." Lo sciacallo, saggio, non ne volle sapere. Dopo un giorno si affacciò sul dirupo e chiese: "Come va?". "Benissimo, siamo sazi." Ritornò a chiedere notizie dopo una settimana; vide gli amici assai sconsolati: "Ci rimangono solo le ossa". Passarono altri giorni, e ritornò a vedere come andava a finire: "Ci siamo spolpati uno di noi". Si fecero fuori a turno e alla fine anche l'ultimo morì. Solo lo sciacallo sopravvisse.»

Da diciotto mesi la follia comanda. Per la gente della regione del Benadir, molto religiosa, la violenza è peccato mortale. Sono con una comunità che è la sola che ha la stessa lingua, la stessa cultura. Molti fanno i pastori: e nella scala sociale il nomade è il più rispettato. Non fa nulla, bada al suo gregge, capre, pecore, cammelli, e ha il latte e la carne, il pesce non lo vuole, gli fa paura, se glielo mostri, scappa. Gode di poco rispetto il cacciatore, che è ritenuto di una razza inferiore come il fabbro, o il calzolaio, che debbono faticare. È una società fondata sui clan, che un tempo dominavano piccoli territori, e Mogadiscio, da un viaggiatore francese, è descritta come «una graziosa capitale bianca e fiorita». Adesso è un ammasso di rovine. E tra la folla che dalla savana e dalle capanne sperdute si è trasferita verso la costa ci sono ancora le bellissime donne del Corno d'Africa, alte, snelle, dagli occhi lucidi, fiere, che anche con addosso due cenci, o una cotonina colorata a sbrindelli, conservano la loro dignità. Sono le devote donne mussulmane, e nessuno le ha risparmiate da quella che è considerata «la più grande tragedia del continente». Si lotta per la tribù, per la famiglia, per un pascolo, per un sacco di grano, e si perde anche la figlia, o la sposa, o la bambina di dieci anni.

C'è a Mogadiscio la moschea di Sheksufi, dedicata a un virtuoso che da secoli è considerato il protettore della città. La custodiscono i suoi discendenti, il luogo è sacro e venerato, e mai ci fu chi osò profanarlo. Durante i saccheggi, mentre Barre fuggiva, accolse anche fanciulle innocenti, e mogli fedeli, ma entrarono i masnadieri e le violentarono, anche in venti, uno dopo l'altro, senza pietà. E le oltraggiate gridavano: «Allah è grande, e Maometto è il suo profeta», ma niente frenava gli aggressori. La vicenda ha un finale, che sarebbe piaciuto a Curzio Malaparte, che parlava degli eccessi e dei furori della guerra; perché ai giovanotti il santo Sheksufi ha decretato una punizione terribile. Il loro pene, così sfrenato, si è ingrandito in maniera esorbitante, come nessun manuale di anatomia ha illustrato, e mai più, in futuro, gli sarà concessa la gioia dell'amplesso. Se avessero letto le esortazioni del Corano saprebbero che «ciò che fate di bene o di male lo fate a voi stessi». Ma non c'è ragazza che voglia confessare la sua sventura; lo stupro è una vergogna anche per chi lo ha subìto. Ha detto un vecchio padre: «Non fate il nome della mia casata».

Amnesty International ha denunciato il caso di una donna alla quale è stata infilata una baionetta nella vagina; a un'altra, incinta, hanno aperto lo stomaco. Pare anzi che sia una consuetudine andare in fila, anche in trenta, a fare l'amore con la stessa vittima. L'anarchia è sempre ugualitaria.

Dopo la caduta del regime di Siad Barre, Mogadiscio è divisa in due parti: in certi quartieri comanda il generale Mohamed Aidid, negli altri governa, si fa per dire, il presidente Alì Mahdi. Il loro potere è fragile. Tutti e due hanno avuto a che fare con il dittatore Barre. Lo chiamavano, per l'aspetto, Boccalarga, e per il comportamento «la iena».

Barre era un furbacchione: prima trescò con Mosca, e piaceva tanto ai nostri comunisti, poi passò, dietro compenso, si capisce, all'Occidente: cedette una base strategica agli americani, e i nostri socialisti furono senza riserve con lui. Gli piacevano i soldi e la buona vita; era un forte giocatore di ping pong.

Nessuno fece troppo caso ai suoi metodi di governo denunciati anche da Amnesty: siamo in Africa. Anche Giulio Andreotti e Francesco Cossiga andarono a fargli visita, a rinnovargli il senso della nostra amicizia, accolti, come si dice, con tutti gli onori. Gli concedemmo seicento miliardi perché comprasse carri armati e cannoni. Del resto Barre era stato un poliziotto al servizio dell'Italia.

Lo cacciarono da Villa Somalia, regale abitazione, all'inizio del 1991 e si rifugiò in Nigeria circondato da un migliaio di devoti. Andandosene lasciò qualche missionario con una pallottola nel cuore. Aveva comandato per quindici anni.

Veniamo ai successori. Aidid, ai bei tempi era ambasciatore in India: un santone gli regalò un anello magico, che sempre fa girare nel dito, e gli predisse: «Sarai tu il grande capo». Ci crede.

Lui e Mahdi sono chiamati «i fratelli nemici», perché appartengono alla stessa tribù. Ma c'è già il precedente di Caino e Abele.

Questo Aidid ebbe anche una bega giudiziaria con Bettino Craxi e Paolo Pillitteri, perché non gli avevano saldato una percentuale su un certo affare, ma ha perso.

Alì Mahdi faceva il «businessman», e di certo non poteva avercela con Boccalarga: ma da queste parti, come da noi, abbondano gli ex.

Ha una figura grassoccia, sorridente e cordiale, e mi ha ricevuto nell'ex Palazzo della polizia, che ha adattato a sede della massima autorità: che è assai scarsa, considerando che se non hai almeno un bazooka i briganti possono farti fuori con una risata.

Il Palazzo è una specie di corte dei miracoli: soldati scamiciati, questuanti, una dattilografa che, in una stanza vuota, batte lentamente sulla sola macchina per scrivere, una donna che, seduta sul pavimento, gli occhi imploranti, aspetta che qualcuno le parli, un po' una scena da *Opera da tre soldi.*

Comincio. «Signor presidente, qual è l'aspetto più tragico del suo Paese: la guerra o la fame?»

«Tutte e due. La Somalia ha vissuto due anni di guerra, che ha causato molti danni umani ed economici. Possiamo dire che è tornata cento anni indietro. Come vedete con i vostri occhi, il popolo ha sofferto e soffre la fame, perché non è stato possibile andare al lavoro e l'agricoltura è totalmente distrutta. Ogni giorno muoiono mille, millecinquecento persone.»

«L'Italia ha qualche parte nel vostro dramma?»

«Abbiamo un legame di fratellanza con gli italiani. Dopo tutto quello che è successo avevamo una speranza: siete sempre gli unici che ci avete aiutato. Aspettavamo che ci deste una mano, ma ci avete voltato le spalle.»

A questa dura accusa gli ho risposto: «Non credo che il popolo italiano abbia fatto questo gesto di disprezzo. Stiamo vivendo ore difficili, tutto il Paese è coinvolto in una crisi economica molto dura. E abbiamo dei vicini di casa con grandi problemi».

Poi gli ho fatto un'altra domanda: «Che cosa vi attendete da noi?».

«Che ci diate una mano, come ho detto.»

«C'è una vicenda che l'ha colpita di più? Di una donna, di un bambino, di un uomo?»

«La sofferenza della gente, dopo ventun anni di patimenti inumani e di dittatura. Abbiamo lottato contro Siad Barre per riavere la democrazia perduta. Dopo la cacciata di Barre, il popolo è stato dilaniato da una guerra tribale, e questo è stato il peggio. Mentre andavo in giro a visitare gli ospedali e i profughi, vedevo bambini ciechi, che avevano perso le mani, le gambe, e nessuno può spiegare il perché del conflitto, che non ha alcun significato, è scoppiato e basta.»

«Chi è il generale Aidid, il suo avversario?»

«È uscito dalla scuola di Siad Barre, era il suo consulente militare, e ha intenzione di riportare la Somalia sotto una dittatura. Ma i somali non accettano più questo tipo di governo.»

«Venite dalla stessa tribù. Che cosa vi divide, allora?»

«La tribù non conta nulla. Io sono per la giustizia, la democrazia, per il liberalismo.»

«Che cosa spera per il futuro dei somali?»

«Che ragionino, che capiscano, che siedano allo stesso tavolo e raggiungano un accordo, per vivere in pace e in fratellanza, come sempre hanno vissuto.»

«E per la sua vita?»

«Io ero un commerciante. Vorrei vedere la Somalia unita, che sceglie il suo leader per domani, e vorrei poter tornare tranquillamente a fare il mio lavoro.»

Alì Mahdi, che fino a poco tempo fa è stato all'interno del governo di transizione, è tornato a essere un ricco commerciante, proprietario di molti alberghi a Mogadiscio. Oggi vive con la famiglia in Egitto, la moglie, avvocato, era il consigliere legale del tiranno Siad Barre.

Mahdi, nel 1993 fu intervistato dalla giornalista del Tg3 Ilaria Alpi che il 20 marzo del 1994, quando a Mogadiscio c'erano ancora i caschi blu dell'Onu, fu giustiziata insieme all'operatore Miran Hrovatin.

Da quel giorno sono passati oltre dodici anni e Luciana e Giorgio Alpi, i genitori di Ilaria, non hanno smesso un momento di cercare la verità sul duplice omicidio. Gli interrogativi di allora sono ancora quelli di oggi. Perché non vennero sequestrate le armi dell'autista e della scorta di Ilaria? Perché non vennero immediatamente interrogati i testimoni? I due giornalisti, dopo aver intervistato il sultano di Bosaso che nei pochi fotogrammi arrivati in Italia parla di flotta internazionale Shifco passata di proprietà a un misterioso somalo con passaporto italiano, che frequentemente veniva nel nostro Paese, che cosa avevano scoperto?

Il caso Alpi pesa ancora come un macigno nei rapporti tra l'Italia e la Somalia. Ma la Commissione parlamentare di inchiesta, presieduta dall'avvocato Carlo Taormina di Forza Italia, durante il governo Berlusconi, ha messo, per il momento, la parola fine alla vicenda.

Le conclusioni di Taormina: «I cittadini devono sapere fin da ora che mai nessuno ha inteso uccidere i due giornalisti, vittime di una manica di banditi senza che i banditi sapessero di chi si trattasse e agendo unicamente in un contesto di ritorsione criminale. La gente, inoltre, deve sapere che Ilaria Alpi e Miran Hrovatin non erano depositari di alcun segreto nelle materie che un giornalismo d'accatto per dodici anni ha invece tentato di propinare. È falso che i due giornalisti fossero a conoscenza di cose inenarrabili nei campi della cooperazione, del traffico d'armi, del trasporto di rifiuti».

L'onorevole Taormina conclude così la relazione: «I due giornalisti nulla mai hanno saputo e in Somalia, dove si recarono per seguire la partenza del contingente italiano, passarono invece una settimana di vacanze conclusasi tragicamente senza ragioni che non fossero quelle di un atto delinquenziale comune...».

Qualcosa invece si sa. Durante il trasporto delle salme in Italia con la nave *Garibaldi*, il 22 di marzo, sparirono i certificati di morte, e precedentemente il taccuino con gli ultimi appunti della giornalista e le videocassette registrate dall'operatore.

Quindi anche per Carlo Taormina, come in questi ultimi cinque anni si è spesso sentito dire dal suo capo Silvio Berlusconi, sul caso Alpi, giornalisti e testate hanno depistato per montare un caso, quello di fare credere che i due del Tg3 erano depositari di segreti. Di questa «centrale di depistaggio» farebbero parte il Tg3, *Famiglia Cristiana*, *l'Espresso*, *l'Unità*, Maurizio Torrealta e l'ex deputata Ds Margherita Gritta Grainer, autrice, insieme ai genitori di Ilaria e a Torrealta di un libro sull'uccisone di Ilaria e Miran e recentemente di un altro testo dove emerge la profonda conoscenza da parte dell'Alpi dell'Africa e in particolare della Somalia.

Ilaria Alpi il 20 marzo 1994 non era a Mogadiscio per caso: era stata inviata dal direttore del Tg3, Italo Moretti, perché esperta della cultura e della società somala.

Ma torniamo al mio viaggio. Ricordo ancora oggi che dopo l'intervista al presidente Mahdi, quando uscii dal Palazzo della polizia rimasi colpito perché nel cielo volavano enormi branchi di avvoltoi e la sensazione di morte aumentò paurosamente.

Ogni tanto un posto di blocco. Anche sulle carovaniere. Anche nella boscaglia. Qualche bidone, qualche lamiera, e stop. È gradito anche un piccolo segno di omaggio. È la guerra dei poveri, che arruola anche i giovani masnadieri a tariffa. Una collega, Julie Fliot, ha visto alcuni adolescenti armati di mitra, che indossavano T-shirt con la scritta: «I am a killer cool», sono un freddo assassino.

Tra i miei protettori c'è Mohamed, bello e torvo: quattordici, quindici anni, forse. Maneggia il fucile con allegra crudeltà, facendolo roteare minaccioso davanti a facce atterrite. Potrebbe sparare a un cenno; grida con furore, e debbo pregarlo di non rompere le tasche. Questi piccoli artigiani della morte masticano foglie di kat, l'erba del piacere, una droga che riempie di euforia e li trasforma in matti scatenati. Viaggiano sul tetto di scassate Toyota, le gambe a penzoloni, le cartucce sulle spalle, verso un destino oscuro: ma intanto per oggi si mangia. E poi, come sta scritto: «Se Dio vorrà». Non hanno né scrupoli né paura: attaccano i convogli dei rifornimenti, saccheggiano i villaggi, rubano tutto. I contadini li odiano: vivono ormai in capanne fatte con quattro bacchette e qualche frasca, prodigi di architettura, non hanno quasi più bestiame, devono battersi contro la siccità, gli insetti, la miseria e le pallottole; e muoiono, per il disboscamento feroce, anche i cedri e le robinie, le palme e le querce.

Si salvano solo gli uccelli predatori e le iene. Qualche volta il ladro viene punito, deve congiungere le mani, come per la preghiera: un proiettile di revolver gli attraversa i palmi sporchi di peccato. Sembra non ci sia possibilità di ribellione o di protesta, ma come mi ha detto un Imam, un «modello», una «guida», «il grido che non riesce a trovare voce è il più forte». Chi non regge scappa, attraverso il deserto grigio o verso l'oceano. La marina francese ha pescato cinquantadue cadaveri al largo di Gibuti; volevano raggiungere Aden. Forse l'imbarcazione fragile è stata squassata da una tempesta; i naufraghi avevano gambe sottili come canne, e pance gonfie di acqua.

Sono andato a cercare i resti del nostro passaggio, quello che è rimasto del «quartiere Italia». Sul portone spalancato che introduce al giardino dell'ambasciata, dove c'è ancora la bougainville fiorita, ha resistito solo lo stemma: Repubblica Italiana. Sono entrato, e ho salito la scalinata che accoglieva gli ospiti per le ricorrenze importanti, per le feste in giacca bianca, signore abbronzate in décolleté, bicchieri appannati dal ghiaccio.

Scritte rivoluzionarie sui muri, tutto divelto, sporcato, portato via. Le piastrelle verdi di porcellana, i legni e gli ottoni, i mobili, i gabinetti, un lurido baraccone. Sul soffitto un inutile ventilatore resiste. Dell'officina Fiat, non c'è più nulla; su una parete di una casa abbattuta si legge «Ristorante Tori», il «no» è stato cancellato da una raffica. La domenica servivano le lasagne, i caciocavalli e il pecorino toscano, e sui tavoli c'erano i fiaschi impagliati del Chianti. Finito il leggendario albergo «Croce del Sud» dove uno si sentiva come i personaggi di Kipling, un po' votato all'avventura, a qualche indimenticabile incontro. Lo stadio del Coni, anni Trenta, ha le tribune senza tetto, sterco ovunque, sul campo ingiallito, sulle gradinate corrose. E il «Lido» dove si andava a ballare con le allegre morette dagli sguardi languidi, e i fianchi sottili e dalle lunghe eterne gambe, e una orchestrina suonava una canzone che dice: «O bella venditrice di banane mogadisciane, un bell'americano tipo gaio di marinaio...».

Un signore colto che ha studiato con i missionari mi fa l'elogio dei preti cattolici, che gli hanno insegnato a vivere, che non lo hanno mai voluto convertire, che gli hanno dato anche una cultura. I vandali hanno distrutto gli archivi e cancellato anche la storia: «Già di una persona non si sapeva che la data di morte, adesso neppure quella. Siamo i dannati dell'Africa» dice. «Eppure abbiamo un passato. Per secoli la regione del Benadir era un crocevia dove si incontravano gli arabi e i persiani, i turchi, gli indiani e anche i cinesi. Fabbricavano splendide stoffe, le nostre calzature erano molto apprezzate».

Nel 1449 sbarcarono le truppe portoghesi guidate proprio da Vasco De Gama, e con i cannoni distrussero Mogadiscio.

«I vecchi quartieri medioevali della città, ha detto l'Onu che sono tra i dieci tesori dell'Africa da salvare, ma chi si preoccupa delle vestigia, quando la denutrizione rende gli uomini diafani, e i riccioli neri diventano capelli biondi? Dice un nostro proverbio: "Chi si esprime meglio di te ti toglierà anche l'eredità di tuo padre". E i missionari facevano scuola. Io conosco il Manzoni e la *Divina Commedia*. E i Padri della Consolata non mi hanno detto di non credere più in Allah; mi hanno insegnato a rispettarmi. Ma che cosa resta? Tre cose hanno perso il loro valore: la donna che è stata violentata, la proprietà, perché ti viene strappata con la forza, la vita, perché chiunque la può spegnere.»

Ho incontrato davanti al palazzo che alloggia la Presidenza della Repubblica un anziano colonnello, capo delle forze di polizia. Ha frequentato vent'anni fa a Roma l'Accademia delle Guardie di Finanza, corso Cefalonia-Corfù.

Gli ho chiesto come se l'è passata da noi: «Bene, ma per noi era dura, difficile. Ho un ricordo amichevole, direi paterno dell'Italia».

Gli ho chiesto anche se abbiamo sbagliato qualcosa: «In questi ultimi tempi ci avete trascurato».

Gli ho domandato se conosceva dei vecchi soldati, che hanno combattuto con noi: «Sì, combattuto e anche perso. C'era amicizia; non posso dire male degli italiani».

Quanti miliardi abbiamo speso, e quanti sbagli: non abbiamo salvato la Somalia, abbiamo arricchito invece qualche connazionale. Davamo soldi ai due dittatori, Menghistu (Etiopia) appoggiato dai democristiani, e a Barre che piaceva al Psi, perché si scannassero nell'Ogaden, quella zona al centro del Corno d'Africa che confina con i due Paesi conosciuta anche come Somalia Abissinia. In una trasmissione in lingua somala la

Bbc ha detto che i nostri soccorsi «si sono trasformati in una enorme bustarella che ha favorito solo alcuni esponenti del regime». Abbiamo buttato cento miliardi in una fabbrica di urea che i tecnici ritenevano inadeguata, e non ha mai funzionato e ha portato solo quattrini ai capoccioni e ai loro congiunti. Racconta Eugenio Melani che mandammo un piroscafo di vacche nostrane in un villaggio dove la mosca tse-tse stermina il bestiame. Tutti ridono della strada che conduce da Garoe a Basaso, che gli esperti internazionali giudicano «inutile», ma piaceva tanto ai signori di Roma. Non è escluso che oggi abbia favorito qualche fuggiasco: ma questa eventuale opera buona è costata duecentottantatré miliardi.

Di tutte queste erogazioni quante sono finite in tangenti?

Gli occhi dei bambini somali che invocano la carità mi inseguono, come un rimorso.

C'è Pietro Turani, sacerdote, che quando tutti scappano resta con i suoi lebbrosi e i suoi orfani, e un bandito lo falcia forse davanti all'altare, forse accanto ai suoi parrocchiani terrorizzati. Perché come assicura il Corano, «ovunque vi girate è in faccia a Dio».

In Somalia c'è un mondo che muore o funziona anche un sottile, involontario razzismo? È più facile intenerirsi per i bimbi biondi o neri? Cadono esausti senza un lamento. Non sorridono, non piangono i bimbi di Mogadiscio, e quelli della boscaglia: perché debbono essere il nostro rimorso? Ricevono solo le carezze di mamme disperate, e non c'è neppure l'ultima prova d'amore che accompagna la morte. Si seppelliscono i defunti davanti agli ospedali, non c'è tempo né forza per trasportarli nei cimiteri, avvolti nei teli sporchi e sfrangiati. Un padre con un carretto ha portato nel campo già segnato da altre tombe, attraverso un vialetto di cactus, la sua figliola, quattordici anni, forse si chiamava Abai o Luì o Fatima. Due uomini lo accompagnavano e hanno scavato, con tanta fatica, una fossa poco profonda. Poi hanno calato quell'esile fagotto, e a palate di sabbia, mentre il padre fissava immobile, gli improvvisati becchini, apparentemente senza emozione, l'hanno ricoperta. Sopra ogni cumulo che il vento assottiglia, c'è un pezzo di legno, o di latta, ma nessuna indicazione: né una data, né una parola.

Un ramo, una grondaia arrugginita. Vicende umane che sembrano inesistenti: a Mogadiscio si muore senza aver vissuto.

Il nostro lavoro di cronisti testimonia molte di queste tragedie. Quella di cui non mi sono potuto occupare, e che non ho visto con i miei occhi, è stata la guerra in Iraq, quella che ha segnato la fine di Saddam Hussein.

Invece di andare con la mia troupe a Bagdad, a Fallujia, a Bassora, a parlare con la gente, a tentare di capire che cosa è accaduto in questi lunghi tre anni, documentare la loro sofferenza, i bisogni reali, sono stato seduto in poltrona di fronte alla televisione ad attendere di essere informato.

Fu così anche quella notte tra il 19 e il 20 marzo 2003. Erano alcuni giorni che nell'aria c'era odore di guerra: il 18 marzo, il presidente americano George Bush, in un discorso televisivo alla nazione, aveva lanciato un ultimatum al presidente iracheno e ai suoi figli nel quale concedeva quarantotto ore per andare in esilio. Questo gesto avrebbe evitato la guerra, ma Saddam, dopo aver convocato il Consiglio del Comando della Rivoluzione e la direzione del partito sunnita Baas, respinse la proposta.

Alle 3 e 35, ora italiana, iniziò l'operazione «Iraq freedom».

L'Iraq viene bombardato con missili Cruise lanciati da aerei F 117, i cosiddetti «invisibili». Da quel momento la violenza, la morte, la disperazione hanno un crescendo inarrestabile. Ogni giorno si contano decine di vittime: autobombe che esplodono nei mercati, nelle zone di arruolamento, kamikaze che si fanno saltare nelle sedi dei partiti e vicino ai luoghi di culto, bambini, donne e vecchi che muoiono senza sapere il perché di quella guerra. Ma i morti non hanno nazionalità e si spara e si uccide in tutto il mondo. Basta guardare che cosa è successo, in un periodo qualsiasi di questi ultimi tre anni, in alcuni Paesi.

A Beer Sheva, Israele, due attacchi suicidi: esplodono due autobus, 16 morti e 80 feriti. Hamas rivendica. Una donna kamikaze cecena aziona la bomba davanti a una stazione della metropolitana di Mosca: 10 morti e 30 feriti. Dieci giorni prima l'attentato agli aerei Tupolev: 89 morti. Due raid aerei americani, uno in Afghanistan, a Konar, l'altro a Fallujia in Iraq: 30 morti e un centinaio di feriti tra i civili. Ossezia del nord, Beslam, scuola di via Kooperativ: oltre 400 i morti, più di 200 dispersi, 550 feriti, una strage di innocenti per mano di uomini che in altri tempi sarebbero stati invidiati dai nazisti: separatisti ceceni. Non ci sono parole per definire un massacro. Come guarderanno la vita tutti quei bambini sopravvissuti e testimoni dell'eccidio? Putin l'intransigente, quello che la colpa è sempre degli altri, qualche volta si guarderà allo specchio e non solo per farsi la barba. Ancora oggi le mamme di Beslam attendono risposte da Vladimir Putin sui criteri in base ai quali i russi hanno deciso di entrare nella scuola, una strategia che aveva già causato molte morti tra gli ostaggi del Teatro Dubrovka di Mosca nel dicembre 2002. L'unico terrorista ceceno sopravvissuto disse: «Arrivammo a Beslam grazie a un corridoio garantito dai servizi segreti russi». Solo dopo il lavoro di alcuni giornalisti delle radio locali prima, e quello dei corrispondenti arrivati sul posto dopo, si è rotto quel muro di silenzio imposto dal governo russo. Fermiamoci qui.

Tutto questo nasce da un lato dall'11 settembre con l'attentato di Bin Laden alle Torri Gemelle, dall'altro dall'attacco della Coalizione in Iraq, e tutto continua nonostante Bush, il 1° maggio del 2003, abbia annunciato la fine del conflitto e la vittoria su Saddam Hussein.

Quello che è più grave è che il mondo si è abituato alla morte. La notizia di un attentato non fa più effetto, è parte della quotidianità, come dire che ogni giorno sulle strade ci sono scontri tra auto, oppure se la gente andasse più piano e non bevesse alcolici prima di mettersi al volante, di incidenti ce ne sarebbero di meno.

Il 14 dicembre 2003, da fonti ufficiali si apprende che combattenti peshmerga curdi e soldati statunitensi della Quarta Divisione di fanteria, nei pressi di Tikrit, hanno arrestato Saddam Hussein, trovato nascosto dentro una buca profonda due metri all'interno della fattoria Al Daur. La cattura diventa subito un evento mondiale, tutte le televisioni trasmettono quelle immagini. Secondo fonti israeliane, l'atto eroico viene raccontato così solo per un fatto propagandistico: nella realtà, sembrerebbe che il dittatore iracheno sia stato consegnato dai suoi fedelissimi allo scopo di incassare la taglia di venticinque milioni di dollari che gli americani avevano messo sulla sua testa.

Da quel giorno, in Iraq, poco è cambiato: prima c'era lui, Saddam con il suo regime dittatoriale, oggi ci sono i suoi seguaci e quelli di Bin Laden, che quotidianamente portano il terrore in lungo e in largo nelle terre mesopotamiche.

Ho sempre pensato che noi italiani dobbiamo tanto agli «yankees» perché se non ci fossero venuti a dare una mano nel 1915 e dopo, nel 1940, avremmo avuto un'altra storia, ma in Iraq non hanno portato la pace anzi, hanno esasperato la guerra civile.

Per il presidente Bush che, con la complicità dell'inglese Tony Blair, si era inventato l'esistenza di armi di distruzione di massa, si sta prospettando un secondo Vietnam: 2630 sono i soldati della Coalizione morti dall'inizio del conflitto. Incerte le cifre dei civili iracheni caduti. A maggio del 2006 si parla di oltre quarantamila vittime, ma sono numeri in difetto.

Ho letto che i genitori debbono raccontare ai bambini quello che sta succedendo. Con sincerità, lo raccomandano gli psicologi, perché la televisione non risparmia la brutalità delle immagini e un piccolo, a qualsiasi ora, guardandola rischia di imbattersi nel dramma.

Anche un nonno come me, che ne ha viste tante, può tentare di raccontare ai nipoti ciò che accade, ma spiegare la guerra non è possibile.

«La Patria», dicevano una volta, «si serve anche facendo la guardia a un bidone di benzina.» Ero giovane, e trovavo quell'impegno un po' ridicolo. Come l'invalido Enrico Toti che, privo di una gamba, venne arruolato nei bersaglieri ciclisti e poi, non potendo evidentemente più pedalare, lanciò la stampella contro il nemico. Così si finisce nei libri di storia ma anche nel grottesco.

Adesso c'è chi si batte, seriamente, non per tener d'occhio il fusto di carburante, ma per impadronirsi di tutto l'oleodotto e chi invece lo fa per distruggerlo. Già Mussolini parlava di un conflitto tra popoli poveri e ricchi.

Il progresso porta i suoi frutti, e anche i discorsi, le polemiche, si ripetono e si diffondono: si vuol far passare questa guerra come una operazione di liberazione di un popolo dal dominio di un dittatore e le nostre truppe sono partite per «un'operazione di pace». Difficile raccontarlo alle famiglie dei nostri trentuno connazionali caduti a Nassjiria e dintorni.

Tutti abbiamo visto le immagini dell'«operazione di pace». I missili, con esattezza «chirurgica», come ci continuavano a dire all'inizio del conflitto, andavano sull'obiettivo: ma ogni tanto allungavano il taglio, e le televisioni arabe ci mostravano il loro risultato sulle case dei civili. Tra i cadaveri dilaniati, mi ricordo, il giocattolo di un bambino.

Poi, oltre alle bombe intelligenti, abbiamo visto le conseguenze dell'uso di armi «particolari» come il fosforo bianco. Gli americani hanno raccontato che lo usavano solo per illuminare durante la notte, ma i risultati sono stati devastanti. Anche in Vietnam era stato usato, sempre dagli Stati Uniti, ma allora lo chiamavano con un altro nome: Napalm. Fu utilizzato anche da Saddam Hussein, negli anni Ottanta, durante la guerra contro i curdi: la strage fu epocale.

A Fallujia sono state trovate le prove che gli americani se ne sono serviti per conquistare la città.

Il fosforo bianco a contatto con l'ossigeno brucia e consuma le molecole che lo contengono ed è in grado di sciogliere le parti del corpo che tocca; se solo viene respirato provoca emorragie interne che portano alla morte. Proprio per queste ragioni è stato vietato sin dal 1906 e per fare i fiammiferi fu sostituito dal fosforo rosso.

«Ho visto i corpi bruciati di donne e bambini. Il fosforo esplode e forma una nuvola, e chi si trova nel raggio di centocinquanta metri è spacciato.» Chi parla è Jeff Englehart, americano e veterano della guerra in Iraq, intervistato da Sigfrido Ranucci, un giornalista che sa fare il suo lavoro con coraggio. L'inchiesta, *Fallujia la strage nascosta*, è stata realizzata per Rai News 24, ha fatto il giro del mondo ma è stata trasmessa dalla Rai solo dopo la raccolta di firme organizzata dall'associazione Articolo 21, e grazie alle tante lettere inviate in viale Mazzini, in particolare quella del presidente del Consiglio provinciale di Milano, il quale ha chiesto a nome dell'assemblea di trasmettere il servizio di Ranucci «in orario di alto ascolto».

Englehart aggiunge poi: «Ho sentito io l'ordine di fare attenzione perché veniva usato il fosforo bianco su Fallujia. Nel gergo militare viene chiamato Willy Pete».

Non basta: le stragi arrivano anche dai kamikaze sempre in agguato, pronti a colpire soldati e iracheni per tenere alta la tensione e soprattutto il terrore. Ed è lungo l'elenco delle stragi degli innocenti compiute dai militari come a Ishaqi: undici i civili uccisi, quattro donne giovani, una nonna di settantacinque anni, cinque bambini, uno dei quali aveva sei mesi. Un testimone oculare ha raccontato che gli americani sono arrivati per via aerea, erano oltre cinquanta, hanno circondato la casa rurale di due insegnanti che avevano ospitato quella notte una donna con il figlioletto. Prima sono entrati nella casa, hanno sparato sui civili, poi l'hanno fatta saltare, infine hanno ammazzato tutti gli animali: una mucca, due capre, il cane, poi sono spariti. La risposta alla denuncia è la solita: era l'abitazione di un terrorista. Anche l'elenco delle menzogne purtroppo è lungo.

Solo dopo sei mesi si è saputa la verità su un'altra strage, quella di Hadtha, cittadina a ovest di Bagdad, dove sono morti ventiquattro iracheni, donne, ragazzi, bambini e anche un vecchio sulla sedia a rotelle. In un primo tempo era stata attribuita a una bomba, ma i corpi erano straziati non da schegge ma da proiettili. I primi ad accusare i soldati sono i giornali americani, in prima fila il *Washington Post*. Il *Detroit Free Press* chiede che «si faccia luce sulla verità non importa quanto terribile», mentre il *New York Times* scrive che le responsabilità non finiscano tutte sulle spalle dei soldati, «ignorando i funzionari dell'amministrazione, da Bush in giù, che hanno reso maggiori le probabilità di questo disastro, rendendo intenzionalmente confuse le regole che guidano il comportamento dei soldati americani sul terreno».

Questa guerra non porta bene a chi l'ha voluta. Tony Blair, nel 2005, ha vinto, sì per la terza volta le elezioni, ma il prezzo personale pagato per avere avuto un ruolo determinante nel conflitto è stato alto: i laburisti sono passati da 413 seggi nel 2001 a 355, meno 58, e Blair è stato costretto a far saltare il ministro della Difesa Geoff Hoon, coinvolto nell'inchiesta sul suicidio dello scienziato David Kelly, la talpa, secondo Hoon, che passava le informazioni alla Bbc sui dubbi dell'esistenza degli armamenti di distruzione di massa. Questo voto ha molto indebolito la maggioranza di Blair, passata da 161 seggi a 66. Qualcuno dice che questo governo rischia di non arrivare alla fine del mandato. Il premier inglese ha dovuto ammettere pubblicamente il mea culpa, dichiarando di aver mentito al popolo e di aver voluto mandare a combattere i soldati inglesi. Poi ha detto: «Dobbiamo dare più ascolto alla gente, rispondere con saggezza e ragionevolezza».

L'altro «socio» non se la passa meglio: Bush è al minimo della popolarità. Tra la fine di aprile e l'inizio di maggio 2006 in Usa è cresciuta l'opposizione alla guerra. Oltre alla stampa, alcuni generali chiedono che Donald Rumsfeld venga sollevato dall'incarico. Tra questi l'ex capo di Stato Maggiore dell'esercito, Eric Shinseki, che era stato messo da parte nell'inverno 2003, colpevole di aver dichiarato al Congresso, mettendolo in guardia, che occupare l'Iraq avrebbe richiesto lo spiegamento di svariate centinaia di migliaia di soldati. Niente da fare, il presidente insiste e ai generali veterani risponde per iscritto: «Totale fiducia della Casa Bianca al segretario della Difesa».

Lo scrittore americano Norman Mailer alla domanda se la guerra legittima qualsiasi orrore, ha risposto: «Non lo giustifica: ci aiuta a capirlo. Le truppe in Iraq hanno il record in turni di spiegamento. Neppure i marines in Vietnam furono spremuti tanto. Queste campagne massacranti, non stop, stanno avendo un effetto devastante sulla capacità dei soldati di formulare giudizi etico-morali. Tutte le guerre sono brutte, ma quella in Iraq è la più brutta di tutte. La mia generazione ha combattuto nel Pacifico ed eravamo convinti di farlo per una causa giusta e nobile. Sono sicuro che non c'è un soldato oggi nel Golfo che senta lo stesso imperativo morale dentro di sé».

Ho conosciuto Norman Mailer e capisco lo spirito del suo discorso, ma sono convinto che ancora una volta siamo di fronte all'epica della miseria umana.

Anche il governo Berlusconi capisce che, in vista del voto dell'aprile 2006, l'Iraq è un problema. Nel frattempo la crisi interna alla maggioranza obbliga il Cavaliere a dimettersi e a costruire il Berlusconi bis: sono cambiati parecchi ministri e il superministero dell'Economia ritorna nelle mani di Giulio Tremonti, voluto dalla Lega. In una delle sue tante «conferenze» televisive in campagna elettorale, Berlusconi dichiara: «A settembre, a casa il nostro esercito». Risponde il ministro degli Esteri Gianfranco Fini: «Non prima di gennaio o febbraio 2007». Il Cavaliere, al solito, abbozza e replica che è stato male interpretato.

Le cronache dei giornali in quei giorni sono piene di paginate sul reale ruolo svolto dai nostri soldati: «Non fanno altro che controllare loro stessi» qualcuno ha scritto. Altri hanno aggiunto: «Se gli americani decidono di entrare nella zona di competenza italiana, anche mettendo a repentaglio la stessa vita dei nostri, lo fanno senza chiedere permesso».

Berlusconi, come Blair, ha capito dunque, che non è possibile tenere un piede in due staffe e la maggioranza deve decidere: o sta con Bush o sta con gli italiani. Poi, dopo il voto dell'aprile 2006, Palazzo Chigi cambia inquilino: arriva Romano Prodi, e il ritiro delle truppe dall'Iraq diventa una reale priorità. Il nuovo ministro degli Esteri Massimo D'Alema, il 7 giugno, vola a Bagdad per informare il presidente iracheno, il curdo Jalal Talabani che «l'Italia ritira le sue truppe ma non ritira il suo impegno, non abbandona l'Iraq. Questo è il nostro modo per rimanere vicini alla vostra giovane democrazia, rafforzando la nostra presenza politica e umanitaria». Si capisce subito che il passo di D'Alema è ben diverso da quello di chi lo ha preceduto. Per fortuna.

Il giorno dopo su tutti i giornali appare la notizia che i nostri soldati entro l'autunno rientreranno in famiglia. Silvio Berlusconi, nel frattempo diventato il capo dell'opposizione, dimentica le promesse di ritiro fatte in campagna elettorale e tuona: «Il ritiro è un cedimento al ricatto dei terroristi. Non è un semplice errore, ma è una fuga dalle responsabilità».

Evidentemente il presidente iracheno non concorda con le parole dell'ex premier, perché durante l'incontro con

D'Alema dichiara: «Il vostro è un rientro modello». Dietro a questa frase si nasconde, in modo fin troppo esplicito una polemica nei confronti del premier Zapatero. Infatti Talabani aggiunge: «Il modello spagnolo di ritiro? È stata una fuga che non ha lasciato nulla. Invece l'Italia lascia molto, lascia una forte cooperazione».

L'8 giugno, verso le 9 del mattino, ora italiana, il primo ministro iracheno, lo sciita Nouri al-Maliki diffonde una notizia molto importante: «È stato ucciso Abu Musad al-Zarqawi, il super terrorista giordano, il capo di "al-Qaeda" e luogotenente di Osama bin Laden». Al-Zarqawi è il responsabile di numerosi attentati, tra i tanti anche quello del 12 novembre 2003 contro la base del contingente italiano a Nassjiria, dove morirono ventotto persone tra cui dodici carabinieri, cinque militari e due civili italiani, e dell'attacco alla sede Onu di Bagdad: ventidue le persone uccise, tra le vittime anche il rappresentante speciale delle Nazioni Unite per l'Iraq Sergio Vieira de Mello.

È un giorno importante, nessuno lo mette in dubbio, ma nel mondo si crea un'euforia eccessiva, si parla di ferita mortale al terrorismo. È vero, con la morte di al-Zarqawi si chiude un periodo pieno di sofferenza e violenza, ma la guerra contro il terrorismo è tutt'altro che vinta.

In passato si leggevano le corrispondenze degli inviati: molti stavano insieme ai comandi, ma qualcuno seguiva la truppa. E ne condivideva rischi e lamenti.

Oggi, nell'epoca della «diretta», le parole arrivano via telefono, e non abbiamo capito quasi niente di quello che è realmente accaduto nel Golfo: colpa di chi impedisce la corretta informazione e del rischio che corrono i giornalisti di essere ammazzati. In questa guerra tutti hanno sparato contro chi ha tentato di raccontare quel che vedeva, giornalisti, operatori di ripresa, reporter, gli stessi interpreti.

8 aprile 2003: un carro armato americano si gira verso l'hotel Palestine di Bagdad e spara un colpo. È l'albergo dove alloggiano la maggior parte dei giornalisti stranieri. Il proiettile colpisce tra il quindicesimo e il diciassettesimo piano. Muoiono due cameraman e tre inviati rimangono gravemente feriti.

Gli statunitensi, per difendersi, dichiarano che c'erano dei cecchini che stavano sparando. La risposta viene da un collega inglese: «Non ho sentito nessun colpo».

A tutto ciò deve essere aggiunta anche la difficoltà, per i giornalisti, di potersi muovere tra la gente con il rischio di essere rapiti in qualsiasi momento.

Che emozione quando per la prima volta ho sentito che Giuliana Sgrena, l'inviata del *Manifesto*, era stata liberata. Lei, che è sempre stata dalla parte del più debole, raccontava la disperazione degli iracheni, le privazioni della gente, la mancanza di lavoro, la paura di tornare a vivere nella normalità tra attentati, blindati americani, e violenze non solo fisiche ma anche psicologiche.

«Poco importa che per la sua liberazione sia stato pagato un probabile riscatto come per Simona Pari e Simona Torretta», mi sono detto. Ricordando, nel giorno della manifestazione di Roma per la libertà di tutti i sequestrati in Iraq, il volto e la dignità dei genitori di Giuliana, ho pensato a quello che hanno vissuto insieme a Pier Scolari, il suo compagno, l'uomo che, in quell'eterno mese si è portato dentro la frase di Giuliana nel video dei sequestratori: «Pier, aiutami, portami a casa».

La gioia della liberazione dura poco, perché subito dopo arriva la notizia della morte del dirigente del Sismi, Nicola Calipari. Un'altra famiglia che piomba nella disperazione: la moglie Rosa Maria e i figli Silvia di diciannove anni e Filippo di tredici. Così l'inviata del *Manifesto* racconta il suo rilascio: «La macchina continuava la sua strada attraversando un sottopassaggio pieno di pozzanghere, e quasi sbandando per evitarle. Abbiamo tutti incredibilmente riso. Era liberatorio. Nicola Calipari allora si è seduto al mio fianco. L'autista aveva per due volte comunicato in ambasciata e in Italia che noi eravamo diretti verso l'aeroporto, che io sapevo super controllato dalle truppe americane. Mancava meno di un chilometro e io ricordo solo fuoco, zittendo per sempre le voci divertite di pochi minuti prima. L'autista ha cominciato a gridare che eravamo italiani. Nicola Calipari si è buttato su di me per proteggermi, e subito, ripeto subito, ho sentito l'ultimo respiro di lui che mi moriva addosso».

L'autopsia, poi, ha specificato che era stato colpito da un unico proiettile alla testa.

Nei giorni successivi, per le strade di Roma, fu appeso un manifesto su cui stava scritto: «Grazie a Nicola Calipari, anima eroica».

Spesso questa parola si usa a sproposito e imprudentemente, questa volta, invece, no. Simona Torretta ha raccontato che quando lei e Simona Pari furono liberate, l'agente del Sismi fu il primo volto amico che videro: «Mi trovai davanti una persona molto bella, di grande umanità e che ci aveva riconsegnato alla vita».

Sono state dette frasi molto forti: che l'agguato era voluto, che volevano la giornalista del *Manifesto* morta, che gli americani erano informati dei movimenti degli italiani; non sapremo mai come sono andate veramente le cose, o se è stata una semplice fatalità, come ha commentato l'allora ministro degli Esteri Gianfranco Fini.

Una cosa è certa: Giuliana Sgrena ha confermato esattamente quello che avevano detto le due Simone, cioè, che il momento più pericoloso del sequestro, oltre all'inizio, è quello dopo la liberazione, perché gli americani vogliono tutte le informazioni possibili, a loro non interessa che in Italia ci sia una famiglia in ansia, basta pensare a quello che è accaduto ai due giornalisti francesi sequestrati, Christian Chesnot e Georges Malbrunot, che arrivarono a Parigi tre giorni dopo il loro rilascio.

Per gli americani è la guerra e in guerra non si discute, si ubbidisce e gli italiani non sono stati alle regole: con il nemico non si deve trattare. Di sicuro Nicola Calipari ha fatto il suo dovere, ha eseguito gli ordini e ha salvato la vita dei sequestrati.

Per quanto riguarda «l'operazione Sgrena», che ha portato, per colpa degli americani sia chiaro, alla morte di Calipari, ci sono stati fatti non chiari. Ad esempio: il capo del Sismi, Nicolò Pollari, invece di coordinare le operazioni di liberazione della giornalista dal suo quartier generale, lo ha fatto da Palazzo Chigi insieme al premier Silvio Berlusconi e al sottosegretario Gianni Letta. Credo sia stata la prima volta nella storia dell'intelligence, anche se poi il ruolo svolto da Letta si è rivelato molto importate per la fine dei sequestri. Un dubbio però rimane: «Per Enzo Baldoni è stato fatto tutto il possibile?». Ma questa è un'altra storia.

Nel maggio 2006 in un'intervista data a Milena Gabanelli, Gabriele Polo, il direttore del *Manifesto*, che per tutta la durata del sequestro era rimasto in contatto quotidianamente con Nicola Calipari, ha detto: «Si dava per scontato che ci fosse una trattativa economica, anche se i rapitori, ex baathisti sunniti, volevano un riconoscimento politico. Anzi, uno di loro avrebbe dovuto venire in Italia con il permesso del nostro governo».

Quello che è accaduto subito dopo la liberazione della giornalista ha dimostrato, a quei pochi che ancora non lo ammettevano, che in Iraq la guerra è continuata anche dopo la proclamazione della vittoria di George Bush e che l'uccisione di Calipari è avvenuta in un contesto di guerra. E l'esercito della Coalizione, nonostante le elezioni del presidente e del capo del governo iracheno, non riesce a porre fine alla guerra civile tra sciiti e sunniti. I soldati americani continuano a sparare, a sparare, ogni angolo delle città nasconde un'insidia, niente è sotto il loro controllo.

Rosa Maria Villecco vedova Calipari, oggi siede tra i banchi del Senato e ha scritto che da quella sera di marzo continua a porsi sempre la stessa domanda: «Perché?». Soprattutto dopo che le indagini congiunte tra magistrati italiani e americani hanno portato alla pubblicazione di due relazioni diverse e contrastanti. Il luogo dove è accaduta la sparatoria è stato immediatamente ripulito dagli stessi militari statunitensi, alterando così le eventuali prove e tutte le indagini fatte dalla Commissione si sono svolte senza la «certezza della ricostruzione».

Andrea Carpani, il maggiore del Sismi che guidava l'auto Corolla, con la Sgrena liberata, verso l'aeroporto, ha spiegato agli inquirenti: «Andavo a quaranta-cinquanta chilometri all'ora, poi all'improvviso si è accesa una luce a una certa distanza. Ho fermato la macchina, e contestualmente, è cominciata l'azione di fuoco. La mia sensazione è che fossero colpi sparati da armi di calibro diverso. No, non c'era nessun posto di blocco sulla strada».

Scrive ancora la signora Calipari: «Nicola era un dirigente del Sismi, un servizio alleato degli americani, e ha agito in nome e per conto dello Stato italiano. Non era né un Rambo né uno 007 con licenza di uccidere, ma un uomo che in altre delicate operazioni aveva dimostrato di possedere le qualità per negoziare anche con gli elementi più integralisti del contesto medio-orientale. Dotato di notevole intuito, riflessivo e osservatore, affrontava le situazioni con lucida razionalità, con notevole self-control e con forte determinazione». Esattamente un anno dopo, nello stesso giorno in cui il presidente Carlo Azeglio Ciampi inaugurava il monumento alla memoria di Nicola Calipari, e consegnava alla vedova la medaglia d'oro al valor militare, l'allora ministro della Difesa Antonio Martino dichiarava: «La vicenda nella quale ha sacrificato la vita Nicola Calipari ha quasi i lineamenti di un'antica tragedia greca, quando il fato impedisce all'eroe di cogliere il frutto del suo valore, quando la mano che uccide non è mossa dall'odio o dalla determinazione, ma dagli oscuri disegni del destino». A queste inutili e retoriche parole la risposta della signora Calipari: «Non è possibile avere pace se non c'è giustizia».

C'era un gioco che facevo quando ero piccolo: uno di noi stava con la faccia rivolta al muro e gli occhi chiusi contando fino a venti, mentre gli altri andavano a nascondersi, poi cominciava la caccia per scovare chi si era nascosto. Il primo che veniva scoperto era quello che poi doveva «stare sotto», a meno che, uno degli altri, senza essere visto, fosse riuscito a toccare il muro gridando: «Pace libera tutti».

Anche un semplice gioco ci può insegnare che l'unica risposta possibile alla guerra è la pace, come è scritto nella nostra Costituzione, in modo solenne, e di questo noi dobbiamo andare fieri: «L'Italia ripudia la guerra come strumento di offesa alla libertà degli altri popoli e come mezzo di risoluzione delle controversie internazionali».

Solo un popolo che la guerra l'ha conosciuta, l'ha combattuta, può sapere qual è il vero valore della pace. Ma la politica, il più delle volte, non è rappresentativa del comune pensiero. Un iracheno, un giorno, confidò a Simona Torretta: «Un tempo, durante Saddam, non avevo la parola ma avevo dei sogni che mi portavano a pensare a un Iraq senza un dittatore, oggi posso parlare ma non ho più sogni».

Qualcuno torna libero come Giuliana Sgrena, qualcuno torna morto come Nicola Calipari. Ma c'è invece chi rischia di non tornare nemmeno da morto: Enzo Baldoni. La sua è la storia di uno di quei giornalisti di cui spesso il lavoro rimane oscuro, ma che hanno dato la possibilità al mondo di sapere quello che davvero è successo in Iraq: la verità sull'assalto dei reparti speciali e quanti bambini sono morti.

Baldoni è caduto in Iraq perché era un cronista vero, che non scriveva per sentito dire, voleva prima vedere, poi capire e quindi raccontare. Non sappiamo se è stato giustiziato appena sequestrato, oppure una settimana dopo come ci dicono le cronache: poco importa, sappiamo solo che quello che è avvenuto dal giorno della sua scomparsa rappresenta una vergogna per il nostro Paese. Forse c'è stata l'incapacità del governo nel proporre una strategia di mediazione con i sequestratori, sbagliando clamorosamente i canali della trattativa.

Sicuramente anche la morte di Enzo Baldoni, come quelle degli altri italiani, è la conseguenza per aver portato l'Italia in Iraq, spacciando l'intervento come una missione di pace. Non mi stancherò mai di dirlo.

In quei giorni insieme a Loris entrammo nel sito del giornalista che dall'Iraq stava realizzando corrispondenze per il settimanale di Enrico Deaglio, *Diario*. Lo facemmo per conoscere meglio il suo lavoro, quello che Baldoni aveva definito: «il lavoro di un vero ficcanaso», dalla Colombia all'Uganda, dal Chiapas a Timor est, fino ad arrivare all'Iraq. Il sito lo dovrebbero visitare tutti quei giornalisti professionisti che con arroganza hanno fatto fatica ad accettarlo come un collega, in particolare penso a chi, senza vergogna, lo aveva definito «un pirlacchione», solo perché uomo di sinistra, contro la guerra e non dipendente da una testata, ma solo un freelance.

Ma niente accade casualmente. In quel periodo la morte di Enzo aveva sollevato un dibattito molto interessante: «Perché devono esserci delle tragedie per far sì che i potenti capiscano che il terrorismo è un problema che riguarda tutti i popoli a prescindere dalla religione?», «Perché così in ritardo il mondo islamico moderato prende le distanze da tutta questa violenza?», «Perché ci sono televisioni, come Al Jazeera disposte a fare informazione con i bollettini video dei sequestratori?». Ma soprattutto una domanda che ancora oggi non ha risposta: «Che cosa hanno voluto dimostrare quelli che hanno ucciso Enzo Baldoni?».

Sono 45 gli operatori dell'informazione morti dall'inizio della guerra, nel mondo 653 dal 1992 a oggi, senza dimenticare i 130 scomparsi o in mano ai sequestratori.

La morte del giornalista italiano fa parte del dramma che il mondo sta vivendo.

Ha detto la moglie di Baldoni, Giusi Monsignore: «Enzo è morto ma continua a vivere, non solo in me, ma in tutti quelli che in questi anni ha aiutato, ha consigliato, ha conosciuto. In tutti ha lasciato dei semi che cresceranno».

Mohammed è un giovane uomo iracheno, poco più che ventenne, vive vicino a Bagdad, è sposato e la moglie aspetta il primo figlio. Un attacco americano gli cambia la vita. Viaggiavano sull'ambulanza che doveva portare la moglie in ospedale per partorire. Contemporaneamente gli americani entrano a Bagdad. Un Bradley colpisce l'ambulanza, Mohammed è sbalzato fuori senza gambe e vede, senza poter intervenire, la moglie con il bimbo in grembo morire bruciati.

Nell'agosto 2004 il giovane iracheno incontra Enzo Baldoni, che è arrivato dall'Italia da pochi giorni. Mohammed era stato curato, ma le protesi erano diverse, avevano due piedi: il destro misura 37, il sinistro 38, e mancavano della rotula, quindi non erano utilizzabili. Il giovane stava tentando di ricostruirsi una vita. Aveva conosciuto una ragazza, si vogliono bene e vorrebbero sposarsi, ma lei si vergogna di presentarlo ai suoi genitori in quelle condizioni. Il giornalista decide di aiutarlo, immediatamente prende contatto con Emergency di Gino Strada, che a Sulaymania, a nord dell'Iraq, ha impiantato un ospedale dove possono prendersi cura di lui. La mail è indirizzata a Teresa, la moglie di Gino Strada: «Lo so, di lettere così ne ricevi a dozzine...».

Enzo Baldoni racconta la storia dell'ormai amico iracheno.

Teresa gli risponde: «Sei un angelo. Provvederò a trasportare Mohammed a Sulaymania e a procurare tutti i lasciapassare».

Enzo per ringraziare Teresa le manda una foto in cui lui e Mohammed sono seduti vicino e tengono in mano le due protesi spaiate. I loro volti sono sorridenti.

Quella foto, dopo il 19 di agosto, giorno del sequestro del giornalista, farà il giro del mondo. Ma grazie a quella foto, Emergency riesce a trovare, dopo la morte di Baldoni, Mohammed, il quale riceverà le nuove protesi che gli consentiranno di camminare e di incontrare i genitori della futura moglie.

Tutto quello che sto scrivendo l'ho vissuto su questa poltrona di fronte alla televisione, ma se avessi avuto il mio programma avrei lavorato su quanto ho appena raccontato.

C'è un'altra morte che non avrei ignorato, quella di Fabrizio Quattrocchi, perché ci sono frasi che rimarranno per sempre, come quella di sua madre: «Prima di ribadire dichiarazioni di forza, il governo avrebbe dovuto trattare con i rapitori. Invece ha giocato con la pelle di chi si trova in Iraq».

Non so se il governo Berlusconi ha fatto tutto quello che era in suo potere per salvare Fabrizio. Alcune cose però sono certe: il consigliere diplomatico di Palazzo Chigi, l'ambasciatore Castellaneta, è partito in ritardo e soprattutto è partito solo dopo l'esecuzione di Quattrocchi. Ancora: l'allora ministro degli Esteri, Franco Frattini, non doveva rimanere nel salotto di *Porta a Porta* la sera dell'omicidio, così come la Rai per un grande ascolto non avrebbe dovuto «usare» i familiari degli ostaggi. La sorella di Maurizio Agliana, prigioniero con Quattrocchi, Salvatore Stefio e Umberto Cupertino, ha dichiarato che la loro presenza al programma era stata richiesta espressamente a difesa dell'immagine dei quattro sequestrati perché accusati di essere dei mercenari, di essere andati in Iraq non per scopi umanitari ma per soldi.

Infine, l'imbarazzante dichiarazione rilasciata, il giorno dopo la morte di Quattrocchi, dalla sorella Graziella: «Che Fabrizio era morto lo abbiamo saputo dalla televisione». Una mancanza gravissima liquidata, da un giornalista di una nota trasmissione di RadioUno, come un disguido tecnico che può capitare.

Come possiamo definire quello che abbiamo visto quel mercoledì sera di aprile del 2004 su RaiUno? Il reality show dell'angoscia? Il grande fratello della guerra oppure la roulette russa? Decidete voi.

Certo è che abbiamo assistito a una pagina non esaltante della storia della Rai.

Il giorno dopo, come volevasi dimostrare, si è parlato solo dei numeri dell'alto ascolto e non del resto.

Come è stata l'informazione fatta sul conflitto? O è meglio dire i telegiornali hanno fatta vera informazione sulla guerra in Iraq?

Qualche giornalista, non tutti per fortuna, ha accettato di diventare portavoce di una parte dei belligeranti. Dalla «vicenda Sgrena» non c'è più stato un giornalista italiano presente sul territorio e gli unici che hanno potuto continuare a lavorare sono stati quelli che erano protetti dagli americani, cioè incorporati con i soldati. E quindi quelle immagini che abbiamo visto erano prodotte dai militari. Hanno inventato una nuova figura di inviato: il giornalista «enbedded», con tanto di contratto firmato dove l'inviato si impegna a rispettare le regole. Alcuni esempi: non far sapere ai parenti dei soldati la morte dei propri cari, non inquadrare il volto di un soldato morto, e su questo nulla da eccepire, ma impegnarsi a essere generici nei servizi, a non raccontare chi sono i protagonisti di un combattimento o le zone occupate dall'esercito, non è accettabile perché vuol dire non informare il lettore o il telespettatore. Morale: durante questa guerra si è voluto impedire ai giornalisti di fare il proprio mestiere. D'altra parte quando si inventa la guerra preventiva e la si spaccia per missione di pace, ci si rende conto che la cosiddetta propaganda ha le sue esigenze, e non è una novità: l'hanno usata i tedeschi, gli inglesi e gli americani durante la Seconda guerra mondiale.

Ci siamo dimenticati dello sbarco americano in Somalia che fu fatto ripetere per ragioni televisive o a proposito sempre di Iraq, la caduta della statua di Saddam a Bagdad, usata come simbolo della fine della guerra? Recentemente un iracheno, presente sul luogo come «comparsa», ha raccontato che per far risultare la piazza gremita di manifestanti, gli americani li facevano spostare in funzione della ripresa tv.

Ma il mostro televisivo, che questa politica ha creato, continua a triturare tutto, come ha scritto Curzio Maltese: «Fagocita ogni cosa e riduce tutto a un comune pietrisco di banalità dove tragedia e pettegolezzo si mescolano».

SESTO CAPITOLO
Il centrodestra e i nazifascisti,
la storia che non conta

L'ultima campagna elettorale è stata la più violenta dal dopoguerra. Insulti di ogni genere, mancanza di rispetto con attacchi non al politico ma alla persona, nonostante i ripetuti appelli alla moderazione del presidente della Repubblica Carlo Azeglio Ciampi. Silvio Berlusconi non ha fatto altro che aggredire gli avversari mettendoci anche, qualche volta, un tocco di folclore. Una sfida che si è giocata interamente in televisione, ovviamente il Cavaliere, grazie a direttori e conduttori compiacenti, l'ha fatta da «padrone».

5 gennaio. «Non ho mai fatto affari con la politica, anzi ho perso», poi Berlusconi aggiunge «è una situazione inaccettabile che le giunte rosse diano appalti esentasse alle cooperative i cui utili finiscono poi per finanziare i partiti rossi.»

9 gennaio. Berlusconi su La 7, dopo essere stato prima ospite di Giuliano Ferrara a *8 1/2*: «Biscardi per convincermi a partecipare al *Processo* mi ha detto: venga presidente a parlare finalmente di cose serie...».

6 febbario. Il Cavaliere interviene telefonicamente alla manifestazione Neve-azzurra di Forza Italia: «Prodi è solo un uomo di facciata, una maschera da presentare agli italiani. In realtà copre D'Alema, il comunista, il politico impresentabile, con un passato macchiato dall'ideologia. Se dovessero vincere, ma non succederà, l'intenzione credo sia mettere D'Alema in poco tempo a capo del governo».

10 febbraio. Intervistato da Enrico Mentana a *Matrix*, Berlusconi dice ridendo: «Solo Napoleone ha fatto di più».

12 febbraio. Replica durante una cena elettorale ad Ancona: «Su Napoleone ovviamente scherzavo: io sono il Gesù Cristo della politica, una vittima paziente, sopporto tutto, mi sacrifico per tutti. Così dovete fare anche voi imprenditori».

3 marzo. Romano Prodi replica al ministro Giulio Tremonti, che lo accusa di voler aumentare l'aliquota contributiva degli artigiani, commercianti e autonomi: «Questa è delinquenza politica».

6 marzo. Ospite negli studi di Telelombardia, Berlusconi dichiara: «Ho giurato sui miei figli che non sapevo nulla di quei soldi. Poi sono presidente del Consiglio e per definizione il presidente del Consiglio non può mentire, altrimenti va a casa. Giuro qui davanti alle telecamere che io non sapevo nulla dei soldi del signor Mills». Poi aggiunge: «Questo signor Mills non lo conoscevo neppure. Questa è una storia inventata, e dimostra che ci sono giudici organici alla sinistra che si inventano storie in periodo di elezioni». (Il 10 marzo la Procura di Milano chiede il rinvio a giudizio del premier e dell'avvocato David Mills con l'accusa di corruzione in atti giudiziari.)

14 marzo. Si svolge su RaiUno, moderato da Clemente Mimun, il primo dei due «faccia a faccia» televisivi previsti tra il premier e Romano Prodi. Berlusconi scrive e disegna ripetutamente sui fogli, Prodi sottolinea con ampi gesti delle mani e delle braccia i passaggi più significativi dei suoi interventi. Berlusconi per due volte lo definisce *front man*, «uomo di facciata» del centrosinistra, provocando, la seconda volta, la replica del Professore: «Io non ho danti causa, caro presidente del Consiglio, e la pregherei di portarmi più rispetto». «Ma se mi ha chiamato venditore di tappeti», è la controreplica di Berlusconi.

22 marzo. Concludendo una conferenza stampa a Palazzo Chigi il presidente del Consiglio denuncia: «Sono davvero indignato di trovarmi di fronte a un'opposizione che usa come arma la menzogna e il ribaltamento della verità, per cui possiamo dire che ci troviamo di fronte a una situazione di emergenza democratica».

26 marzo. Incidente diplomatico. Per Berlusconi «nella Cina di Mao i comunisti non mangiavano i bambini ma li bollivano per concimare i campi». Bis due giorni dopo: «È storia, mica li ho bolliti io i ragazzini». Definendo Prodi, in chiusura dell'intevento: «Commesso viaggiatore della Cina».

A Napoli, nello stesso giorno, durante un comizio ne ha da dire un po' per tutti: Prodi «un poveraccio», Fassino «testimonial per le pompe funebri», le coop «criminali» e i magistrati «fiancheggiatori della sinistra».

3 aprile. Secondo «faccia a faccia» televisivo tra i due leader, moderatore Bruno Vespa. La maggior parte del confronto è dedicata all'economia. In chiusura colpo di scena di Berlusconi che annuncia l'intenzione del centrodestra, in caso di vittoria, di abolire la tassa sulla casa. Numerosi gli scontri verbali tra i due contendenti. Il Cavaliere denuncia la sinistra «di voler rendere uguali il figlio del professionista e il figlio dell'operaio». Prodi insiste sul fatto che gli «italiani si possono fidare della sua parola perché il Paese deve cambiare marcia dopo una gestione economica disastrosa». «Prodi è come l'utile idiota», replica Berlusconi, «presta la faccia di curato bonario alla sinistra che, per il 70% è formata da ex comunisti.» Prodi risponde: «Berlusconi si attacca alle cifre come gli ubriachi si attaccano ai lampioni».

Furente il premier: «Non accetto che mi si chiami ubriaco. Rispetti il presidente del Consiglio».

6 aprile. Il Cavaliere durante l'ennesima conferenza stampa a Palazzo Chigi: «È assurdo che mentre lavoro giorno e notte ci siano funzionari pubblici che tramano contro il premier. È una "infamità" per spingere i cittadini a un determinato voto durante la campagna elettorale. Si tratta di magistrati indegni». Poi torna sul «caso Mills»: «Voglio fare qui una denuncia gravissima dell'ennesimo uso politico della giustizia tutta tesa a gettare discredito e destabilizzare e attaccare il governo italiano».

Nello stesso giorno botta e risposta a distanza tra lui e Prodi. Il primo lancia l'allarme brogli, dice che non si fida della sinistra e invoca la presenza di osservatori dell'Onu che vigilino sulla regolarità del voto. Il secondo replica: «Berlusconi ha in mano tutto, che brogli può temere? Ha tutti gli elementi per poter controllare».

7 aprile. «Nella prossima legislatura non succederà più che le coop non paghino le tasse. Bisogna che le paghino come tutte le altre imprese...» Così Silvio Berlusconi, conversando con i giornalisti poco prima di lasciare gli studi della Rai dopo la registrazione della tribuna politica di chiusura della campagna elettorale. Massimo D'Alema, commenta: «Già le pagano, Berlusconi va informato...».

Questi sono solo alcuni dei tanti «siparietti» che si sono verificati durante il confronto elettorale, ma la frase che maggiormente mi ha colpito è quella che Berlusconi pronuncia durante l'incontro con alcuni esponenti della Confcommercio: «Ho troppa stima dell'intelligenza degli italiani per pensare che ci siano in giro tanti coglioni che possano votare contro i propri interessi». Poi, dopo qualche giorno, per giustificarsi, anzi per precisare visto che, come sempre, i giornalisti lo avevano male interpretato, ha buttato benzina sul fuoco: «Io non ho dato dei coglioni agli elettori della sinistra. Non li ho gratificati di questa espressione che io considero di gergo corrente e affettuosa. Non l'ho data, perché se avessi dovuto parlare degli elettori della sinistra avrei detto ben altro. Quindi non si prendano un aggettivo che li dipinge bene, perché era rivolto a quelle persone che, avendo costruito delle cose nella vita, votando a sinistra o non andando a votare avrebbero fatto qualcosa contro i propri interessi».

Ma il 7 aprile Berlusconi con Fini e Casini e Bossi a Napoli, durante la manifestazione di chiusura della campagna elettorale mette la ciliegina sulla torta: «Grazie a tutti, siete commoventi e state sicuri, domenica e lunedì vinceremo perché non siamo coglioni».

Se fossi stato in onda mi sarebbe piaciuto raccontare tutto quello che è accaduto durante il lungo confronto elettorale tra destra e sinistra. Non avrei utilizzato il parere dei politologi, ma quello dei comunicatori e degli psicologi, perché la campagna elettorale voluta e fatta dal centrodestra, in particolare da Forza Italia e dalla Lega, è stata frutto di una strategia mediatica precisa, poi si è aggiunta sicuramente la psicologia di chi si sente sempre padrone e non sopporta di essere contraddetto, tipica del Cavaliere.

Durante quei giorni le strade erano piene di manifesti elettorali di partiti di ispirazione nazifascista.

Ho sempre pensato che gli italiani non sono razzisti, invidiosi e violenti, e rimango convinto che, nonostante alcuni esempi dell'ultima ora, non sono né fanatici né intolleranti. Qualche volta cretini sì.

Fece bene, in quei giorni, il sindaco di Bologna, Sergio Cofferati, a vietare la piazza per la manifestazione del Movimento sociale-Fiamma Tricolore per proteggere la città da probabili incidenti come era accaduto a Milano l'11 marzo 2006. Sono convinto che il cretino non ha appartenenza e può essere di destra o di sinistra, per questo chi amministra ha il dovere di stare dalla parte di tutti i cittadini e di pensare alla loro incolumità.

L'Ms- Fiamma Tricolore è indagato per apologia di fascismo: ha esibito bandiere e simboli del Ventennio.

La Costituzione italiana parla chiaro: l'apologia è un reato, e mai come in questo caso è valido il detto «meglio prevenire che curare». Negli anni passati, nella mia città, medaglia d'oro della Resistenza, i fascisti non potevano manifestare, non c'erano discussioni. Alla fine di marzo gli esponenti di estrema destra decisero, dopo aver tentato di spostare la manifestazione da Bologna a Padova, di andare lo stesso nella città emiliana trasformando l'iniziativa di piazza in una conferenza stampa all'interno di un albergo. Poi, con un'adeguata protezione della Questura, fecero un giretto di circa venti metri gridando al vento: «Dove siete? Fatevi avanti, conigli».

Viviamo anni di grandi contraddizioni. Penso a quanto ha fatto Gianfranco Fini per portare Alleanza nazionale lontana dal suo passato: la visita al museo dell'Olocausto a Gerusalemme, l'intervista al quotidiano israeliano *Haretz* dove, parlando del fascismo, disse che «aveva soppresso i diritti umani, che le leggi razziste hanno istigato alle peggiori atrocità perpetrate in tutta la storia dell'umanità». Parole che gli fanno onore come la frase che scrisse nell'album dei visitatori di Auschwitz: «Questo luogo è l'inferno in terra».

Poi gli ordini di scuderia, la paura di perdere le elezioni, i buoni propositi vengono messi da parte e nella Casa delle Libertà, a fianco di Forza Italia, Udc, Lega e la stessa Alleanza nazionale, arrivano gli eredi del Duce: dalla Fiamma Tricolore del deputato europeo Luca Romagnoli, alleato con il Fronte Skin-Heads del Veneto e con il Socialismo Nazionale del Lazio, ad Alternativa Sociale nata dall'unione tra Azione sociale di Alessandra Mussolini, Forza Nuova di Roberto Fiore, per anni latitante in Inghilterra, e il Fronte Sociale Nazionale di Adriano Tilgher, ex esponente di Avanguardia Nazionale, condannato per ricostruzione del Partito fascista. Senza dimenticare il tentativo di accordo, fatto direttamente da Berlusconi, con il Nuovo Msi-Destra nazionale di Gaetano Saya, in odore di Gladio e arrestato nel luglio del 2005 per attività eversiva.

In quei giorni girava una foto inequivocabile: il Cavaliere era stato ritratto sottobraccio alla moglie di Saya, Maria Antonietta Cannizzaro, vicecoordinatrice del movimento. Quando questi accordi, inevitabilmente, furono portati alla luce, dentro la Cdl ci furono parecchi imbarazzi, poi risolti con una dichiarazione ufficiale: accordo elettorale sì, ma nessuno di questi signori sarebbe stato presente nelle liste del centrodestra. Il solito squallido espediente.

Stessa cosa è accaduta a Milano durante le elezioni del sindaco. Letizia Moratti, la candidata della Casa delle Libertà, il 25 aprile, porta il padre Paolo, ex deportato, spingendolo sulla sedia a rotelle, alla manifestazione in piazza San Carlo unendosi ai parenti delle vittime e dei sopravvissuti alle deportazioni nei campi di concentramento dei nazifascisti. Qui un gruppo di manifestanti, i giornali li hanno definiti autonomi, per me sono solo dei cretini che andrebbero isolati, ha contestato, con fischi e insulti irripetibili, l'ex ministro dell'Istruzione.

La signora Moratti, durante il governo Berlusconi ha fatto approvare dal Parlamento la legge sulla riforma della scuola, che io considero forse la peggiore o perlomeno una delle peggiori. Una legge molto contestata dalla maggior parte degli operatori della scuola, ma questo non c'entra niente con il suo diritto a partecipare alla manifestazione del 25 aprile.

«Avevo messo in preventivo i fischi e le contestazioni», ha dichiarato subito dopo la signora. «Sono andata in corteo con mio padre, un eroe della Resistenza, perché credo in alcuni valori: la libertà, il primato della persona e della famiglia, il primato della società civile, la solidarietà.»

Passano solo tre giorni, il 28 aprile alla presentazione del suo programma per la città, la cronaca milanese titola: «Moratti, accordo con Fiamma Tricolore», *la Repubblica*, «Intesa con i neofascisti, la Fiamma Tricolore e Azione sociale di Alessandra Mussolini correranno insieme alla Moratti», *Corriere della Sera*. Qual è la vera Letizia Moratti? Quella del giorno della Liberazione o quella delle strategie elettorali? Se avessi lavorato in televisione glielo avrei chiesto.

Sempre in quei giorni avrei raccontato un altro fatto molto grave accaduto sempre a Milano il 25 aprile durante la manifestazione. Altri cretini o sempre gli stessi, hanno calpestato, strappato e poi bruciato la bandiera di Israele, urlando: «Israele assassini», «Intifada vincerà» e quando la stella di David portata dalla Brigata ebraica, è arrivata in piazza San Babila, altre grida: «Sionisti, assassini». Ma questa volta la gente se ne è accorta e ha cominciato ad applaudire e a scandire forte «Pace, pace, pace» che poi diventa l'unica voce della piazza soffocando tutte le altre.

Quella bandiera fa parte della storia della nostra Resistenza, era al fianco delle Brigate Garibaldi, Giustizia e libertà, gli ebrei hanno combattuto con noi, con noi sono morti e con noi devono sfilare il 25 aprile: insieme dobbiamo sentirci orgogliosi per aver sconfitto i nazifascisti.

Di fronte a tutta questa intolleranza mi chiedo dove la mia generazione ha sbagliato. Perché non ci ribelliamo quando politici come Silvio Berlusconi e Letizia Moratti, che si definiscono liberali, non esitano, per fini elettorali, a mettersi con neofascisti o nei casi più estremi neonazisti (una differenza che non riesco a cogliere)?

Sono cadute anche quelle barriere di decenza che fino a qualche tempo fa invece erano alte e simbolo di orgoglio. Penso a quei tanti giovani che ho visto nelle inquadrature televisive durante le varie «convention» del Cavaliere in campagna elettorale: guardandoli bene si capisce che non hanno nulla da spartire con i loro coetanei dalle teste rasate e dalla voglia di nazionalsocialismo e di violenza. Forse questi giovani, come tutti, dovrebbero andare ad Auschwitz, oggi Oswiecim, dentro i «Block», fra l'umido odore del legno che marcisce e il rumore sordo dello sportello del forno crematorio quando si chiude. Ho in mente le tante fotografie di bambine e bambini prigionieri e sotto i nomi: Marta, Alice, Isacco, Allegra, Isaia, Sara, Rachele. E poi ancora, ammucchiati, migliaia di pennelli da barba, di occhiali, centinaia di valigie, eleganti, di pelle, con le etichette dei grandi alberghi, e quelle di cartone dei poveri, e i vasini dei più piccoli, e le gamelle di latta e i grembiuli e le vestaglie con la stella di David.

I giornali del nostro tempo parlano di manifestazioni che portano distruzione, di risse negli stadi, di coltellate agli extracomunitari, sintomi di malessere e di cupi sentimenti che vanno ben oltre la cronaca. Certo, il passato, alla luce di questi fatti, è una lezione inascoltata.

La mia generazione si porta dietro la responsabilità dell'Olocausto, tutti siamo responsabili: quelli che lo hanno fatto, quelli che lo hanno reso possibile, quelli che hanno fatto finta di niente e anche noi che non siamo riusciti a impedirlo.

In tutti questi anni, ogni volta che ho potuto, ho scritto e realizzato programmi sullo sterminio del popolo ebraico, la Shoah. L'ultimo è stato in occasione del primo «Giorno della Memoria» il 27 gennaio 2001. Questa data ricorda quello che avvenne nel 1945: il 27 gennaio furono abbattuti i cancelli di Auschwitz.

Ogni anno, dal 2001, la Repubblica italiana riconosce il «Giorno della Memoria», «al fine di ricordare la Shoah, le leggi razziali, la persecuzione italiana di cittadini ebrei, gli italiani che hanno subìto la deportazione, la prigionia, la morte, nonché coloro che, anche in campi e schieramenti diversi, si sono opposti al progetto di sterminio, e a rischio della propria vita hanno salvato altre vite e protetto i perseguitati».

In Italia tra l'inizio di ottobre del '43 e l'aprile del '45 i nazisti con la polizia della Repubblica Sociale Italiana di Salò, costruirono quattro campi di concentramento: a Borgo San Dalmazzo (Cuneo), Grosseto, Bolzano e Fossoli (Modena) dove fu internato Primo Levi prima di essere deportato ad Auschwitz. Da questi campi gli italiani rastrellati venivano poi trasferiti nei lager tedeschi. A Trieste, nella Risiera di San Sabba, fu creato un campo di sterminio con un forno crematorio dove morirono più di cinquemila persone.

Certi giovani, che oggi si definiscono di destra, sono stati forse un po' distratti da una didattica che trascura la storia contemporanea, dai tentativi di revisionismo come quello di Francesco Storace, il quale, da presidente della Regione Lazio disse che i libri di testo di storia erano tutti marxisti e propose di istituire una Commissione che li analizzasse. In altri tempi questa Commissione si sarebbe chiamata di censura. C'è stato anche il tentativo del comune di Trieste, maggioranza di centrodestra, di celebrare insieme la Liberazione e le vittime delle Foibe. In proposito intervenne il presidente Ciampi, che criticando l'iniziativa esortò a ricordare «in modi propri e specifici, quei morti di una guerra etnica scatenata dai comunisti jugoslavi contro gli italiani alla fine della Seconda guerra mondiale; morti che il Paese ha a lungo, colpevolmente, cancellato dalla propria memoria».

Per quei ragazzi che non hanno mai visitato un campo di concentramento abbiamo voluto recuperare i miei appunti fatti durante il mio primo viaggio in Polonia e la mia prima visita al ghetto di Varsavia. Quegli appunti potrebbero essere lo spunto per la sceneggiatura di una fiction che, finché ci saranno in Rai direttori come Agostino Saccà e Fabrizio Del Noce, io non la potrò mai realizzare.

Il funzionario del governo mi spiegava: «I tedeschi hanno ucciso tre milioni di polacchi e tre milioni di ebrei».

«Sei milioni di polacchi» dissi.

«No», precisò il funzionario, «tre. Gli altri erano israeliti.»

Andai nel ghetto di Varsavia. Gli uccelli e il vento hanno lasciato cadere qualche seme tra le macerie: da una finestra spuntavano le foglie di susino. C'è anche un monumento con nastri, corone e una lapide che dice: «Il popolo ebraico ricorda il sangue dei suoi martiri».

«Mezzo milione di persone vivevano di là da questi muri diroccati. Quanti ne ospita adesso la città?» Chiesi sempre al funzionario.

«Forse cinquemila, forse mille di più» fu la risposta «ma è difficile saperlo. Moltissimi ebrei hanno cambiato nome, non vogliono essere riconosciuti.»

Vivevano oltre il filo spinato, e inventavano, ogni giorno,

un pretesto per ingannare l'attesa. Organizzavano anche recite e concerti, e perfino concorsi per eleggere le «miss», o proclamare «le gambe più belle». Non avevano da mangiare, non avevano da vestirsi, morivano di fame o di inedia, ma difendevano la loro condizione umana.

E conservavano la loro dignità.

Mi ha raccontato Isaac B. Singer, il romanziere che nel 1978 fu premio Nobel per la letteratura: «Mio padre era rabbino, e con l'aria respiravamo la religione. Mi diceva che essere ebreo è un gran privilegio e un gran dovere per un uomo. Non ho avuto a scuola nessun'altra educazione se non quella dei devoti osservanti. Successivamente ho imparato per conto mio. A un certo punto la fede l'avevo rifiutata, quando ero giovane mi sono detto: non esiste nessuna dimostrazione dell'esistenza di Dio e che Dio provi molto interesse per gli ebrei. Mi consideravo un libero pensatore. Ma oggi che sono arrivato alla vecchiaia non riesco ad abituarmi all'idea che l'universo è semplicemente un incidente fisico o chimico, che tutto è cominciato da un'esplosione cosmica. Oggi, come i miei genitori, i miei nonni e i miei bisnonni, penso che esiste un Essere che ha dato inizio a tutto e che ci segue. Che ciò sia per noi un bene o un male non ha importanza: esiste e dobbiamo tenerne conto». Aggiunse: «Avevo capito che Hitler era un gran bugiardo, ma che quanto prometteva di terribile lo avrebbe mantenuto. Ero certo che sarebbe accaduta un'enorme catastrofe, non solo al mio popolo, ma per tutta l'Europa, e in modo egoistico ho cercato di salvarmi. Desideravo fuggire dall'inferno che stava per arrivare. C'era una netta separazione tra noi e i polacchi, malgrado ci trovassimo su quelle terre da più di ottocento anni. Noi parlavamo yddish, le nostre abitudini erano diverse, così le nostre leggi: non ci era permesso di sposare le loro figlie, e alle loro non era consentito maritarsi con noi. Eravamo degli stranieri: e Hitler era nemico di tutti.

«Partii per gli Stati Uniti. Mio padre era morto prima della mia partenza, mia madre e mio fratello li avevano portati nella Russia sovietica e dopo una vita di fame e di miseria sono scomparsi. Ancora oggi provo un senso di colpa per non essere rimasto in Polonia; ero un scrittore e dovevo restare con i miei lettori. Tuttavia nei momenti di pericolo il nostro egoismo ci dice di fuggire».

Sono andato poi a cercare delle storie di persone che, invece, sono rimaste.

Una sera, a Francoforte, sono stato davanti alla casa dove aveva abitato Anna Frank prima di scappare in Olanda. Nel giardinetto c'era un'ortensia sfiorita. Diedi un'occhiata ai campanelli: un solo nome, Eugen Bachle. Forse il signor Bachle stava leggendo il giornale, forse ascoltava la radio. Non volli disturbarlo. La strada era quasi buia, deserta. Su questo marciapiede, pensavo, la bambina Anna Frank correva con le amiche. Da questo cancello uscì per fuggire ad Amsterdam. Portava, come tutti gli scolari tedeschi, la borsa legata alle spalle, e non capiva di quel viaggio improvviso che la portava lontana dalle amiche. Chi sa quante volte sua sorella Margot si è affacciata all'ultima finestra: era una ragazzina curiosa. Chissà quanti giochi ha fatto Anna sullo spiazzo occupato dai muratori. Allora c'era un prato, era bello saltare sull'erba sottile. Spesso, nella soffitta di Amsterdam, Anna Frank ha sognato questa casa avvolta dalla notte, questa anonima casa del quartiere di Eschersheim.

Ho conosciuto, a Dusseldorf, la signora Israel. Piccola, bruna, energica, dirige un grande magazzino di confezioni. Ha occhi scuri, acuti, e come velati di tristezza. «Io non sento alcun rancore» mi ha detto «e neppure mio figlio dovrà conoscere l'odio.»

La signora Israel è nata ad Auschwitz. È nata ebrea. Solo per questo ha una storia. Era una fanciulla allegra, una fanciulla felice, quando è andata sposa a un giovane professore di filologia: «Un ragazzo straordinario» dice con fierezza «una mente».

Si volevano bene, stavano bene insieme. Nel 1939 nacque Leszek, e cominciò la guerra.

Le colonne della Wehrmacht avanzavano rapidamente in Polonia; con il bimbo in fasce, la signora Israel si rifugiò da una sorella. Il marito scappò al suo paese, nella Galizia occupata dai russi. Si rividero per un solo giorno, si abbracciarono fiduciosi. «Arrivederci» dissero «arrivederci presto.»

Il giorno del secondo compleanno di Leszek la signora Israel è molto occupata in cucina. Vuole preparare un dolce. Una torta con la frutta candita, e sopra due candeline. È una mattina di ottobre, un poco malinconica. Il vento porta folate di nebbia. Leszek trotterella attorno alla mamma. La nonna gli ha dato un cucchiaio che sa di zucchero e Leszek è contento. Bussano alla porta: è un graduato delle SS. «Desidera?» chiede la signora. Lo sa, è una domanda ingenua. «Deve venire con noi.» Niente altro. Si toglie il grembiule, infila il cappotto. Fa freddo. Bacia il bambino. Bacia sua madre, non vuole prendere nemmeno una valigia, altrimenti Leszek si impressiona. «Mamma» dice il bambino «torna subito.» «Certo» dice la signora Israel, e lo bacia, lo bacia ancora. «Certo, subito, subito.» «Promesso?» dice Leszek. La mamma tace. «Accendi le candeline» raccomanda, andandosene, alla nonna «fate festa a Leszek.»

Quando Leszek ha due anni e mezzo gli fanno una bella fotografia. Indossa un cappottino foderato di pelo, con il collo di agnellino bianco. Ha in testa un colbacco martora, dal quale escono due piccole orecchie a sventola, e un ciuffo di capelli chiari chiari spunta sulla fronte. «Aveva i capelli bianchi, color oro» dice la signora Israel. Leszek ha un visetto rotondo, e gli occhi furbi, e un poco stupiti. Dietro la fotografia il nonno scrive la dedica: «Alla mia amatissima mamma, Leszek», e una data, 1° febbraio 1942. La mamma riceve quella fotografia in un campo di concentramento.

È con tante altre donne, e molte hanno lasciato a casa un bambino. Qualche volta arriva una lettera, e porta quasi sempre cattive notizie. Le donne del campo lavorano. C'è una ragazza che tiene il diario, e nei pomeriggi di domenica, quando la sorveglianza si fa meno attenta, ci si può raccogliere nella baracca (è giorno di festa, ci si pulisce, si rammendano gli abiti, basta un fiocchetto per legare le trecce, e sembra che la vita ritorni, e così la speranza) e si ascolta il racconto di quelle interminabili giornate, sembra quasi impossibile che si possa sopportare tanta disperazione. Anche la signora Israel scrive. Poesie. Una ventina di poesie. Le ha conservate, è riuscita a salvarle.

Le leggeranno solo quando lei non ci sarà più.

Nell'estate del 1943 la signora Israel viene condotta a Sasnowitz. A Sasnowitz si è stabilita anche la sua famiglia: il piccolo Leszek e i suoi nonni. Solo venti chilometri dividono la signora Israel dal piccolo Leszek, da suo padre e da sua madre. Ogni giorno una staffetta militare va a Sasnowitz. Ogni giorno la signora si inginocchia, piangendo, davanti al soldato che va a Sasnowitz e lo prega di una grazia: «Porti una lettera ai miei genitori. Dica che sono qui, che venti chilometri ci separano».

Tutte le donne si uniscono, cercano soldi, li offrono a quel soldato, e quel soldato finalmente accetta. Quando ritorna porta un foglio con poche righe. È la madre che scrive: «Mia cara, non so se ci vedremo ancora una volta in questo mondo. Sono costretta a farti sapere che sei vedova. Tuo marito è stato fucilato insieme con suo fratello e dieci altri amici».

Poi tra quelle donne dai vestiti di panno a righe, si diffonde una voce: il ghetto di Sasnowitz è stato annientato. Li hanno presi tutti, li hanno portati ad Auschwitz.

«Forse» pensava la signora Israel «si sono salvati, non è possibile che anche Leszek, che anche lui così piccolo...»

Ogni tanto, durante il nostro incontro, la signora Israel guardava la fotografia che portava sempre con sé, e rileggeva quelle parole: «Alla mia amatissima mamma».

«Sa», mi dice «una madre non può mai credere veramente che il suo bimbo sia stato ucciso. Può accadere sempre un miracolo. Sessanta della mia famiglia. Sessanta.»

Tadeusz fa il custode ad Auschwitz. Passa le giornate nei «Block» fra l'umido odore del legno che marcisce, nei viali dove a quest'ora si sente solo il fruscio del vento, dorme in questo lungo corridoio, dove risuonavano gli stivaloni dei fedeli soldati di Hitler, i loro canti, cantavano anche. «La notte di Natale» racconta Tadeusz Szymanski «piantavano un bell'albero nel cortile, e lo decoravano con tante candeline. Notte santa, cantavano, notte d'argento.»

Guardo i muri della camera: un Cristo, dei fiori di carta di un viola esangue, i piccoli stemmi che rappresentano le nazioni di questa terra. Ad Auschwitz sono finiti perfino due svizzeri.

«Sono qui» dice Tadeusz, «perché promisi ad un amico, si chiamava Tadeusz come me, che se ce la facevo sarei rimasto per sempre. Il mio amico stava per essere fucilato. Ci vuole qualcuno, si raccomandava, che rimanga, per raccontare a quelli che verranno che cosa è accaduto qui dentro. Mia moglie, coi miei figli, abita da un'altra parte, non ha voluto seguirmi, e io la posso capire. Vado ogni sabato a trovarla, ma io ho promesso, e questa è ormai la mia casa. Se vogliamo possiamo andare.»

È buio. Si infila il cappotto, prende una lampada e facciamo la solita ispezione.

«Questa è la campana che suonava gli appelli» spiega Tadeusz «per chiamare a raccolta. L'avevano rubata in una piccola parrocchia, ma come tutte le altre campane portate via dalle chiese, e installate ad Auschwitz, è incrinata. Il suono è falso, non è più lo squillo che invita la gente alla preghiera.»

Camminiamo sull'erba cresciuta attorno ai capannoni di mattone che il fumo e le nebbie hanno annerito; non si sente, sperduto, che il cigolio di qualche carro, il passo dei cavalli stanchi. Ci avviciniamo alla torretta dell'ingresso; una luce si accende all'improvviso. «Due riflettori funzionano ancora», mi dice «quando scapparono fecero saltare i forni crematori, incendiarono molte baracche, cercavano di distruggere le prove. Ma è difficile cancellare quattro milioni di morti, sono troppi.»

La luce del riflettore batte sui tetti che scintillano, sul filo spinato che sgocciola, sulla scritta di ferro: «Il lavoro rende liberi», sulle margherite gialle che fioriscono anche ad Auschwitz, quando il sole fa scomparire i densi vapori che avvolgono i villaggi e stagnano sulle foreste.

Facciamo il giro, Block 1, Block 2, Block 3. Tutto è in ordine. Ecco due nastri, uno rosa e l'altro azzurro, furono tagliati con le trecce di due ragazzine, sono al loro posto, la luce della nostra lampada li illumina per un istante.

Chiudiamo in fretta questa porta che cigola; qui c'era un locale di «divertimento», fu un'idea delle SS, poco prima del crollo: gli ariani che ricevevano denaro dai parenti potevano incontrare una donna. Una giovinetta di sedici anni si presentò al capo: «Mandate anche me con le sgualdrine» disse «ho saputo che le sgualdrine mangiano».

Una lunga fila di fotografie: donne, vecchie e giovani, alle quali furono tagliati i capelli, qualcuna sorride, forse per abitudine, perché così si fa quando ci ritraggono, forse per lasciare di sé al mondo un'immagine rassegnata.

«Buona notte» mi viene da dire.

Ci avviciniamo a un laghetto, non si sente il gracidare delle rane, o il fruscio degli uccelli notturni tra i rami dei salici. Solo la pioggia, i nostri passi attutiti, le nostre parole. «Nel lago riposano migliaia di uomini» dice Tadeusz «ciò che è rimasto di loro. È meno profondo di quello che era una volta, prima che ne facessero una tomba.»

Saliamo sui blocchi di cemento di un crematorio buttato per aria dall'esplosivo; si stagliano davanti agli occhi rami senza foglie di un albero rinsecchito, un albero per il quale non vi saranno più primavere.

«Resiste al tempo» spiega il custode «fu incendiato dai tedeschi che fuggivano, ma è ancora in piedi. È l'albero di Auschwitz, l'albero che ha visto tante cose, e alla fine è morto, come gli abitanti di questa città fondata da Himmler.»

A un albero come questo si impiccò Caino, pensai allora guardando quello che era diventato un simbolo.

Questi sono appunti di tanto tempo fa. Chissà che fine hanno fatto le persone che incontrai allora? Probabilmente, pensando all'età che avevano, hanno raggiunto i loro cari.

Qualche anno fa ho incontrato uno dei più importanti scrittori contemporanei: il tedesco Günter Grass, l'autore de *Il tamburo di latta*, *Gatto e topo*, premio Nobel per la letteratura nel 1999. Sta scritto nella motivazione: «A lui è toccato l'immane compito di rivisitare la storia contemporanea ricordando i dimenticati: le vittime, i perdenti, le bugie che la gente vuole scordare perché una volta ci ha creduto. Non è eccessivo presupporre che *Il tamburo di latta* diverrà una delle pietre miliari della letteratura del XX secolo. Quando Grass lo pubblicò, nel 1959, fu come se la letteratura tedesca si fosse rigenerata dopo decenni di devastazione linguistica e morale».

Oggi Günter Grass ha settantanove anni e nell'estate del 2006 ha confessato, facendo molto scalpore, che in gioventù ha indossato l'uniforme della divisione Frundsberg delle SS, la milizia speciale agli ordini di Heinrich Himmler. Immagino quanto sia stato difficile per lui svelare questo segreto dopo averlo custodito per sessant'anni. Durante l'intervista al quotidiano tedesco *Frenkfurter Allgemeine Zeitung*, Grass ha così motivato quella scelta: «Volevo uscire dal ristretto ambiente della famiglia. Volevo farla finita con quella vita, per questo mi arruolai volontario. Avevo quindici anni, poi dimenticai di averlo fatto. Un anno dopo arrivò la cartolina-precetto, capii solo quando arrivai a Dresda che ero stato arruolato nelle Waffen-SS. Allora non provai sensi di colpa. Più tardi quel senso di colpa ha pesato sul mio animo come una vergogna. È sempre stato accompagnato dalla domanda: "Allora Günter, non avresti potuto capire cosa stava accadendo?"».

Credo che la domanda che accompagna da allora la vita dello scrittore tedesco sia quella che tutti noi abbiamo dentro e quando pensiamo alla Germania, al suo popolo e a quello che è accaduto, diventa inevitabile.

Ho voluto fare con Grass una riflessione sulla Seconda guerra mondiale. È facile oggi dire che si è sempre stati contro il regime, contro Hitler e Mussolini, ma se questi dittatori non avessero avuto, seppur solo inizialmente, il popolo dalla loro parte, non ci sarebbero stati né nazismo né fascismo.

Grass nel nostro incontro, non sempre sereno, è stato molto duro e amabile allo stesso tempo, mai banale nelle risposte, e si capiva che dietro le sue parole c'era il tormento di una vita a inseguire i tanti perché. All'inizio mi disse: «Fino all'ultimo ho pensato che la nostra fosse una guerra giusta». Poi aggiunse: «Dopo la guerra ho capito le nostre colpe e quanto avrebbero pesato sulla mia generazione e quella successiva».

Günter Grass, comincia a fare politica all'inizio degli anni Sessanta, è al fianco di Willy Brandt quando questi firma, a Varsavia, il trattato tedesco-polacco, è con lui quando, il 7 dicembre 1970 si inginocchia davanti al monumento agli eroi del ghetto ebraico raso al suolo, e chiede perdono per le colpe del suo popolo.

L'anno successivo, al Cancelliere viene dato il premio Nobel per la pace. Nell'accettarlo disse: «Dico qui quello che dico in Germania: un buon tedesco non può essere un nazionalista. Un buon tedesco sa che non può respingere un appello europeo. Attraverso l'Europa, la Germania ritorna a se stessa e alle forze costruttive della sua storia. La nostra Europa, nata dall'esperienza di sofferenza e debolezza, è la missione imperativa della ragione».

Di Willy Brandt, Grass mi raccontò: «Per me è ancora una grande sorpresa pensare al fatto che qualcuno che è stato emigrante, come lo era lui, possa essere diventato Cancelliere. Per questo gli oppositori tentarono di diffamarlo, soprattutto perché era figlio illegittimo. Anche prima, quando era sindaco di Berlino, Brandt, aveva un'idea precisa: rendere più democratica la società e iniziare a dialogare con la Germania Est. Senza quella politica di distensione non si sarebbe mai arrivati alla caduta del muro di Berlino».

Poi negli anni Ottanta Grass aderisce al movimento pacifista di Heinrich Böll, da cui esce nel 1992.

Gli ho chiesto: «Perché novanta tedeschi su cento votarono a favore di Hitler?».

«In realtà Hitler è salito al potere con un numero molto basso di voti, comunque in maniera democratica, attraverso normali elezioni. Quelle successive, invece, dopo che tutti gli altri partiti erano stati messi al bando, non hanno avuto alcun connotato democratico. Non furono elezioni ma la conta di numeri. Esattamente come nel regime comunista, numeri ridicoli perché frutto di condizionamenti. Hitler vinse le elezioni grazie all'aiuto dei nazionalisti tedeschi e all'appoggio, in parte, dei liberali e del partito cristiano-democratico. I comunisti erano già stati banditi e gli unici a opporsi furono i socialdemocratici.»

«Emil Ludwig ha scritto che il Führer offriva alla gente alcune cose sognate, tra cui gli stivaloni, è vero?»

«Queste sono esagerazioni letterarie. Hitler andò al potere perché subito dopo la Prima guerra mondiale, la piccola e media borghesia cominciò a votare sempre più a destra, anche per colpa dei socialdemocratici e dei comunisti che scelsero di rappresentare solo il proletariato. Così la piccola borghesia si trovò senza rappresentanti e fu facile preda di Hitler. Lui prometteva lavoro ai disoccupati e sicurezza sociale a un popolo che era estremamente insicuro e che è caduto nella trappola. Non si deve dimenticare la responsabilità della sinistra e degli industriali che già prima del 1933 avevano stretto un patto con Hitler.»

«Da cosa nasce l'antisemitismo nel vostro Paese?»

«L'origine era cristiana. Ma non solo in Germania, in tutta Europa, gli ebrei sono stati additati come la causa del male. Nel Medioevo furono considerati responsabili del diffondersi della peste. Ancora oggi sono pensati come gli assassini di Cristo. Successivamente, con l'avvento del nazionalismo, si è sviluppato un antisemitismo popolare e razzista, che unito alla propaganda di Hitler ha prodotto l'Olocausto.»

«Lei ha definito Auschwitz il prodotto della perversione dello Stato unitario tedesco: cosa significa?»

«Nella storia dell'ebraismo ci sono sempre state persecuzioni, ma quello che è successo in Germania è stato il prodotto di un sistema, di una vera e propria strategia della distruzione. L'annientamento degli ebrei era una persecuzione organizzata. Per questo io sono sempre stato a favore di un federalismo politico in Germania che esalti tutte le pluralità culturali presenti nel Paese.»

«Gli ebrei che cosa rappresentavano, che potere avevano?»

«Hanno dovuto vivere per secoli nei ghetti, gli era proibito svolgere molte professioni, ma hanno sempre avuto grande intelligenza, e una volta usciti dai ghetti, si sono inseriti nella società diventandone spesso protagonisti. Non deve essere dimenticato che la letteratura tedesca degli anni Venti sarebbe inesistente senza di loro.»

«Lei si è sempre definito un pessimista innamorato della vita.»

«Ogni tentativo di manipolare l'uomo attraverso l'ideologia per me è crudele. Questo mi porta a essere pessimista.»

«La storia insegna?»

«Sì, può insegnare, ma noi siamo pessimi allievi, non solo i tedeschi, tutti. Dalla storia abbiamo imparato molte lezioni, la forza della democrazia, per esempio. Ma che la democrazia da sola non basti, ma sia necessaria insieme una solida struttura sociale egualitaria e sicura, questo non lo abbiamo ancora capito. Una democrazia che non riesce a trovare compensazione alle debolezze sociali è, a mio avviso, una democrazia solo formale.»

SETTIMO CAPITOLO

Un'idea diversa di socialità

L'incontro con Günter Grass mi ha fatto molto pensare e siccome avvenne prima della sua «confessione», rileggendo le sue risposte mi sono accorto che contengono anche una riflessione, non solo sul popolo tedesco, ma su se stesso. Quel nostro dialogo mi ha molto colpito soprattutto quando Grass mi ha parlato di pluralità e rispetto delle culture. Da noi, in Italia, forse non ci sono mai state veramente o, comunque, negli ultimi anni si sono appannate. Siamo un popolo generoso nel momento del bisogno, la nostra storia lo dimostra, ma non c'è dubbio che dai guelfi e ghibellini gli italiani sono sempre stati contro, meglio divisi. Anche oggi, dopo le elezioni, il Paese è spaccato in due e solo poche migliaia di voti separano Romano Prodi da Silvio Berlusconi. Quando si è in democrazia è sufficiente un voto in più, il Cavaliere se ne dovrà fare una ragione: ha davanti a sé cinque anni seduto sui banchi dell'opposizione. Detto ciò la spaccatura rimane e imputare questa divisione alla destra e alla sinistra è riduttivo.

Scriveva Norberto Bobbio già nel 1994: «Dirsi di sinistra è oggi una delle espressioni meno verificabili del vocabolario politico, la vecchia coppia (destra e sinistra) potrebbe essere opportunamente sostituita da quest'altra: progressisti e conservatori».

Credo che la vera differenza tra chi sta da una parte e chi sta dall'altra sia data soprattutto dall'approccio che i due popoli, quello di destra e quello di sinistra, hanno nei confronti dei bisogni della gente e soprattutto sull'idea di eguaglianza. Continua Bobbio: «Naturalmente, eguaglianza e disuguaglianza sono concetti relativi: né la sinistra pensa siano in tutto eguali, né la destra pensa che essi siano in tutto diseguali. Ma coloro che si proclamano di sinistra danno maggiore importanza, nella loro condotta morale e nella loro iniziativa politica, a ciò che rende gli uomini eguali, o ai modi di attenuare e ridurre i fattori di disuguaglianza».

In questi anni chi ha veramente tentato di dividere, e ha lottato per legittimare la disuguaglianza tra il popolo, è stata la Lega con i suoi rappresentanti, in particolare Mario Borghezio, europarlamentare, che prima di diventare difensore del Carroccio, ha militato in Ordine nuovo, il gruppo di estrema destra fondato da Pino Rauti e Giulio Maceratini, un gruppo molto presente nei processi per stragi. Borghezio, alla testa dei volontari della Padania, è in perenne lotta contro i luoghi di culto mussulmani, va in giro sui treni, in particolare quelli della linea Milano-Torino, a disinfettare i sedili sui quali si sono sedute le prostitute nigeriane, e sotto i ponti della Dora dà fuoco ai pagliericci degli extracomunitari.

Un altro leghista che si è fatto notare per la «giustizia fai da te» è il dentista di Bergamo, Roberto Calderoli, quello che aveva proposto come soluzione alle violenze sulle donne «la castrazione per i reati sessuali».

Ma il peggio di sé, l'ex ministro delle Riforme Calderoli l'ha dato su RaiUno mentre era intervistato da Clemente Mimun. Credendo probabilmente di rendersi simpatico, fece vedere la maglietta della salute con le vignette satiriche contro Maometto: ingenuità o stupidità? Conseguenza: il giorno dopo a Bengasi i mussulmani organizzarono una manifestazione contro il consolato italiano e Gheddafi, per difendere l'incolumità del nostro personale diplomatico, ordinò all'esercito di intervenire. Bilancio: quattordici morti e cinquantacinque feriti.

Il colonnello, che non è certo uno sprovveduto, ma ne sa una più del diavolo, ha preso la palla al balzo, e prima ha scagionato il dentista bergamasco per poi attaccarlo in diretta tv: «In Italia c'è un ministro fascista che ricorre a un linguaggio razzista, da crociato, colonialista e primitivo», aggiungendo: «Se l'Italia vuole che i suoi concittadini residenti in Libia vivano in pace, deve pagare il prezzo. Lo deve fare per garantire che non occuperà la Libia una seconda volta».

Gheddafi, si sa, quello che promette mantiene.

Poi è arrivato il turno di Umberto Bossi che nel giugno 2006, alla vigilia del Referendum confermativo sul cambiamento di un terzo degli articoli della Costituzione, ben cinquantatré, approvato dal governo Berlusconi, in un'intervista al Tg1 ci ha messo del suo: «Se vince il no al referendum del 25 e 26, ci saranno vie non democratiche per cambiare». Poi, in serata, durante un comizio a Montichiari, vicino a Brescia, ha aggiunto: «Oggi la Lombardia, che mantiene tutto il Paese, non ha un magistrato lombardo. Se la magistratura fosse eletta dal popolo avremmo i nostri magistrati. Dite la verità: si stava meglio quando eravamo sotto l'Austria. Al Sud il referendum non passerà. Dobbiamo quindi vincere alla grande in Lombardia e in Veneto, per dimostrare che abbiamo una grande forza e che i nostri popoli, con un referendum legale, hanno chiesto la libertà: così guadagniamo un passaporto per andare all'Onu e far sentire le nostre ragioni».

Solo la settimana prima il Senatùr aveva dichiarato, in un'intervista al *Corriere della Sera*, di non essere contrario a un confronto con la maggioranza di Romano Prodi.

Ma è possibile che il leader leghista sia un pericolo, oltre che per la lingua, anche per l'unità nazionale?

Milano, 22 giugno 1992. In un comizio in piazza Duomo, Bossi annuncia: «Se dicessero no alle riforme che vogliamo noi, ci sarà una sparatoria generalizzata: stiamo oliando i Kalashnikov».

Porto Cervo, 29 agosto 1994. Durante una convention leghista il leader del Carroccio racconta di aver bloccato tra 1986 e il 1987 «una rivolta armata» nelle valli del Bergamasco, poi rivela: «C'erano trecentomila persone pronte».

Cremona, 14 settembre 1996. «La misura è colma, è superata per sempre, è secessione.» Poi, rivolto ai giornalisti: «Voi siete accettati solo per registrare, sappiamo bene chi siete. Voi che lo stipendio lo pigliate dai giornali di regime siete qui a falsificare la realtà. Noi non dimenticheremo mai che gli intellettuali organici ci insegnarono a essere buoni schiavi di Roma. Siete il peggio sulla faccia della terra, attenti perché avete l'acqua proprio dietro».

Venezia, 14 settembre 1997. «Lo metta al cesso, signora.» Così si pronuncia Bossi riferendosi al tricolore esposto alla finestra di un palazzetto di fronte al palco dal quale parlava. Quindi, sempre rivolto verso la finestra che espone la bandiera italiana, aggiunge: «Mi domando se tutte le volte bisogna fare il palco davanti all'ambasciata napoletana. La linfa vitale delle istituzioni è l'amore e i padani si sono disinnamorati dell'Italia. Vuole dire che se c'è qualcuno che ancora ama l'Italia e vuole mettere fuori la bandiera, va beh, la considereremo una specie di ambasciata. Ma da noi è scattato travolgente l'amore per la piccola bambina, la Padania. È inutile che facciano mettere il tricolore su tutti gli edifici pubblici, l'amore per l'Italia è finito».

Ci sono altre frasi diventate «storiche» come le tante performance farsesche del leader leghista, ad esempio le ampolle e il rito del fiume Po: «Siamo veloci di mano e di pallottole: da noi costano solo trecento lire».

Sono passati gli anni, molte cose sono cambiate, ma evidentemente l'uomo no.

Ancora una volta abbiamo ascoltato parole pericolose che testimoniano quanto al capo leghista piaccia continuare a giocare ai soldatini. Resta il fatto che, come certe cattive predicazioni del passato, anche le fregnacce colpiscono e lasciano il segno.

La Lega di Umberto Bossi, nella cosiddetta «seconda Repubblica», è stata determinante per Silvio Berlusconi. L'inizio fu un po' burrascoso perché i leghisti sfiduciarono il primo governo del Cavaliere nel 1994. Poi, dopo un periodo di gelido distacco, la coppia si rimise insieme, e grazie alla ritrovata alleanza, il capo di Forza Italia è riuscito, prima a vincere le elezioni nel 2001, poi a governare per tutta la legislatura, stabilendo il record, suo vero obiettivo, di governo più longevo, per ora, nella storia della Repubblica.

Nel 1992 feci «un viaggio tra i lumbard» e intervistai il professor Gianfranco Miglio, che del movimento fu l'ideologo, e Umberto Bossi, il leader indiscusso. Alle elezioni politiche di aprile la Lega Nord aveva ottenuto un notevole successo sfiorando il 9% e portando nella capitale ottanta deputati tra Camera e Senato. Il salto era stato clamoroso perché nel 1987 i rappresentanti eletti erano solamente due. La Dc era scesa sotto il 30%, addirittura al Senato poco più del 27, i socialisti avevano perso un punto e mezzo e gli ex comunisti dal 26,57% dell'87 erano passati, sommando i voti del Pds e di Rifondazione, a poco più del 21%.

Il 1992 era l'anno in cui partì l'inchiesta «Mani pulite». Era stato ucciso a Palermo dalla mafia l'eurodeputato Salvo Lima, amico di Giulio Andreotti; il giudice Rosario Priore aveva inviato tredici comunicazioni giudiziarie a generali e alti ufficiali dell'Aeronautica Militare per la strage di Ustica (ottantuno erano i passeggeri sul Dc9 dell'Itavia inabissato al largo dell'isola); il presidente della Repubblica Francesco Cossiga si era dimesso con un discorso di quarantacinque minuti in tv. A maggio era stato nominato suo successore, al sedicesimo scrutinio, Oscar Luigi Scalfaro, settantatré anni, che aveva affidato l'incarico per formare il nuovo governo a Giuliano Amato e non a Bettino Craxi, già in odore di Tangentopoli (il 15 dicembre gli arriverà il primo avviso di garanzia).

Incontrai Gianfranco Miglio nella sua casa di Como, sulla collina. Una costruzione solida, che portava i segni amorosi di alcune generazioni.

Nello studio del politologo, del vecchio professore della Cattolica, tra le belle rilegature in pelle e i volumi ammucchiati sui tavoli, spiccavano i ritratti di quelli che lui chiamava «i miei santi»: Machiavelli e Hobbes, il filosofo inglese che sosteneva «che gli uomini tendono all'anarchia, per cui lo stato naturale dell'uomo è la guerra di tutti contro tutti, ogni uomo è lupo per gli altri». In sostanza si vive in un clima perenne di guerra. Un po' pessimista il pensatore inglese.

Allora Miglio aveva settantatré anni, lo ricordo come un signore molto gentile e spiritoso, che qualcuno accusava di narcisismo. Era probabile che avesse una certa considerazione di sé. Conversammo bevendo un gradevole vino bianco prodotto dalle sue vigne.

Gli chiesi: «Quali erano le idee della Lega?».

«Il cambiamento radicale della Costituzione della Repubblica e la costruzione su base federale del nuovo ordinamento», mi rispose. Poi aggiunse: «L'idea federale l'avevo addosso quando sono nato, perché la mia famiglia è di tradizione repubblicana, e Carlo Cattaneo era di casa. L'idea del cambiamento della Costituzione mi è venuta a partire dagli anni Sessanta, dopo l'uscita dalla Dc. La mia prima opposizione contro questo sistema politico l'ho fatta nel 1964 con una diagnosi molto precisa: ho sostenuto che il sistema non si sarebbe più potuto correggere. E ho descritto esattamente i fenomeni di cui siamo spettatori: clientelismo, corruttela, declino dello stato di diritto».

«I leghisti hanno qualcosa di meglio o di peggio degli altri?»

«Sono cittadini che non sono stati contaminati dai vantaggi del potere politico. E noi faremo in modo, con le riforme, che non lo siano mai più.»

«Pensa che con la vostra "Marcia su Roma" cambierà qualcosa nella vita del Paese?»

«Cambierà qualcosa non per la nostra entrata in Parlamento, bensì per la nostra presenza nei paesi e nelle città del Nord.»

«Non è un rischio l'Italia divisa?»

«Assolutamente no; lo è stato l'Italia unita, come dimostrano i fatti, perché il governo di Roma non ha fornito nessun riparo al processo di degenerazione.»

Gli chiesi anche che opinione avesse di Craxi, visto quello che stava accadendo.

«Craxi non è più una persona presentabile, purtroppo», mi rispose il professore.

«Se lei fosse Craxi come si comporterebbe?»

«Andrei in convento.»

«Questi scandali che effetto avranno?»

«Spaventano la classe politica e forse spingono ad accettare il cambiamento.»

Di Umberto Bossi, Miglio mi disse che era «un puritano che viveva con estrema modestia».

Il «condottiero» lo incontrai a Milano nel mio studio. Oltre al risultato elettorale della Lega, aveva ottenuto uno strepitoso successo personale superando le duecentoquarantamila preferenze e battendo con forti distacchi Achille Occhetto, Leoluca Orlando, Gianfranco Fini, Ciriaco De Mita, Bettino

Craxi. Sino ad allora solo Giulio Andreotti, nel 1987, aveva fatto meglio con trecentoventinovemila preferenze.

Chiacchierammo pacatamente. Lo trovai meno aggressivo della leggenda, più attento, più sfumato. Era reduce da una brutta esperienza cardiaca, quella volta si era ripreso bene. Per lui era iniziato il periodo della riflessione.

Come prima domanda gli chiesi: «Chi è un leghista?».

«Leghista è uno che vuole cambiare, che si sente in una società difficile, che non ha più leggi adeguate. Capisce che c'è questa commistione con l'affarismo, che al Nord significa poca chiarezza nelle concessioni edilizie, e al Sud mafia dentro le istituzioni. Ed è uno che la "Babilonia" la deve anche finanziare.»

«Che cosa intravede nel futuro?»

«Nell'immediato siamo opposizione politica ai partiti di regime; se venisse meno la nostra posizione, si arretrerebbe il cambiamento.»

«I leghisti ce l'hanno con il Sud?»

«Ce l'hanno con la capitale politica, che non è la Roma dei muri, delle persone e della storia.»

«Non crede che anche la Lega parteciperà, fatalmente, alla spartizione?»

«Fatalmente no: ci stiamo attenti. Se entriamo a far parte di una Commissione, non vuol dire che lottizziamo.»

«Dove ha sbagliato Craxi?»

«Visto che siamo davanti a una banda di liberi professionisti della tangente, su che cosa si sono formati, su quale stampo? Dicono che l'esempio viene dall'alto: può darsi che non sia sempre così, e che Craxi sia stato anche frainteso.»

Conclusi le due interviste facendo parlare l'uno dell'altro. A Miglio chiesi: «Non pensa che tra lei e Bossi possano nascere dei contrasti?».

Il professore mi rispose: «Siamo troppo intelligenti tutti e due per non sapere come si fa ad andare d'accordo».

«E secondo lei, onorevole Bossi?»

«Penso di no, perché Miglio mi vuole bene.»

L'idillio tra i due, invece, durò solo un paio di anni. Nel 1994, proprio per le divergenze su come realizzare lo Stato federalista, il rapporto si sgretolò a tal punto che Gianfranco Miglio abbandonò la Lega Nord per aderire al gruppo misto.

Del «fenomeno» Lega, sempre in quel periodo, parlai con Indro Montanelli.

Mi disse: «Un leghista è uno che sa bene cosa non vuole, ma non sa cosa vuole».

In qualche modo fu premonitore perché quando gli chiesi: «Cosa intravedi nel futuro di Bossi?», mi rispose: «Rimarrà solo. Vedo il disfacimento della sua formazione. Una volta entrati nel gioco si rischia di diventare complici. Se ciò accadrà, la sua sorte sarà triste, e anche per l'Italia, perché se si sfilaccia questa sua formazione politica, ci sarà tanta gente che non crederà più a nulla. Toglierà ai suoi elettori la speranza».

Da quella chiacchierata con Indro sono passati quattordici anni e da allora la Lega ha dimezzato sia la sua rappresentanza in Parlamento che il suo elettorato.

Ma la ciliegina sulla torta è stata messa lunedì 26 giugno, dall'europarlamentare del Carroccio Roberto Speroni subito dopo lo spoglio delle schede del referendum che ha decretato la vittoria al centrosinistra: «Gli italiani fanno schifo», ha dichiarato.

In questo momento, in Italia, abbiamo due problemi enormi. Il primo è quello di cui abbiamo appena scritto e che sintetizzo: l'intolleranza verso tutto ciò che è diverso da noi, come se perdessimo qualcosa, come se qualcuno limitasse il nostro spazio e i nostri diritti o, addirittura, ce li togliesse. L'altro è quello della laicità.

Tutti siamo laici, a parole. Ma quando la politica, anzi, i partiti, si trovano di fronte a decisioni che toccano temi delicati per la Chiesa, accade di tutto. Se penso a un laico vedo un uomo capace di accettare gli altri, con le loro diversità, gusti, religione, abitudini: non credo che essere laico significhi rinunciare a qualcosa, e in particolare alla fede. Penso, al contrario, che sia un arricchimento.

Mi ha colpito Enzo Bianchi, il priore e fondatore della Comunità di Bose che, intervistato da Fabio Fazio, ha detto: «Mi fa soffrire quando si nega la capacità di un'etica a chi non ha la fede, perché questa è una contraddizione con il Cristianesimo. Il Cristianesimo, dal momento che dice che l'uomo è fatto e creato a immagine e somiglianza di Dio, afferma che l'uomo è capace di pensare il bene e di vedere ciò che è male. Di conseguenza, l'uomo è capace di etica anche senza la fede, e anche senza la fede cristiana. La fede non si impone, quando lo si fa, si prevarica. San Paolo dice addirittura: "Voi fate di tutto perché la parola di Dio corra, ma attenzione, non di tutti è la fede". Questo noi dobbiamo accettarlo. Guai se uno pensa di possedere la verità».

Personalmente ho sempre vissuto tormentato dai dubbi e ancora oggi non sono riuscito a liberarmene. Io credo che l'uomo non sia l'evoluzione della scimmia, ovviamente non mi riferisco a un fatto biologico; piuttosto sono convinto che in ogni uomo ci sia una scintilla di grandezza, una parte di Dio ed è proprio questo che ci rende diversi da Cita.

Noi soffriamo il dolore morale e anche se non lo manifestiamo, lo viviamo nei nostri pensieri e quel che è più importante, lo viviamo nella nostra coscienza. Credo in Dio perché lo sento in me e mi ricordo un episodio di tanti anni fa. Il mio nipotino Pietro, otto anni, sosteneva, un po' vantandosene, di non credere. Un giorno venne a trovarci a Pianaccio il cardinale Ersilio Tonini e il bimbo si premurò di fargli sapere come la pensava. Il prelato gli prese la faccina fra le mani e disse: «Ma secondo te, Pietro, chi può aver fatto due occhi azzurri come i tuoi?».

Uno scienziato avrebbe sicuramente da ridire e chissà quali altre risposte avrebbe trovato, ma io no. Piuttosto mi sono chiesto perché esiste questo mondo e perché esistiamo, se poi ci sono altri mondi non lo sappiamo, almeno a me non l'ha mai detto nessuno. Così come non credo all'inferno, forse perché voglio pensare che la pietà di Dio sia immensa e poi il cattivo l'inferno lo vive già sulla terra perché è sicuramente un uomo infelice. Per me con la vita finisce tutto, almeno finisce tutto quello che conosco.

Sono cresciuto in una famiglia dove il prete era di casa. Voglio dire che era una regola di mia madre, e prima di lei della sua, la nonna Peppa, andare a Messa alla domenica e già mentre le campane suonavano la seconda, la «livrata» come dicono a Pianaccio, un quarto d'ora prima dei «tocchi», la mamma si infilava il cappellino per non arrivare in ritardo. «Se il parroco legge già il Vangelo», diceva, «la Messa non è valida ed è peccato mortale.» Così bisognava frequentare il catechismo, comunicarsi almeno a Pasqua e a Natale e il mese di maggio, il mese dedicato alla Madonna, dopo il Rosario, veniva a prendere il tè don Giuseppe. Si apriva la sala da pranzo del nonno Marco, sul tavolo una tovaglia ricamata e al centro la ciambella appena uscita dal forno. Noi bambini, in cucina, pensavamo che il tè nelle tazze con i fiori, avesse un sapore diverso, più buono. Poi, naturalmente, era previsto che dovessi frequentare l'oratorio, anzi, è lì che ho imparato a giocare a calcio e ho conosciuto dei preti che mi hanno aiutato a capire e a crescere.

Ma le devozioni di mia madre, il giro delle sette chiese con la visita ai sette sepolcri il Venerdì Santo, non mi hanno avvicinato alla Chiesa, tanto che le mie figlie mi ricordano di essere rimasto sul sagrato anche il giorno in cui hanno fatto la Prima Comunione.

Più che altro ho cercato di ricordare, per tutta la vita, gli insegnamenti che mi venivano dati da bambino. Sii generoso, onesto, non dire bugie, dà una mano a chi ha più bisogno di te e la sera, quando dici l'*Atto di dolore*, chiedi perdono a Dio.

Certo, per tutti viene il momento dei riepiloghi, del distacco. Come corre in fretta la tua storia: tutto era ieri, il sorriso di una donna, il profumo delle stagioni, la speranza.

Anche Dante, pensavo, anche Leonardo, hanno vissuto queste ore, provando lo sgomento della resa, come i poveri vecchi bacucchi abbandonati nei ricoveri.

Una notte, nel box della rianimazione, mentre aspettavo il nuovo giorno, che non arriva mai, e vedevo ombre che si muovevano in una luce azzurrina, io, che non recitavo le preghiere da quando ero ragazzo, ho ritrovato e ripetuto le parole del *Padre Nostro*. Mi sono addormentato mentre albeggiava mormorando: «Non ci indurre in tentazione». Ero in pace.

I pensieri si accavallavano: le mie montagne, castagni, faggi, abeti, sentieri, il rumore dei fossi. Quei monti sono fatti da miliardi di conchiglie, ogni goccia finisce al mare: anch'io sono un mollusco, una stilla, ma posso piangere.

Pensavo a mia madre che morì mentre ero a Parigi a intervistare il professor Toni Negri. Mi dissero che aveva invocato mio padre: «Dario, abbracciami, vengo», da vecchia non ne parlava quasi mai.

Pensavo a mio padre, che non ha letto i libri che ho letto io, e alla sua dignità: morì in una corsia di ospedale e mi fece l'ultima raccomandazione: «Prendi l'orologio che è attaccato alla sponda del letto, se no te lo fregano».

È andato perso in un bombardamento.

In sala operatoria ho contato le luci del lampadario che sfolgorava: sette. Per molte ore io non c'ero più. Era il 21 dicembre 1993. Il giorno di Natale, nel vassoio, oltre alla minestrina, c'era anche una fetta di panettone. Non ne sentivo voglia. Rimase nel piatto.

Avevo perso la voce: è ritornata. Sono cambiato. Ho segni sulla pelle e anche dentro.

Ho rimesso i debiti: senza fatica perché non mi sono mai sentito un creditore. Ho avuto molto, da tanti.

Da quel periodo sono andato alla ricerca di un qualcosa che non riesco a definire bene, ma soprattutto non mi è facile scrivere: sono andato alla ricerca di Dio, e l'unica strada che potevo fare era quella verso i luoghi dove la povertà, le miserie fanno pensare che da lì Lui abbia preso le distanze. Ho pensato in più di un'occasione che bisogna adeguare anche il presepe. Va sostituita la grotta, perché in gran parte del mondo il bimbo povero nasce nelle baracche con il tetto di lamiera. E spesso da quell'alloggio non esce mai più. Sono stato a Nairobi, in Kenya, e mi sarebbe piaciuto tornarci ancora con la mia troupe per documentare che nulla è cambiato da quando i Paesi cosiddetti ricchi hanno deciso di annullare parte dei debiti che l'Africa ha con loro.

Sarei ritornato, se la Rai me l'avesse permesso, nella bidonville di Libera, la più grande delle quindici di Nairobi, dove vive quasi un milione di persone.

Forse le immagini di questo Paese che la gente si porta dentro sono quelle suggerite dal romanzo *La mia Africa* di Karen Blixen e dal film interpretato da Robert Redford: i grandi spazi, i meravigliosi tramonti e le lunghe notti nella foresta con le stele che sembrano così vicine da poterle toccare. Quel mondo, così semplice e incontaminato, fa pensare al paradiso terrestre prima del peccato di Adamo. I leoni che si spostano a branchi, il vecchio maschio sdraiato all'ombra di un grande albero mentre le femmine sono alla ricerca della preda per sfamarlo. Gli impala che annusano l'aria, estatici e dolcissimi come gli animali dei cartoni animati; poi corrono tra gli arbusti, nell'erba secca della savana. All'alba, le zebre, gli ippopotami, le scimmie si danno appuntamento al ruscello per l'abbeverata.

Poco distante da lì c'è un milione di bambini che non sa che faccia hanno il padre e la madre, uccisi dall'Aids. Ogni giorno muoiono cinquecento persone.

Per noi cristiani la vita dovrebbe essere sempre considerata un dono. Lì, da quando c'è l'Aids, l'aspettativa di vita da cinquantaquattro anni si è abbassata a quarantadue.

Nairobi, che in lingua Masai significa «acqua fredda» ha, almeno secondo i dati ufficiali, due milioni e cinquecentomila abitanti. Altri due milioni, non riconosciuti dalle autorità, vivono nelle bidonville dove manca tutto. L'acqua si prende ai pozzi comuni, spesso scoperti e infetti, o si acquista a caro prezzo dai venditori ambulanti. Non ci sono né fogne né strade e nelle baracche non c'è elettricità.

Il governo non riconosce questi insediamenti. Eppure vi si svolge una vita che ha anche alcuni aspetti di normalità. In una sala giochi improvvisata ci si sfida in una partita a dama e si va dal barbiere per un taglio di capelli.

In un ettaro di terra si trovano in media trecento casupole. Una famiglia media, madre, padre e sei-sette figli, vive in una stanza di quattro metri quadrati.

Si paga un affitto che arriva a dieci euro al mese, un terzo del reddito medio delle famiglie che si aggira attorno ai trenta euro.

Ma anche tra le bidonville ci sono diversi gradi di povertà. C'è chi non può permettersi un tetto di lamiera sulla testa; gli ammalati di Aids che vengono rifiutati dalle famiglie e cacciati, trovano rifugio in quelle più povere, come Korogocho che in lingua kikuyu vuol dire caos, dove la povertà è estrema. In questa bidonville, che si trova vicino alla più grande discarica di Nairobi, abitano oltre centomila persone. Qui ha vissuto per quasi dieci anni padre Alex Zanotelli. Sono andato a trovarlo prima che venisse richiamato in Italia. Era arrivato in Africa dopo essere stato allontanato, su pressioni del Vaticano, dalla direzione del mensile dei missionari comboniani *Nigrizia*. Ricordo quanto affetto avevano per lui i bambini di Korogocho e per loro, il padre comboniano aveva aperto una scuola. Quei bambini hanno un soprannome: «chokora» che in swahili vuol dire «rovistare tra i rifiuti».

Sono quattrocentomila quelli che stanno nelle strade di Nairobi. Vivono di elemosine e si cibano di avanzi trovati nelle discariche della città. Quando la giornata va male, per non sentire la fame, per stordire la mente, masticano un'erba eccitante, la Miraa, che viene coltivata un po' ovunque o aspirano colla dalle bottigliette di plastica. Sono quasi tutti orfani a causa dell'Aids.

Una volta perduti i genitori, si ritrovano da soli. Tra di loro, per riempire il vuoto lasciato dai parenti, nascono amicizia e solidarietà.

L'istruzione è l'unico strumento per sperare in una vita migliore. Chi ne è escluso ha di fronte la disperazione.

Nelle bidonville, nessuno sa con precisione quanti siano i bambini sieropositivi, gli esami non si fanno. E comunque i soldi per curarli non ci sarebbero.

A Korogocho vige la legge del più forte. È facile vedere a terra un morto ammazzato.

Ho chiesto a padre Zanotelli: «Che cosa vuol dire vivere in una bidonville?».

«È una cosa che bisogna sperimentare. Sono arrivato qui nel 1988, ricordo la prima volta che sono entrato nella baraccopoli. È stata un'esperienza sconvolgente, non riuscivo più a raccapezzarmi: tutto cambia, dal cibo a come ti rapporti con la gente. Qui l'importante è sopravvivere. Passi da un mondo di ricchi, a un mondo radicalmente diverso, quello dei poveri.»

«C'è qualcosa a cui non si è mai abituato?»

«Direi soprattutto alla sofferenza: quando ti trovi davanti a situazioni incredibili ti prende una roba che ti fa stare malissimo, perché ti senti impotente. Ti rendi conto che non puoi risolvere i problemi, allora ti chiedi com'è possibile che ci sia gente che soffre così tanto. Ogni sera, insieme con padre Antonio, andiamo in giro e celebriamo nelle baracche dei malati di Aids, e vediamo le persone che crollano davanti ai nostri occhi perché sono ammalate e hanno fame. Davanti a tanto dolore mi domando: "Dio, ma dove sei? Non è possibile che Tu ci sia e non ascolti un grido come questo". Qualche mese fa è arrivata qui una ragazzina che io non avevo mai visto. "Come ti chiami?" "Mi chiamano O' Marie." "Ma tu chi sei, a che popolazione appartieni?" "Non lo so." "Sei il primo africano che non sa a che popolazione appartiene..." "Non lo so, sono solo una ragazzina, mi sono trovata a tre anni sulle strade di Nairobi. Non ho mai conosciuto mio padre e nemmeno mia madre. So che i ragazzini hanno cominciato a chiamarmi O' Marie. Sono cresciuta con loro, sulle strade. Quando avevo dodici anni un uomo mi ha presa e violentata, ecco il mio primo bambino. Ho vissuto per un paio di anni così, poi un altro uomo mi ha presa e mi ha violentata ancora, ed ecco il mio secondo bambino. Ero disperata, sono scappata e sono andata nella discarica. Lì ho cercato di lavorare, la gente mi chiedeva 'Ma tu chi sei? Tu non sei dei nostri. Fuori di qui'. E mi sono trasferita all'estremità di Korogocho. Di notte mi riparavo sotto gli sgabuzzini dei venditori e di giorno andavo in giro a raccogliere quello che potevo." L'unica cosa che questa ragazza chiedeva era la possibilità di vivere una vita decente, serena, di rimettersi in piedi. Era una giovane stupenda. Mi ricordo che poi sparì ma ritornò con tre bambini. Le chiesi: "Chi è questa terza bambina?". "Giorni fa giravo per Korogocho e l'ho incontrata, le ho chiesto chi fosse, mi ha risposto che non lo sapeva, che era sola. Poi mi ha chiesto se poteva venire con me. Io le ho detto di sì. Dio provvederà." Qui i poveri sono davvero grandi; al di là di tutte le assurdità, hanno una forza che è straordinaria. Davanti a tanta sofferenza, mi viene sempre in mente quella domanda: come può esserci un Dio che non ascolta il grido di persone così disperate?»

«Gesù è nato in una stalla. Qual è la condizione più umiliante per un bimbo povero da queste parti?»

«Di cose umilianti ce ne sono molte. È vero, Gesù è nato

in una stalla ma la gente qui, nasce anche nella discarica. Tutti gli anni festeggiamo il Natale dentro la discarica. Se c'è un posto al mondo dove davvero Gesù nasce è proprio questo.

«I bambini soffrono per moltissime cose, ma penso che la tristezza più grande sia la mancanza di una famiglia, di un papà, di una mamma, di non sentirsi accolti. Hanno voglia di bene, una voglia matta di dignità, di sentirsi ragazzi come tutti gli altri. Hanno un bisogno immenso di affetto.»

«In che avvenire possono sperare questi bambini?»

«Nessun avvenire. La tragedia non riguarda soltanto i ragazzi di strada, è che qui fra qualche anno avremo il 50% dei bambini che non potrà accedere alla prima elementare. È una bomba incredibile, deve essere chiaro che poi nessuno potrà più vivere a Nairobi. Ci sarà la violenza totale, quella della disperazione. Dovranno pur cercare una via per sopravvivere.»

«Lei che difficoltà incontra nel tentare di aiutarli?»

«Non è facile. Io sapevo che era molto difficile lavorare con i poveri. Mi ricordo una volta che, nella biografia di San Vincenzo De Paoli, che se ne intendeva di diseredati, ho letto che i poveri sono i più spietati padroni che esistano a questo mondo. Una frase molto dura e pesante. Devi entrare nella loro psicologia, quella della disperazione, della sopravvivenza. Lavorare per unire la gente che lotta contro tutto è una delle cose più impari. Ognuno vede suo fratello o sua sorella come una minaccia. Bisogna avere una pazienza che io chiamo stoica, rivoluzionaria. Di questo c'è bisogno per lavorare con i poveri.»

«I Paesi ricchi che cosa stanno facendo?»

«Non stanno facendo nulla. Si è parlato di remissione dei debiti e non è ancora stato fatto nulla. Si è parlato di aiuti che non sono mai arrivati. Quando noi occidentali parliamo di solidarietà è meglio che ci tappiamo la bocca. Ho visto le ultime statistiche della Banca Mondiale: dal 1995 al 2000, i poveri di questo mondo hanno dato ai ricchi cinquanta bilioni di dollari in interessi annuali. Sono i poveri che finanziano i ricchi. Smettiamo di parlare. Sarebbe importante capire che il sistema economico deve essere radicalmente messo in discussione perché, altrimenti, non farà altro che creare sempre più povertà e rendere i pochi ricchi sempre più ricchi e i tanti poveri sempre più poveri. Questo ci porterà all'autodistruzione.»

«L'Aids è uno dei più grandi problemi. Le terapie sono inaccessibili per i costi. Come si fa a curare la gente qui?»

«È una tragedia immensa l'Aids. Il 50% della popolazione che vive nelle baraccopoli è infetta. La situazione è drammatica. La gente può essere curata solo in famiglia. Qui il virus colpisce soprattutto i polmoni. Ho assistito una ragazza e l'ho vista morire a vent'anni con una sofferenza atroce, non aveva neanche le medicine per calmare il dolore. È assurdo vivere in una società dove, se tu becchi l'Aids nel nord del mondo, con le medicine e il cibo che hai a disposizione puoi vivere fino a settant'anni, se lo becchi qui a quindici anni, a diciassette sei già morto. È assurdo.»

«Lei negherebbe l'assoluzione a chi usa i profilattici?»

«Assolutamente, no. Io non contesto il magistero ecclesiale, sono un prete cattolico. Quello che chiedo alla Chiesa è il coraggio. Mi domando: "Perché la Chiesa è così dura sul sesto comandamento, 'Non commettere atti impuri', e non lo è sugli altri?". Mi va bene che la Chiesa dica a una donna che prende la pillola, che non può fare la Comunione, ma perché non dice a un ricco che ha miliardi in banca e non fa nulla per i poveri, che non può accostarsi al Sacramento? Questa è una violazione altrettanto grave, come la pillola. È questa inconsistenza della Chiesa che mi fa male. Io chiedo radicalità: non solo sul sesso, ma sull'economia, sulla riconciliazione, sulla pace.»

«C'è una possibile felicità per questa gente?»

«Questa gente è molto più felice dei ricchi. Non so che cosa ci sia nei poveri ma sicuramente c'è una forza di volontà di vivere e di sopravvivere che è incredibile. In fondo non hanno nulla, hanno solo l'umanità. Ed è l'umanità che ci rende felici, sono le relazioni umane. Qui c'è voglia di danzare, da noi, invece, trovo la noia.»

«Di tutti gli incontri che lei ha fatto, ce n'è qualcuno che non dimentica? Disgrazie, felicità, solitudini, speranze, tradimenti.»

«La cosa che rimane più dentro sono i volti. I volti degli

ammalati, dei sofferenti. Ho ricordato prima quello bellissimo di O' Marie, che ha una voglia di vivere incredibile. Sono i volti che ti rivelano davvero quello che è "il cuore di Dio". Una delle persone che non dimentico e che ho assistito mentre moriva, era una ragazzina di quindici anni. Le ho detto: "Siamo qui perché non sei sola". Tutti l'avevano abbandonata, anche la madre. Abbiamo cominciato a pregare. L'ho guardata e le ho chiesto: "Chi è Dio per te?". "Dio è la mamma." Allora le ho fatto accendere il cero: le si è illuminato il viso, un viso bellissimo ma tutto deformato dall'Aids. Poi le ho fatto un'altra domanda: "Come è il volto di Dio per te?". Lei ha riflettuto un momento, poi si è illuminata con un bellissimo sorriso e mi ha risposto: "Sono io il volto di Dio".»

A fine maggio 2006, l'Unaids, l'Agenzia dell'Onu per la lotta all'Aids ha pubblicato i dati della malattia. Solo nel 2005 sono morte due milioni e ottocentomila persone, per un totale di venticinque milioni in venticinque anni e si sono registrati cinque milioni di nuovi contagi. Oggi i portatori del virus dell'Hiv sono quarantadue milioni, oltre il 60% vive nei Paesi più poveri dell'Africa sub-sahariana.

Fino a poco tempo fa una persona, per curarsi dalla malattia, spendeva annualmente diecimila euro, oggi, grazie alla concorrenza tra le case farmaceutiche, all'uso dei farmaci così detti generici di fabbricazione brasiliana o indiana al posto di quelli di marca, il costo si è abbassato a duecento-trecento euro. Non è ancora sufficiente perché nella maggior parte dei Paesi africani la disponibilità pro capite non raggiunge i dieci dollari a persona.

Poco dopo l'uscita dei dati sulla malattia, *l'Espresso* ha pubblicato un colloquio tra il professor Ignazio Marino e il cardinale Carlo Maria Martini. Marino è uno dei più importanti chirurghi di trapianto del fegato, è stato uno dei componenti del team che nel 1992 fece il primo trapianto dell'organo da un babbuino all'uomo. Di lui conservo una lettera molto gentile che mi mandò dopo una puntata de *Il Fatto* che avevamo dedicato a un trapianto da figlio a padre che lui aveva eseguito all'inizio del 2002, quando era ancora il direttore dell'Ismett, Istituto Mediterraneo per i Trapianti di Palermo. A Rosario, vent'anni, era stato prelevato una parte del fegato e donato al padre Stefano, cinquantatré anni, malato di tumore. L'intervento era perfettamente riuscito. La puntata partiva con l'intervista dei due pazienti e si concludeva con quella al chirurgo. Nello stesso programma parlammo anche di un altro fatto di cui il professor Marino in quel periodo era stato protagonista, nel bene per l'esito positivo, nel male per le critiche ricevute. Aveva trapiantato un rene a un paziente sieropositivo. «Sono rimasto molto sorpreso dalle critiche ricevute» mi disse, «soprattutto perché la comunità scientifica ritiene che questa sia una strada percorribile. Ritengo che il trapianto, per alcuni pazienti affetti da Hiv, quelli a cui sappiamo che l'intervento può portare beneficio, sia una possibilità che noi dobbiamo offrire. Sono pazienti come tutti gli altri e il compito del medico è quello di aiutarli.»

Nel colloquio tra il chirurgo e il cardinale Martini, dal titolo *Dialogo sulla vita*, Marino, parlando della diffusione dell'Aids e dell'uso del profilattico per controllare la diffusione del male, chiede a Sua Eminenza se per la Chiesa cattolica non sia un male minore di fronte alla salvezza di tante vite. «Nel nostro mondo occidentale è assai difficile rendersi conto di quanto si soffra in certe nazioni», risponde il cardinale Martini, che aggiunge: «Avendole visitate personalmente, sono stato testimone di questa sofferenza, sopportata per lo più con grande dignità e quasi in silenzio. Bisogna fare di tutto per contrastare l'Aids. Certamente l'uso del profilattico può costituire in alcune situazioni un male minore. C'è poi la condizione particolare di sposi di cui uno è affetto da Aids. Quest'ultimo è obbligato a proteggere l'altro partner e questi pure deve potersi proteggere.»

La reazione di una parte della Chiesa non si è fatta attendere: il cardinale colombiano Alfonso Lòpez Trujillo, presidente del Pontificio Consiglio per la famiglia, ha immediatamente risposto che la Chiesa «non ha intenzione di retrocedere neanche di un millimetro, mantenendo senza modifiche la propria dottrina sul preservativo».

Ho incontrato molte volte il cardinale Carlo Maria Martini, l'ultima in occasione del suo addio alla Diocesi di Milano:

mi disse che avrebbe voluto andare a vivere a Gerusalemme perché un rabbino gli aveva detto che mentre in tutti gli altri luoghi il cielo e la terra stanno uno sopra l'altro, lì stanno uno accanto all'altra, sono uno nell'altra. Gli chiesi, all'inizio dell'intervista: «Visto che sono passati più di vent'anni dal suo arrivo a Milano qual è stato il giorno più drammatico?».

Rispose: «Lo ricordo molto bene, ero arrivato da poco. Fu il giorno in cui venni a sapere che era stato ucciso un professore universitario, qui vicino alla Diocesi. Andai subito, di corsa e vidi in un corridoio, steso, il corpo: era un magistrato, Guido Galli, un uomo di grande valore. Fu un'impressione terribile vedere questo corpo steso a terra. Mi fermai lì a pregare e purtroppo questa esperienza si ripeté molte volte in quegli anni: ripenso a Tobagi, ripenso ad altri...».

«Quali sono i valori che mancano a questa società?»

«La speranza è il primo valore che manca, poi manca quello della condivisione, il valore della capacità di godere del bene altrui, non solo quello privato, individuale del proprio gruppo, ma di quello della società nel suo insieme e dell'umanità nel suo insieme. La mancanza di speranza è anche il peccato più grave perché porta alla paura del futuro.»

«Chi sono gli uomini più infelici?»

«Quelli che non hanno speranza, quelli che non sanno guardare al futuro.»

«Che cos'è la felicità?»

«La risposta è scritta nel Vangelo: "Felici i poveri di spirito, felici i miti, felici i misericordiosi, felici gli operatori di pace".»

Ho incontrato più volte ammalati di Aids, anche dalle nostre parti. Sono andato a intervistarli dentro gli ospedali. Oggi mi chiedo perché ho scelto loro e non quelli di cancro o affetti da qualsiasi altra malattia. Forse perché questa società li ha marchiati con il simbolo del peccato. Forse perché mia madre mi ha insegnato, sin da piccolo, che dove c'è una persona che soffre c'è Dio. Forse perché incontrandoli ho cercato tracce del Signore.

Nella vita non c'è giustizia: nascono due bambini gobbi, uno è Leopardi, e l'altro vende i biglietti della lotteria alla fiera. Subentra la ragione e pensi che da quando esiste il mondo, cioè la vita, è sempre stato così. Anche quando nascono due fratelli e uno si chiama Abele e l'altro Caino, uno è vittima e l'altro è il malvagio, il carnefice. All'uomo è data la possibilità di scegliere tra il bene e il male.

Ho incontrato il grande scienziato Luc Montagnier, quello che ha per la prima volta isolato il virus dell'Hiv. Mi ha detto: «Si può sentire il bisogno di Dio quando ti prende l'angoscia di essere solo nell'universo, ma non si può nemmeno farci troppo conto. Preferisco credere alla figura di un grande architetto, creatore del mondo, più che a un Dio che segue i nostri più piccoli gesti e che condiziona il nostro destino».

Mi ricordo quando andai a visitare, subito dopo la morte di Vincenzo Muccioli, accompagnato dal figlio Andrea, la struttura sanitaria di San Patrignano. Mi colpì la storia del medico responsabile, perché era stato uno dei tanti ragazzi della comunità. Uscito dalla droga aveva studiato e si era specializzato in America sulle malattie infettive. Muovendomi tra i letti, ricordo gli occhi di alcuni pazienti: spenti, senza più speranza.

Un giorno sono entrato nel reparto, all'interno del Policlinico San Matteo di Pavia, all'avanguardia per la cura dell'Aids.

Quei medici che lottano contro la morte dei loro pazienti, con il loro lavoro, hanno ridato valore alla parola «missione».

Prima di entrare in quegli ambienti bisogna indossare il camice bianco e i calzari di plastica: usa e getta. Si devono lavare spesso le mani con un sapone liquido, denso e vermiglio, e si usano salviette di carta per asciugarsi.

Sulla porta è appeso un cartellino rosso. Vuol dire che in quella stanza, quasi sempre solo, e assai spesso assopito, c'è un malato di Aids. I ricoverati non possono uscire a passeggiare nel corridoio e non si incontrano quasi mai.

Per parlare con i parenti o con gli amici c'è un box di cristallo, e un citofono. Una cosa del genere l'ho vista in una prigione americana. Non debbono entrare droga o bacilli, non ci può essere una fuga di virus.

Una normale camera di ospedale: bagno, e poi comodino, telefono, un tavolo per mangiare o per scrivere, qualche televisore. Pochi. Il silenzio un po' torpido è rotto solo dal passo dei dottori, tutti giovani, o delle infermiere, che quando servono i pasti mettono la mascherina.

Qui dentro, anche i microbi del raffreddore possono diventare un'insidia.

L'aria che si respira passa attraverso quindici filtri, l'armadietto ripostiglio è irradiato dai raggi ultravioletti e invaso dall'ozono. In un sacco giallo, autosigillato, vanno a finire i rifiuti, che passano direttamente nell'inceneritore.

Mi sono sentito teso e impacciato: fa paura anche il dolore degli altri. Sono un vecchio cronista e ne ho viste tante: perfino ragazzi che, in una cella, aspettavano di salire sulla sedia elettrica, o uomini abbattuti dal plotone di esecuzione. E poi guerre, rivoluzioni, e sono stato testimone di storie di intrighi e di incubi.

Ma qui la minaccia è ingannevole, oscura, e ha l'inappellabilità delle maledizioni.

Quando nel microscopio si intravedono quei cerchietti neri, isole in movimento in piccoli laghi lattiginosi, la sentenza è fatale, e non c'è mai il messaggio improvviso e liberatorio della grazia. Le speranze di avere finalmente in commercio un vaccino sono rimandate al 2011, oggi quello che si può fare è rallentare il più possibile il decorso della malattia.

Mi sgomenta anche entrare nella vita degli altri, raccogliere confessioni di peccati, che per qualcuno scatenano l'ira del Signore; non c'è solo il pensiero del male, ma anche l'impietoso giudizio di molti, e l'angoscia di tutti.

E poi nei dialoghi, come per un accordo, resta nel fondo qualcosa di ambiguo: solo una ragazza mi parla della morte e dello spirito, e il suo esame di coscienza, limpido e crudele, mi umilia e mi turba. Molti sono oppressi da un peso che li soffoca, ma nessuno condanna «l'altro», quello che ha passato la siringa infetta, quello dell'amore velenoso.

Ho capito qualcosa in più dei giochi del destino: i tre amici andarono a letto con la stessa donna, uno è già morto, uno non ha niente, uno aveva sempre la gola arrossata, e adesso mi sorride stancamente, mentre le gocce della flebo entrano con fatica in un braccio scheletrico.

Uno non sa niente dell'eroina, era un marito fedele, niente avventure, non resta che l'ipotesi di un contagio dal dentista.

L'ufficiale di marina, con la moglie comprensiva, una brunetta dai grandi occhi lucidi, che lo ascolta senza intervenire: «Sì, sono andato, una notte, con un mio marinaio, forse anche un'altra volta; una goliardata». La coppia se ne va a braccetto, perché comprendere, così si dice, vuol dire perdonare.

Ci si abitua, la normalità prende il sopravvento: ma non l'indifferenza. Qui dentro non ci sono vecchi: ce ne fu uno, che aveva passato gli ottanta, un omosessuale smarrito e gentile, arrivò che era quasi alla fine, chiese di andare a casa per Natale, solo quella giornata, e tornò per avviarsi all'altro mondo, senza disturbare troppo la famiglia.

Qualcuno chiede: «Che cosa è successo?». Risposta: «Hai tante sentinelle che proteggono il tuo corpo; entra il virus, e le distrugge. Cerchiamo di tenere vive il più a lungo possibile quelle che abbiamo appena contate. Non sono proprio tante, ma bisogna incoraggiarle».

Ho sentito una ragazzina dire, con disperazione: «Se mio padre viene a sapere che ho l'Aids, muore di un colpo». Ma fino a quando può reggere la diagnosi caritatevole di epatite virale? La verità anagrafica non ha importanza, e le mie domande debbono lasciare ogni possibilità di rispondere, o di tacere, e anche di mentire.

La vicenda di Sergio ha qualche aspetto equivoco, che non intendo chiarire, forse una duplicità, che è la prima ragione di lontani cedimenti e della stanchezza che lo sfinisce. Di lui si occupa soprattutto la suocera, che lo guarda con compatimento, e lo aiuta a vestirsi. «È come una mamma» dice Sergio. Ha una faccia larga, e uno sguardo che sembra ironico: chi sa se capisce fino in fondo.

Un giorno si è accorto che qualcosa non andava: si sentiva debole, non mangiava più. Poi è scoppiata la polmonite. Parlare gli costa fatica: «Sono tranquillo» sospira. «Muore tanta gente. Mi dispiace perché ho due bambine, e Antonella è molto piccola. Mi hanno dato la pensione, ma vorrei fare il mio mestiere: come mio nonno, e il mio bisnonno. Da generazioni siamo macellai, e mi divertivo a stare dietro al banco, e a chiacchierare con le massaie che venivano a fare la spesa. Non vedo più neanche i miei amici. Non si può uscire dalla camera, e la giornata, anche se uno cammina avanti e indietro è troppo lunga. Guardo un po' la televisione: mi piace la musica, e il pugilato. La vita è tutto, la morte è brutta. L'altro giorno sono morti in due, ma io non li ho visti. Chissà che cosa accade oltre a queste pareti. Ogni tanto prego Santo Stefano, che è il nostro santo protettore. Andavo sempre in processione per la festa. Non so se ho fatto grandi sbagli, non capisco perché sono finito qui».

Sergio rifiuta la malattia, e sta cadendo in uno stato confuso, che incide anche sulla sua lucidità. Una nebbia grigia cala sul cervello.

Giovanni era un signore dalle molte avventure: aveva cominciato da cameriere, sulle navi da crociera, e siccome lo attraevano tanto le signore come i gentiluomini, molte porte di cabina si aprivano discrete, e il nostro povero eroe non si risparmiava le fatiche amorose. Ricordava i giorni felici di San Francisco: quante occasioni di incontri, spiagge o alberghetti senza formalità, sguardi e promesse scambiati nel frastuono accogliente dei bar, facce bruciate dal sole, o illuminate dalla luce un po' tetra del neon: giovanotti ambigui, ragazze esplicite, per lui non c'era poi tanta differenza. Non era senza talento, suscitava simpatie, e aveva fatto carriera: si presentava come *press-agent* di una cantante assai nota, una pupona dalle vesti sgargianti e dai modi clamorosi, che non lo aveva dimenticato e lo veniva a trovare; recitava, maluccio, ma con trasporto, la scena della speranza, e gli dava un po' di coraggio. Ma lui si guardava nello specchio, e non si riconosceva.

Una mattina spalancò la finestra, e giù, per farla finita: ma tre metri non bastano. Finì sull'erba fradicia di brina, e si trascinò, per nascondersi, nello scantinato, tra le caldaie, sporco di sangue e di nafta.

Quando lo hanno sepolto in un cimiterino sulla riva di un lago, la piccola diva della canzone ha mandato tante rose.

Nell'ospedale è difficile stabilire un rapporto con gli altri, e non c'è neppure l'occasione delle domeniche, le visite o la messa.

I gay sono i più appartati, quelli che accettano compostamente l'isolamento, e qualche volta lo desiderano. Il drogato tende a dare la colpa dei suoi guai a qualcuno: loro, invece, non accusano. «Se vuoi il dolce» mi ha detto Angelo, che non nasconde il passato, e la sua condizione «devi essere pronto a trangugiare anche l'amaro.»

Solo le mamme stanno accanto ai loro bambini; la madre di Chiara racconta, e la bimba mi fissa con uno sguardo senza senso, non sorride, non piange. Mi sembra che neppure i giochi la interessino: mangia distrattamente, e io osservo la giovane donna bionda che, dopo qualche incertezza, ha accettato di confidarsi. È un discorso duro, di una che ha un conto aperto con l'esistenza, e magari con se stessa.

«Fin che non è stata ricoverata, non sapevo neppure che cosa è l'Aids» attacca.

«Tutto è cominciato quando Chiara aveva tre mesi: febbre alta, diarrea, perdeva peso, non cresceva. Il pediatra l'ha toccata e ha detto: linfonoduli, aveva le ghiandole ingrossate. Io mi bucavo, lo riconosco, ma il microbo deve averglielo attaccato il padre. Non lo odio. Sta molto male, o forse è già morto. Lo disprezzo, non voglio saperne niente. Che sia vivo o no non mi riguarda. Vuole che le racconti perché ho cominciato a farmi? Ho avuto delle occasioni. Il rischio? Lo sai che cosa ti giochi, non è sufficiente per bloccarti. Gli amici che conosco stanno morendo; forse c'entra la disperazione. Io sono sieropositiva.»

È graziosa, la pelle chiara, un po' pallida, ma senza un segno, non c'è alcun affanno nella sua voce, ogni tanto, con un gesto secco, butta indietro i lunghi capelli che le coprono il viso, teso, rigido, senza emozioni.

«Ho cominciato perché sono curiosa, e mi piaceva. Non perché ero sola: balle. Poche volte, così, quasi per capriccio, poi di più. Lavoravo in una fabbrica, e mi mangiavo tutto in polvere. Se andava bene, mi facevo la sera. Che liberazione. Ho ventisei anni e mi sembrano un secolo. Mi pare di aver già visto tutto. Quando ho preso la prima dose, ne avevo sedici. Anzi meno. Se Chiara dovesse morire la colpa è mia. Sono io che l'ho uccisa.»

Fuori ci sono le categorie a rischio: nel reparto ce n'è una sola. Non c'è in gioco più nulla. I malati sanno tutto, conoscono le cause dell'infezione. Gli effetti li vedono anche su se stessi. E di fronte alla sorte che li attende, appaiono spogliati di tutto, e nella loro verità: deboli o sprezzanti, volubili o vendicativi, quasi attratti dal virus che li fa anche più indifesi, o testardamente aggrappati all'ultima zattera. C'è dell'estremismo, o un senso della fatalità, anche nelle scelte, o nelle decisioni: donne che hanno usato la siringa fino al giorno prima del parto, coppie che, sapendo, hanno desiderato mettere al mondo un figlio. Accada quel che deve accadere.

Negli ospiti non c'è almeno all'apparenza, il senso del terrore: piuttosto della rassegnazione. Anche nei casi più avvilenti, si scarta la previsione tragica: in qualunque momento potrebbe arrivare il vaccino. Non è stato così per la tubercolosi o per la polio? Anche la morte è un avvenimento nascosto: chi va a casa si sa, non è mai guarito. La via del ritorno è quasi sempre segnata. Ma nessuno, né medici né ricoverati, si arrende.

Un tempo le grandi epidemie, sifilide e colera, venivano diffuse dagli eserciti, o dai marinai e dai mercanti, che ritornavano dalle invasioni e dai traffici. Oggi il contagio minaccia soprattutto chi si abbandona a comportamenti rischiosi: gli stupefacenti o i rapporti così detti a rischio. Il ministero della Sanità inglese aveva lanciato un avviso: «Stiano bene attenti coloro che viaggiano per affari, che vanno in luoghi esotici. Portino con sé la moglie o un buon libro da leggere a letto». Nei primi anni del contagio furono inventate parecchie definizioni, tutte suggerite dallo spavento o dal ribrezzo: la peste del Duemila, il Settimo flagello della storia.

La realtà è che l'Aids semina affanno e solitudine. Un malato che sente arrivare la fine, si confida con un prete: «Il grottesco è che se uno ha un infarto, o anche un tumore, ne può parlare a tutti, e tutti ne parlano, e gli amici lo vanno a trovare, a fargli compagnia. Di questa disgrazia, invece, bisogna tacere. Il terrore è nell'aria; sono un appestato, un lebbroso, anzi una carogna. Se si venisse a sapere in tutto il condominio ci sarebbe la psicosi del contagio. So che il mio itinerario è breve e io mi sento, in questo enorme caseggiato, come un clandestino a bordo. Dici che dopo, quando tutti sapranno la verità, mi malediranno?».

Un indiano d'America, per fare una citazione potrei dire l'ultimo dei Mohicani, anche se lui è un discendente di Orso Grigio il grande capo degli Arapaho, Morgan Tantepiume, assiste i malati di Aids. Faceva l'architetto, guadagnava bene, poi la sua vita è cambiata. Dopo la morte del suo amico Tom, l'Aids se l'era portato via, lo rivide in sogno per cinque notti di fila e gli diceva che si trovava in un posto meraviglioso dove non c'era bisogno di cercare il sesso o l'amore, il successo o il denaro. L'ultima notte Tom lo supplicò di raccontare agli altri quello che lui gli aveva fatto vedere. Conobbi la sua storia attraverso Lorenzo Soria, uno dei corrispondenti dall'America de *La Stampa*. Sono stato negli Stati Uniti tante volte e in uno dei miei ultimi viaggi con Loris e la troupe abbiamo incontrato Tantepiume in un paese vicino a Los Angeles.

L'intervista non è mai andata in onda perché nel frattempo ci hanno tolto il programma.

È dal discendente di Orso Grigio che partirei per costruire uno Speciale sull'Aids.

Dopo quei sogni Tantepiume rinunciò a tutto quello che la vita gli aveva offerto fino ad allora. Si propose come volontario al gruppo che aveva assistito Tom fino all'ultimo e cominciò a collaborare in cucina.

Gli chiesi se il fatto di essere un indiano d'America l'aveva aiutato.

«Sì, enormemente», mi rispose. «Mio nonno mi ha insegnato che dobbiamo prima ascoltare il nostro spirito, poi la mente. Il mio spirito mi spinge ad aiutare gli altri non economicamente ma spiritualmente. Tutte le volte che mi accade è come aver risposto a una chiamata.»

«Qual è la cosa peggiore per un malato di Aids: il dolore della malattia o la solitudine?»

«Credo la solitudine e la paura dell'ignoto. Per il malato il dolore più grande è capire che per lui il tempo di vivere si fa sempre più breve, e si rende conto che non è riuscito a portare a termine nulla nella vita.»

«Come tiene loro compagnia?»

«Faccio di tutto perché apprezzino il meglio di ogni momento, perché capiscano che non sono soli e pensino al loro corpo come a un indumento di cui ci si può privare e andare avanti lo stesso.»

«C'è qualcosa che li può consolare?»

«Il sapere di non essere soli, che in ogni momento c'è qualcuno al loro fianco, che l'amore può oltrepassare il dolore e la sofferenza, che il luogo in cui stanno per andare è meraviglioso e che sarà la migliore esperienza della loro vita.»

«Quali sono le ore della disperazione?»

«L'attesa, l'attesa della morte. Il non sapere come farla arrivare. Posso testimoniare che la maggior parte dei malati di Aids desidera la fine. Quando è oltrepassato il confine della speranza e bisogna smettere di pregare per la guarigione e cominciare, invece, a chiedere sollievo: questi sono i momenti peggiori, quelli in cui realizzano che sta per arrivare il distacco e sanno di doversi attaccare a qualcosa di cui non conoscono niente.»

Questa è la storia di un angelo custode, come dice Wim Wenders, uno dei tanti che popolano il nostro mondo. Se non ci fossero queste persone come Morgan Tantepiume, padre Alex Zanotelli e altri, come farebbe un medico da solo a fare anche il prete e lo psicologo, avendo a disposizione più parole che medicamenti. Quel medico che ha deciso di curare questi pazienti ha accettato di combattere una lotta senza risultati, e con le mani legate. Oggi sono talmente tanti i casi che si riesce a fare la diagnosi anche senza i prelievi, e i doppi controlli. Quegli sfinimenti, quelle gambe troppo sottili, la bilancia inesorabile, la prostrazione, quei colpi di tosse secchi, fanno parte di un quadro ormai risaputo. Cerca solo di guadagnare un altro giorno, un giorno dopo l'altro, di rimediare a un nuovo attacco; è una corsa con un traguardo che non si riesce a vedere. Quel medico accompagna, come padre Zanotelli e Tantepiume, il suo malato nell'attraversata del deserto.

Di notte, quando i parenti se ne sono andati, e le luci si attenuano nel corridoio vuoto, e anche il turno delle infermiere è ridotto, sdraiato senza spogliarsi nel lettino di guardia, riflette sui suoi «casi», non ha mai la gioia di dire: «Vai pure, e non pensarci più». Sa che dovranno tornare.

Fu Gesù a predicare il principio della carità per cui gli ultimi saranno i primi. La preghiera più bella del mondo, perché celebra la grandezza di Colui che sta nei cieli e i bisogni delle creature che stanno sulla terra, è il *Padre Nostro*. È la preghiera più umana perché parla del pane di ogni giorno, della speranza di un regno più giusto, della pietà dei peccati nostri e del prossimo. C'è in più una invocazione, una chiamata di corresponsabilità per gli inevitabili errori umani: Signore sai come siamo deboli, hai conosciuto anche tu le lusinghe del male, non ci indurre in tentazione, aiutaci a salvarci. L'uomo ha bisogno di sperare in un mondo senza sofferenze, dove il buono è premiato e dove si può vivere meglio.

Forse un teologo avrebbe da ridire, ma, questa preghiera è per tutte le religioni, è la richiesta di avere una risposta alla domanda di ogni persona che soffre: «Perché a me?». Questo Padre che sta nei cieli è il padre di tutti e se tutti noi imparassimo ad alzare gli occhi dalle nostre cose, dal nostro egoismo ci accorgeremmo che in ogni angolo c'è la storia di un bambino che piange perché la sua matita azzurra è finita e non può colorare il cielo come vorrebbe.

OTTAVO CAPITOLO

La Cina sempre più vicina

Disse Napoleone Bonaparte nel 1816: «Quando la Cina si sveglierà, il mondo tremerà». La Cina si è svegliata, eccome, al punto che l'inizio del nuovo millennio è definito «il secolo cinese». Qualcuno in Europa, in particolare nel nostro Paese, ha cominciato a tremare, pensando che l'unica soluzione fosse di mettere dazi su tutto quello che è «made in China».

Verso la fine del 2004 una delegazione di duecentocinquanta imprenditori con gli ex ministri Fini, Urbani, Matteoli, Marzano, il presidente di Confindustria Luca Cordero di Montezemolo, capitanata dal presidente della Repubblica Carlo Azeglio Ciampi, è andata a Shanghai e a Pechino, per recuperare il tempo perduto e tentare di sviluppare rapporti bilaterali. L'incontro con il presidente Hu Jintao e il primo ministro Wen Jiabao è servito anche per chiedere il rispetto delle regole internazionali che la concorrenza sleale dei cinesi, in particolare nel settore tessile, aveva spinto l'Italia ad adottare un certo protezionismo sul mercato e un po' di diffidenza nei rapporti. La Lega aveva definito questa apertura: «Un requiem per le imprese italiane».

Quante occasioni, dalla fine de *Il Fatto* a oggi, avremmo avuto per parlare del Paese della Grande Muraglia, che in questi anni ha fatto passi da gigante, soprattutto da quando, nel 2000, Hong Kong è tornata alla madrepatria dando una spinta straordinaria alla crescita economica, alla ricerca, all'innovazione.

Devo essere sincero: quando penso a una nazione e mi preparo a visitarla, la prima cosa che mi chiedo non è se è una terra ricca o quali sono i suoi rapporti con gli altri Paesi. Mi interessa come vive la gente, se c'è rispetto, se i giovani hanno la possibilità di studiare e di lavorare. Una nazione può essere molto ricca ma il suo popolo molto povero.

Qualche volta nei miei programmi mi sono occupato della pena di morte, e ho intervistato anche alcuni condannati prima della loro esecuzione. Quando mi documentavo, prima di realizzare lo speciale, scoprivo sempre che la Cina era al primo posto come numero di esecuzioni. Anche in questi giorni l'ho fatto. Morale: la Cina sarà al primo posto per la crescita economica ma è all'ultimo per quanto riguarda i diritti umani, e questo la fa rimanere ancorata all'epoca delle dinastie.

I dati di Amnesty International sono inequivocabili: nel 2005, in ventidue Paesi sono state giustiziate duemilacentoquarantotto persone e di queste millesettecentosettanta in Cina. Una nota spiega che il dato è molto approssimativo perché le autorità governative non danno informazioni, si parla di una possibile cifra attorno alle ottomila persone giustiziate solo nel 2005.

Del passato ci si accorge semplicemente passeggiando per le strade, soprattutto nelle piccole città, perché le metropoli assomigliano sempre più a quelle occidentali: insegne al neon, pubblicità gigantesche, grattacieli.

Sono le vecchie donne che ricordano un tempo molto lontano. Se ne vedono ancora: hanno i capelli bianchi e pettinati con cura, i piedi molto piccoli nelle pantofole di stoffa, rattrappiti; camminano in modo incerto, ondeggiante. Appena compiuti gli otto o i nove anni, le madri fasciarono con bende rigide le estremità delle piccole, altrimenti, dicevano, non si sarebbero maritate. Era un canone della bellezza quella dell'arto mutilato, e forse anche un richiamo erotico. Secondo un poeta addirittura «un piede non deformato è un disonore». Secondo la tradizione, per il marito il piede è più interessante del resto della figura. Se si vuole fare un paragone, il bendaggio equivale al corsetto delle donne europee. Questa pratica fu abolita con un editto imperiale solo nel 1897, ma da allora c'è chi ha continuato a farla.

Quando andai a Pechino la prima volta rimasi sorpreso,

perché pensavo che certe cose esistessero solo nei film che ricordavano l'antico impero, quello di Marco Polo, invece guardavo quelle anziane signore perdersi traballanti tra la folla di un Paese che per molti aspetti è rimasto immutato. Ancora oggi, nonostante la Rivoluzione culturale, è un mondo in cui il ruolo più difficile da vivere è quello della donna. Non ha scelta, tutti dispongono di lei, non sfugge alle fatiche né alle regole dell'obbedienza.

Recita il personaggio di una commedia rivoluzionaria, che ha per protagonisti il miserabile contadino Yang e il ricco proprietario terriero Huang: «L'affittuario Yang è debitore nei confronti del signor Huang. Siccome è troppo spiantato per pagare, vuole vendere la figlia Hsi-er al padrone per cancellare il suo debito. Entrambi sono d'accordo e non ritorneranno sulla loro decisione. Essendo le intese verbali insufficienti, il documento resta come prova. Firmato dai due contraenti, signor Huang e affittuario Yang, e dal testimone, esattore Mu. "Bene, le parole volano, ma gli scritti restano", dice Huang. "Vieni, vecchio Yang, e metti qui l'impronta del tuo dito"». E il mercato della donna si è compiuto.

Lo ha detto Confucio, che dell'argomento se ne intendeva: «Ci vorrebbero cento vite per conoscere la Cina». Io dispongo di una sola, e in buona parte consumata, poi non ho ancora capito bene come è fatta l'Italia.

Il Paese della *Città Proibita*, l'ho percorso in treno, in aereo e in auto, su sentieri diversi che mi hanno portato in parecchie città, province e in molti villaggi.

Ho visitato fabbriche e aziende agricole, sono stato dentro a manicomi e a rifugi atomici, ho incontrato reduci della Lunga Marcia e miliardari. Dice un detto popolare di quelle parti: «Meglio veder una volta che sentire cento».

Oggi la Cina è diventata una grande potenza, sul piano economico e, oltre all'Europa, fa tremare anche l'America. Dopo il viaggio a Pechino del presidente Bush del 21 novembre 2005, nell'aprile del 2006, dopo trentacinque anni di diplomazia e lo strappo avvenuto nel 1989 in occasione della strage di piazza Tien An Men, il presidente Hu Jintao è stato ricevuto, anche se il protocollo non ha previsto il pranzo ufficiale, a Washington con ventun colpi a salve sparati dal cannone della Casa Bianca come si addice all'arrivo di un capo di Stato. Per gli Stati Uniti i rapporti con il Paese orientale sono importanti per poter premere sull'Iran e sulla Corea del Nord, sempre più in odore di nucleare, ma soprattutto per stringere accordi economici e per non farsi reciprocamente del male sui mercati. Nel primo trimestre del 2006, la Cina ha segnato un nuovo record portando il Pil (prodotto interno lordo) oltre il 10%. Oggi è l'unica nazione veramente in grado di insidiare gli States. È riuscita ad accumulare un attivo commerciale di duecentodue miliardi di dollari, in più, il rafforzamento militare di Pechino sta alterando tutti gli equilibri mondiali per l'accaparramento delle materie prime. Per Bush l'idea di essere amico di Hu Jintao prevale su ogni altra considerazione.

È inutile che mi ripeta, ma è lì che andrei con la troupe, se ne avessi l'opportunità.

Partirei dal passato, così affascinante e misterioso, per capire il presente di un popolo che vive su una superficie di dodici milioni di chilometri quadrati, con un miliardo e trecentomila abitanti, la cui storia va dalle dinastie al comunismo fino alla Rivoluzione culturale di Mao Tse-tung. Di lui disse il commediografo Eugène Jonesco: «Ha comperato l'animo dei cinesi con qualche pugno di riso. L'uomo non vive di solo pane, l'uomo non vive di solo riso».

Nixon, allora presidente degli Stati Uniti, nel 1972 con una visita in Cina mise fine al reciproco isolamento che durava da ben vent'anni, e così giudicò Mao: «Quasi una leggenda vivente, ma pieno di umanità e di vita».

Scrivendo, mi viene naturale pensare con grande rispetto a quello che accadde a Pechino nella primavera del 1989: la protesta studentesca soppressa con la forza. Furono circa tremila gli studenti uccisi, fonte ufficiale, settemila nella versione dei manifestanti. C'è una foto che è diventata simbolo della libertà e della non violenza: uno studente con due sacchetti di plastica in mano, il giorno dopo la strage, in piazza Tien An Men, si mise davanti ai carri armati impedendone l'avanzata. La scena durò solo pochi minuti ma fece il giro del mondo. Il settimanale *Time* chiamò quel giovane «il ribelle sconosciuto»

154

e lo inserì tra i venti grandi rivoluzionari del XX secolo. Non si è mai saputo il nome di quel ragazzo, forse uno studente o forse un contadino, venuto da fuori. A quel giovane e a tutti i dissidenti cinesi deve andare il nostro rispetto.

Quando sono stato nella patria di Mao, non in pellegrinaggio, perché neppure laggiù c'è la mia Mecca, non mi portavo dietro i sogni di chi ha fatto di quel Paese un mito, né le frustrazioni di chi vorrebbe che la rivoluzione continuasse all'infinito. Il *Libretto rosso* per me, non è mai stato la Bibbia. Ho capito che da quelle parti ogni gesto, ogni fatto, ha un significato politico: ma i miei occhi non erano appannati, mi sentivo piuttosto mosso da una profonda attrattiva e propensione per questo popolo gentile e drammatico, sempre pronto ad affrontare le prove impossibili. Un popolo che va rispettato, che ha sempre lottato contro tutto, che non si è mai arreso: dal 1927 al 1937, tre milioni di persone sono state ammazzate con l'accusa di comunismo; nel 1928 una carestia provocò dieci milioni di vittime. In Cina hanno imperversato i signori della guerra e i governanti corrotti.

Han Suyin, la scrittrice di *L'amore è una cosa meravigliosa*, da cui fu tratto il film con William Holden e Jennifer Jones, mi ha raccontato: «Negli anni Trenta ero ragazzina. Ricordo che quando andavo a scuola, vedevo i bambini che mendicavano ovunque e soprattutto neonati morti per le strade, avvolti in fogli di carta. Esisteva un grosso traffico di droghe, soprattutto oppio, e di armi: faceva comodo che in Cina tutti si combattessero».

Bertold Brecht predicava cinicamente: «Prima la pancia piena, poi la morale».

Ma quando i giovani della piazza Tien An Men gridarono contro Den Xiaoping: «Vecchio vattene», i carri armati sistemarono la protesta. La Cina non si ribellò e il mondo stette a guardare. Da quelle parti iniziò quella corsa al denaro, che ha portato a far diventare il Paese di Mao, dopo la fine dell'Unione Sovietica, l'altra faccia della terra. Diceva il Grande Timoniere, come era chiamato nell'ultimo periodo della sua vita: «Bisogna trasformare l'uomo in ciò che ha di più profondo».

Marx paragonò la Cina a un «fossile vivente», perché un abisso culturale la separa dal mondo occidentale. Nel suo isolamento non ha seguito né l'evoluzione della scienza né quella della tecnica. Mi ricordo che nel mio primo viaggio c'erano già segni di apertura, si vedevano in giro bottiglie di Coca Cola, questo non ha voluto dire la rinuncia alla loro morale. L'individuo, come i fatti purtroppo dimostrano, conterà sempre poco, la libertà di parola, di stampa, di riunione, di sciopero, sancita dalla Costituzione, senza il consenso del partito, guida e controllo, è inconcepibile.

Il principio di autorità è quello che regge il sistema. «Se questa gente non fosse così buona», mi ha detto un giornalista, «quando l'economia era sull'orlo del crollo si sarebbe ribellata.»

Ogni paragone con l'Europa o con l'America è privo di senso: il confronto è con la miseria e l'umiliazione del passato.

Nei miei viaggi mi sono sempre sentito un «ospite straniero», e sono stato trattato ovunque con spontanea cortesia: ma non ho scelto un interlocutore, non ho incontrato uno dei personaggi che avevo proposto, tra me e gli altri c'è sempre stato l'interprete, e credo che il contenuto delle interviste lo abbiano annotato con scrupolo. C'era sempre chi scriveva senza alzare la testa. Non credo che andandoci oggi troveremmo, da questo punto di vista, grandi cambiamenti.

Un giorno vidi una raccolta di disegni di bambini: i soggetti esprimevano i loro sogni, o almeno le loro visioni più consuete. Una raccolta di cavoli, la cattura di un enorme pescecane, la festa del villaggio con l'esibizione di montoni addobbati, una lezione di marxismo-leninismo, come si piantano gli alberi attorno alle case, pescatori che arpionano una balena.

Ancora oggi la Cina è un universo chiuso e ordinato: non venne data la notizia dello sbarco del primo astronauta sulla luna, la stampa non ha mai parlato delle inondazioni che nel 1975-76 provocarono almeno settecentomila morti, o del terribile terremoto che sconvolse Tangshan. Però sono preparati anche alle scosse sismiche, imparano fin da piccoli a osservare gli animali domestici, e i manifesti affissi all'asilo fanno capire che è un brutto segno quando le oche nuotano frenetiche, i topi scappano, i maialetti innervositi saltano i muri. Qui è la normalità che fa notizia: adesso si può scegliere il film preferito, indossare una sottana, non c'è più l'obbligo di vestirsi tutti uguali, chi vuole compra un libro e ha la possibilità di studiare. Però su Internet le parole «democrazia», «diritti umani» e «libertà» non sono accessibili e i navigatori che le immettono vedono comparire un consiglio: «Questo sito non contiene parole proibite né oscenità. Si prega di inviare un termine diverso».

Fino a poco tempo fa non sceglievi un mestiere: te lo davano. Non potevi lasciare il tuo impiego: chi non aveva un posto non riceveva un salario. L'esistenza scorreva apparentemente serena e si consumava su un ritmo che sembrava immutabile: il lavoro, la discussione ideologica, la lettura in comune dei giornali, le riunioni per l'autocritica, lo sport, i divertimenti organizzati. Oggi la parola d'ordine è quella del libero mercato e gli imprenditori si arricchiscono velocemente grazie al bassissimo costo della manodopera. La differenza tra il ricco e il povero sta crescendo sempre più. La gente sta abbandonando la campagna, che non è più in grado di far sopravvivere le famiglie, per andare ad accrescere le liste di disoccupazione delle grandi città.

Dopo i giorni folli della Rivoluzione culturale, con i deliri di chi proclamava la fine di ogni gerarchia e di ogni struttura, ha ripreso piede la regola che vuole il riconoscimento del merito, i voti al posto di comando. I più bravi, più in alto. Questo, fatalmente, porta avanti gli svelti, o i meglio dotati, e crea una nuova élite, formata da tecnici. La Cina ha capito che ha più bisogno di specialisti che di agitatori. Del comunismo è rimasta la burocrazia ancora centralizzata e corrotta, ma del collettivismo non si parla più.

Le città ormai sono piene di macchine occidentali, crescono come mostri, cantieri ovunque, edifici avveniristici al posto delle tipiche casette in legno, espropriate dal governo; sono centinaia i Boeing comprati dall'America per il trasporto interno che è in grande espansione; Bill Gates ha accettato di collaborare con il governo cinese nonostante la censura comunista pur di raggiungere gli utenti di Internet che entro il 2006 saranno oltre i centotrentacinque milioni.

Ci sono altri fatti che rendono la Cina simile all'altra faccia della terra, che la fanno assomigliare agli altri Paesi capitalistici: la droga che si sta diffondendo dall'inizio degli anni Novanta, soprattutto l'eroina. I giovani che arrivano nelle metropoli per cercare lavoro dalla campagna, e non trovandolo, in molti si rifugiano nella droga; e poi l'Aids.

Ho letto interessanti reportage dell'inviato di *Repubblica*, Federico Rampini, che meriterebbero di essere approfonditi anche con le immagini. In un articolo racconta di un paese di millequattrocento abitanti, Jiudu, nella zona dei monti dello Sichuan, dove ci sono trecentosettanta tossicodipendenti sieropositivi e sono trentaquattro i decessi accertati per Aids, dato sottostimato perché molti sono andati a morire lontano. Di tutto questo, per il governo di Pechino, non si deve parlare perché in quella zona c'è un'importante base missilistica sia per i lanci militari che per il programma spaziale.

L'Aids, in quella zona, colpisce prevalentemente i giovani e con la loro morte sta «scomparendo un popolo di tradizioni millenarie, che ha una lingua e un alfabeto del XIII secolo e bellissimi costumi. Ancora oggi alle fiere paesane di Xicheng le donne scendono a valle indossando eleganti mantelle dalle ampie spalle quadrate, gonne dai ricami elaborati, alti cappelli neri fasciati di sciarpe colorate».

Il racconto di Rampini mi porta alla memoria quando per la prima volta sono entrato nella *Città Proibita* o «interdetta», protetta da tre chilometri e seicento metri di mura, che si apriva eccezionalmente per un fotografo americano, coi suoi nove immensi palazzi, separati dalla corte.

Qui alloggiava l'imperatrice Tzu Hsi, che personificava tutti i vizi. Concubina di un sovrano omosessuale, gli dà il figlio che non ha potuto avere dalla moglie legittima, ma lo fa assassinare per non dividere con alcuno i poteri. Un'istantanea ritrae l'imperatrice sotto un largo ombrello, con le sue dame, che indossano abiti di splendenti sete. Un'altra posa di quei giorni, che vidi nella *Città Proibita*, scattata da un fotografo ambulante, mostra un fiero giovane con un bambino, accanto un tavolo sul quale, segno di distinzione, è bene in vista una sveglia: il ragazzino si chiama Mao Tse-tung.

L'universo della reggia è fatto di veleni, di intrighi e di eunuchi e si dice che per legge l'imperatore ne avesse tremila a disposizione, i principi di sangue imperiale trenta, i suoi figli e nipoti venti, i cugini dieci. Gli eunuchi esercitavano molte funzioni. In una sala vi sono tanti gettoni di giada quanti sono le donne che vivono all'ombra del trono, e sopra ognuno è inciso un nome; quando il sovrano ne restituisce uno all'evirato di turno, il servitore va ad accendere una lanterna sulla porta dell'appartamento della prescelta, che capisce il messaggio.

Poi, la sera, l'eunuco, se la carica in spalla, avvolta in un mantello scarlatto senza maniche, e la recapita all'augusto destinatario. Al mattino dopo riferisce come è andata a un delegato speciale della corte dei Censori.

Dietro alle splendide apparenze di un cerimoniale millenario c'è, come afferma il grande scrittore Lu Hsun, una società «mangiatrice di uomini».

La *Città Proibita* stava lì a dimostrarlo: soltanto il monarca con i suoi congiunti e i cortigiani aveva goduto di quelle bellezze, e solo lui, tra i molti diritti esclusivi, aveva anche quello di poter utilizzare i quattro colori fondamentali; solo il rosso era consentito anche al popolo, per tenere lontano gli spiriti maligni.

È nell'agosto 1900 che si scatena la rivolta xenofoba dei «boxers» che cominciano ammazzando l'ambasciatore tedesco, il barone Ketteler. Sono membri di una società segreta, odiano gli stranieri, e i cinesi li chiamano «pugni patriottici».

Il primo attacco scoppia a Tientsin, e l'imperatrice Tzu Hsi guida l'insurrezione. Distruggono, violentano, ammazzano, devastano fabbriche e abitazioni.

Il Kaiser Guglielmo II, quando la sommossa si estende a Pechino, prende l'iniziativa del contrattacco, e si mette alla testa di una coalizione formata da sette Paesi, tra i quali anche America, Giappone e Russia, e ordina al comandante delle truppe, ammiraglio Waldersee: «Fate impallidire il ricordo di Attila».

Sarà accontentato, e alle violenze dei ribelli, seguono, per nulla meno atroci, le rappresaglie del corpo di spedizione.

Anche noi abbiamo dato il nostro contributo: il 19 luglio 1900, salutati all'imbarco sul molo di Napoli da Umberto I, parte il nostro contingente agli ordini del colonnello Vincen-

zo Garioni: ottantatré ufficiali, milleottocentottantadue soldati, centosettantotto quadrupedi. Il reparto è formato da bersaglieri, artiglieria e marina. Forse in Cina comincia da questo
momento quella che Teilhard de Chardin chiama «la fine del
privilegio bianco».

Racconta un anziano cinese: «Sono cresciuto a Shanghai
dove per la prima volta ebbi l'occasione di vedere un vero straniero. A quel tempo la città aveva zone delineate riservate alle
"concessioni", erano pattugliate da soldati di altri Paesi con
l'elmetto, e l'aspetto, ai miei occhi, truce. Ma ricordo anche di
aver visto bellissimi parchi e stupendi edifici. In alcuni c'erano
cartelli con la scritta: "Non sono ammessi cani e cinesi".».

Sulle piazze vennero decapitati gli ufficiali, i soldati e i
mandarini che non si erano opposti alla presenza degli occu-
panti. C'era una giustificazione. Le angherie degli stranieri
erano tante: concedevano prestiti, ma con interessi così alti,
che praticamente mettevano il governo nelle mani delle loro
grandi banche. Avevano i loro uffici postali e i loro tribunali,
ai quali erano soggetti anche i cinesi se si trovavano in causa
con sudditi di quelle nazioni.

Le ferrovie, le miniere, le industrie, i grandi commerci,
quasi sempre dipendevano da loro. Avevano stabilito anche
una classifica intellettuale delle razze: sostenevano che un cervello bianco pesa milleseicento grammi, quello di un giallo
millequattrocento, quello di un rosso milletrecentoquaranta,
ultimo il nero con milleduecento.

Han Suyin quando, ragazzina, ebbe un impiego in una organizzazione inglese, ricorda come venne insultata da un certa
miss Radley, che voleva scagionarsi da un suo errore: «Tutta
colpa tua, piccola bastarda gialla, continui a chiacchierare e
mi impedisci di fare il mio lavoro».

Negli albi che raccolgono le immagini di quell'epoca si vedono giovanotti con il codino stretto da un sottile cordone di
seta nera che indossano lunghe vesti, scene di battaglia, con
fucili, cannoni in postazione con i proiettili rotondi come pal-
le, e qualche morto per terra che non fa impressione, come
non suscita orrore la scena del decapitato che, braccia legate
dietro la schiena, aspetta il colpo di scure del boia, mentre i

curiosi lo ignorano, e fissano l'obiettivo, e sono anche tranquilli e indifferenti due condannati che stanno per essere crocifissi, ecco una sposa, accompagnata dal servo, il volto coperto, e una cortigiana dagli occhi maliziosi languidamente sdraiata.

Il declino inesorabile dell'influenza occidentale si può datare al lontano 4 maggio 1919 quando, sulla grande piazza di Pechino, si trovarono per protestare centomila studenti, che vedevano sostituirsi, alla presenza tedesca, quella giapponese. Da quel momento la sfiducia di tanti intellettuali nell'Occidente divenne totale. Quarant'anni dopo Mao Tze-tung proclama: «La nostra nazione non sarà mai più insultata. Siamo balzati in piedi».

Mao ha ridato, attraverso prove estenuanti, una dignità al suo popolo. «Quella che è la sua vera eredità», dice George Hatem, un medico di origine americana che lo ha seguito durante la Lunga Marcia «è la sensazione che i cinesi sanno adesso di essere padroni del proprio destino.»

E anche di qualche altro, aggiungo io, perché non si può dimenticare cosa, la Repubblica Popolare Comunista Cinese ha fatto al Tibet a partire dal 1950, dopo averlo prima invaso con l'esercito, poi ridotto a provincia. Sono un milione e duecentomila i tibetani morti dal giorno dell'occupazione, un quinto della popolazione. La terra dei seimila monasteri, templi ed edifici storici che esiste dal 127 a.C., una volta pacifico stato tra l'India e la Cina, è stata trasformata in una base missilistica, c'è chi dice con la presenza di cinquecentocinquanta testate nucleari e di cinquecentomila soldati.

Il 1° luglio 2006 è stata inaugurata la ferrovia più alta del mondo, attraversa il passo di Tangula a oltre cinquemila metri di altezza, congiunge le due capitali, Pechino con Lhasa, è lunga quattromilasessantaquattro chilometri che si percorrono in poco meno di quarantotto ore. Carrozze con vetri pressurizzati, sarà come viaggiare in aereo. Sul piano della costruzione civile sicuramente una grande opera, ma la ferrovia consentirà una seconda invasione: dopo quella dei militari, quella dei civili. Oggi i civili cinesi in Tibet sono duecentomila, solo nel primo anno si prevede l'arrivo a Lhasa di oltre un milione per diventare cinque o sei nei prossimi dieci anni. La cultura tibetana, già distrutta al 90%, rischia di sparire completamente. Saranno abbattuti edifici storici, verranno sventrate montagne per costruire le case per i nuovi abitanti.

I soliti Paesi occidentali, che dalla fine della Seconda guerra mondiale sono tante volte intervenuti a sostegno, secondo loro, dell'indipendenza e contro l'occupazione, di fronte alla totale negazione dei diritti internazionali da parte della Cina, per il Tibet si sono girati dall'altra parte. Ogni anno sono centinaia i bambini, tra i quattro e i tredici anni, che scappano in Nepal o in India, attraversando le montagne himalayane a seimila metri di altezza con la neve, per poter studiare. Quanti di loro si sono persi per sempre?

Se oggi il mondo sa ciò che accade nel Paese dell'Himalaya lo si deve a un uomo straordinario, Tenzin Gyatso, il quattordicesimo Dalai Lama, premio Nobel per la pace nel 1989, la cui motivazione recita: «Il Dalai Lama, nella sua lotta per la liberazione del Tibet, si è continuamente opposto all'uso della violenza. Ha appoggiato soluzioni pacifiche basate sulla tolleranza e sul reciproco rispetto con l'obiettivo di conservare l'eredità storica e culturale del suo popolo. È opinione del Comitato che il Dalai Lama abbia formulato proposte costruttive e lungimiranti per la soluzione dei conflitti internazionali, del problema dei diritti umani e dei problemi ambientali mondiali».

Il vero nome di «Sua Santità», come viene chiamato dai buddisti, è Lhamo Dhondrub e la sua investitura avvenne il 22 febbraio 1940, quando era ancora un bimbo di quattro anni e mezzo. Nell'occasione fu ribattezzato Jetsun Jamphel Ngawng Lobsang Yeshe Tenzin Gyatso, che significa: Signore Santo, Mite Splendore, Compassionevole, Difensore della Fede, Oceano di Saggezza. Oggi di anni ne ha settantuno.

Da quando nel 1959, dopo che a Lhasa ci fu la più grande manifestazione per l'indipendenza, repressa dall'esercito cinese (tra i tibetani si contarono ottantamila morti), il Dalai Lama è costretto a vivere in esilio in India. Abita in una piccola casa a Dharamsala, oggi conosciuta come la «piccola Lhasa», alzandosi tutte le mattine alle 4: «Sono un semplice monaco buddista, niente di più, niente di meno», racconta.

Nei primi anni dell'esilio si è più volte appellato alle Nazioni Unite per chiedere una risoluzione della questione tibetana. L'Assemblea Generale ha adottato tre risoluzioni, la prima nel 1959, poi nel '61 e l'ultima nel '65, dove si esortava la Cina a rispettare i diritti umani dei tibetani e la loro autodeterminazione. Tutto caduto nel vuoto.

Ho incontrato Tenzin Gyatso più di una volta. È un signore che ha la capacità di far star bene chi ha davanti. Nel suo volto mai un velo di tristezza. I suoi occhi sempre illuminati. Ha scritto: «Perseguire la felicità è lo scopo stesso della vita: è evidente. Che crediamo o no in questa o in quella religione, tutti noi, nella vita, cerchiamo qualcosa di meglio. Perciò penso che la direzione stessa dell'esistenza sia la felicità».

Prima dell'intervista ero tentato di parlare subito della sua resistenza nei confronti della Cina, ma siccome mi trovavo di fronte a uno dei più importanti leader spirituali del mondo, l'ho presa un po' alla larga.

«Secondo lei, di cosa ha maggiormente bisogno l'uomo?»

«Della pace interiore» mi ha risposto il Dalai Lama, senza esitazioni.

«Per questo il buddismo può essere di aiuto?»

«Innanzitutto, io credo che sia i credenti che i non credenti possono raggiungere la pace interiore. In ognuno si trova la "compassione" che è la parte essenziale dell'evoluzione spirituale. La "compassione" è uno stato mentale non violento, non aggressivo. È un atteggiamento dell'animo basato sul desiderio che gli altri siano liberi dalla sofferenza, e sul rispetto nei confronti del prossimo. Dobbiamo renderci conto di questo potenziale che si trova dentro di noi, e per svilupparlo non bisogna seguire una credenza religiosa in particolare. Tutte le religioni possono aiutare l'uomo. Faccio un esempio: i cristiani hanno fede nel Creatore, Dio è ovunque. Per tante persone questo significa che Dio è amore infinito. Nel buddismo, forse, ci sono più metodi per accrescere dentro di noi la "compassione", per evitare la rabbia e ridurre l'odio.»

«Questo vuol dire che la sua religione non è in competizione con quella cristiana, o mussulmana o altre.»

«È così. Io ho sempre creduto che la religione sia molto

relativa all'individuo. La mia posizione di credente è quella di mettere a disposizione per poi fare decidere alle persone. Se vogliono accettare dipende solo da loro. Oggi il lavoro missionario per propagare una religione credo sia antiquato. Il mondo è molto più piccolo e l'informazione può arrivare dappertutto. Quando vi sono più religioni che vogliono propagare, allora possono nascere dei contrasti. Tornando alla "compassione" dobbiamo renderci conto, in modo razionale, che tutti gli esseri, hanno il desiderio innato di essere felici e di sconfiggere la sofferenza. Se riconosciamo questa eguaglianza, potremo provare compassione indipendentemente dal fatto che consideriamo l'altro un amico o un nemico.»

«Lei crede nella non violenza. Questo, a suo parere, è sufficiente contro i regimi totalitari?»

«Io credo che la lotta per la libertà, usando metodi non violenti, si rivela, a distanza di tempo, molto, molto efficace. In questi anni è cresciuto l'interesse nei confronti del Tibet, soprattutto tra i pensatori, gli intellettuali e gli studenti. Vi è sempre più gente che dimostra simpatia per il popolo tibetano ed è fortemente critica nei confronti della politica cinese. Questo è un risultato.»

«Qual è l'obiettivo del suo impegno: l'autonomia, l'indipendenza o cos'altro?»

«Sì, l'autonomia. In tutti questi anni ho cercato di proporre una soluzione accettabile per entrambi. Non una separazione completa, non una indipendenza completa, ma un sano autogoverno. La difesa e la politica estera, lasciamo che sia la Cina a deciderle, visto che rappresentano le loro preoccupazioni principali. Ma l'educazione, la cultura devono essere lasciate a noi. Loro disprezzano la cultura e il patrimonio tibetano. Sta accadendo un vero e proprio genocidio nei confronti della nostra cultura, che è una delle più antiche del mondo e va conservata. Quello che io faccio non è sufficiente ed è per questo che mi rivolgo, in continuazione, alla comunità internazionale: "Per favore aiutateci a portare il governo cinese al tavolo delle trattative".»

NONO CAPITOLO

25 anni dalla strage di Bologna: il terrorismo protetto

Questo libro è pieno di «quello che non si doveva dire». Mentre con Loris lo stiamo scrivendo, abbiamo sostituito molti fatti con altri perché la sensazione è che, a distanza di tempo, non è che diventino meno importanti, ma vengono superati da altri eventi. Il 2 agosto del 2005, non fu data molta rilevanza ai venticinque anni dalla strage della stazione di Bologna: noi ne avremmo parlato, si sarebbero cercate persone da intervistare, sottolineando che si era trattato di una «strage fascista». E pensare che nella mia città alcuni esponenti di Alleanza nazionale hanno fatto più volte interpellanze in consiglio comunale per poter eliminare questa definizione.

Forse qualcuno non voleva che si ricordasse quel 2 agosto, forse quel periodo buio della nostra Italia che inizia da Portella della Ginestra, 1° maggio 1947, e si conclude a Milano in via Palestro, 27 luglio 1993, attraverso tredici stragi, centoquarantaquattro morti e seicentonovantotto feriti, va dimenticato.

Ho pensato alle vittime, alle famiglie colpite dal dolore, alla disperazione, alla vita spezzata di tanti bambini e alla paura che queste bombe hanno seminato tra la gente.

Poi le domande che tutti ci siamo posti: «Perché?», «Chi sono i mandanti?». La mancanza di risposte ha fatto crescere il dubbio sulla responsabilità degli apparati dello Stato, di governi e ministri che hanno insabbiato, che hanno nascosto, che forse hanno protetto. Noi avremmo raccontato.

Il 2 agosto del 1980 era un sabato, il primo sabato del mese. Il giorno precedente tutte le fabbriche avevano chiuso i battenti, iniziavano per la maggior parte degli italiani le vacanze.

A Bologna le strade erano semivuote, su tanti negozi era appeso il cartello: «Chiuso per ferie». La solita afosità di una città che d'inverno è troppo fredda e d'estate troppo calda e toglie il respiro. Per tante persone i problemi della vita quotidiana venivano messi da parte. A settembre si sarebbe di nuovo parlato dell'inflazione al 22%, della Fiat che era ricorsa alla cassa integrazione e dei tre sindacati che minacciavano un autunno di scioperi.

In quel periodo teneva banco sui giornali e nei bar lo scandalo del calcio scommesse dove erano coinvolti alcuni campioni molto amati come Savoldi, Albertosi e Paolino Rossi.

Erano soprattutto gli «anni di piombo» e il 1980 aveva visto una lunga scia di sangue che era iniziata da gennaio con l'omicidio del presidente della Regione Sicilia Piersanti Mattarella, un delitto di stampo mafioso anche se gli inquirenti non escludevano il movente politico. Mattarella era l'uomo del dialogo tra Dc e Pci. A Milano le Brigate rosse avevano massacrato tre poliziotti della Digos, mentre a Genova Prima Linea in un agguato aveva freddato il tenente colonnello dei carabinieri Emanuele Tuttobene e l'agente Antonio Cosu.

La violenza delle Br era inarrestabile: prima uccisero a Roma il vicepresidente del Consiglio superiore della magistratura Vittorio Bachelet, poi di nuovo a Milano Walter Tobagi giornalista del *Corriere della Sera,* mentre i Nar colpirono a morte il sostituto procuratore della Repubblica Mario Amato che stava indagando sull'eversione nera.

Il clima nel Paese era di terrore, ma, nonostante tutto, si intuiva che qualche cosa stava cambiando: il Parlamento aveva varato la legge sul «pentitismo», era stato arrestato Patrizio Peci, capo militare delle Br confluito in Prima Linea, che di fronte al generale Carlo Alberto Dalla Chiesa cominciò a raccontare, ed erano stati arrestati brigatisti importanti come Roberto Sandalo e Marco Donat Cattin, il figlio di Carlo, vicesegretario della Dc.

Il 27 giugno alle 20 e 45 scomparve dai radar, sopra Ustica, il DC9 partito da Bologna per Palermo con ottantuno persone a bordo. Si disse che l'aereo era stato colpito da un meteorite, poi si parlò di collisione, infine di un missile vagante. Nonostante le lunghissime indagini non è mai stato accertato con sicurezza cosa esattamente accadde grazie soprattutto ai depistaggi e alle censure militari. Oggi lo scheletro del DC9 è al «Museo della Memoria» a Bologna.

Torniamo ad allora. Il fatto era avvolto dal più profondo mistero. Questo «incidente» contribuì ad aumentare la tensione e convinse tanti a scegliere il treno come mezzo per andare in villeggiatura.

Quella mattina del 2 agosto di venticinque anni fa la stazione di Bologna era particolarmente gremita. Fuori, sul piazzale, un grande via vai di macchine che scaricavano famiglie e valigie, giovani con zaini stracolmi, baci e abbracci. All'interno la biglietteria aveva file lunghissime, le due sale d'aspetto erano piene di italiani e stranieri tutti con gli occhi puntati sugli arrivi o sulle partenze. Un gruppo di scout era quasi accampato in seconda classe.

Bologna è il principale nodo ferroviario del Nord Italia e per tutti quelli che vogliono fare una vacanza sull'Adriatico passaggio inevitabile.

Marco Bolognesi ha sei anni ed entra in stazione dando la mano alla nonna paterna, Bruna, e con loro ci sono anche gli altri nonni, Vincenzina e Umberto Zanetti. Il nonno Umberto era riuscito a trovare il parcheggio proprio di fronte alla stazione, per quel giorno un vero miracolo. Andavano ad aspettare i genitori di Marco, Paolo e Daniela, che arrivavano da Basilea. Daniela era stata operata e non poteva camminare ma nonno Umberto aveva organizzato tutto: i facchini con una carrozzella l'avrebbero trasportata alla macchina e poi tutti insieme in montagna. Era una giornata gioiosa in particolare per Marco perché la mamma aveva risolto i suoi problemi, l'intervento era perfettamente riuscito. Il treno con i genitori doveva arrivare al binario tre alle 10 e 40 ed era in forte ritardo. Giunto al primo binario, all'altezza del sottopassaggio, vicino alla sala d'attesa di seconda classe, il gruppetto si ferma perché si accorge che il treno che è davanti a loro va a Basilea e nonno Umberto fa notare la coincidenza al nipotino.

Il rumore in stazione è assordante. La voce della gente, le urla dei bambini, i treni che vanno e vengono, il fischio del capotreno e l'altoparlante che in continuazione annuncia, con la solita cantilena, il ritardo dei convogli.

Maria Fresu ha ventiquattro anni ed è insieme a due amiche, una è Verdiana Bidona di ventidue anni ed è con la figlia Angela di tre che non sta ferma un momento. Maria viene da un paese vicino a Firenze, Montespertoli, quella vacanza sul lago di Garda l'ha progettata da tanto tempo ed è in attesa della coincidenza per Verona.

Sonia Burri ha sette anni e ha fatto amicizia con Kai Mader, un anno in più, otto, che è danese e sta viaggiando con il fratello quattordicenne Eckerdt e la madre Margherete, mentre Luca Mauri di sei anni è tenuto per mano dai genitori Anna e Carlo ma vorrebbe giocare con Sonia e Kai.

L'unico luogo un po' fresco è il bar, stracolmo di gente, l'acqua e il caffè vanno per la maggiore: Euridia Bercianti è una bella donna di quarantanove anni, la conoscono tutti perché sta dietro al bancone a fare caffè e cappuccini da sempre e perfino in quei giorni di superlavoro ha il sorriso sulle labbra e mai una parola fuori posto, «anche se in stazione se ne vedono di tutti i colori», raccontava spesso.

Alle 10 e 25 una valigia lasciata nella sala d'aspetto di seconda classe, contenente circa venti chilogrammi di esplosivo militare gelatinato Coupound B, una miscela composta da nitroglicerina, nitrato, nitroglicol, solfato di bario, tritolo e T4 con temporizzatore chimico costruito in modo artigianale usato come innesco, esplode sbriciolando la sala d'aspetto, sfondando quella di prima classe, sventrando due vagoni del treno Ancona-Basilea come il bar ristorante. Una grande onda anomala di centinaia e centinaia di metri cubi di terra, travi, pensiline d'acciaio, rotaie, traversine, blocchi di cemento armato travolge bambini, donne, uomini, panini, bibite, carte da ufficio, sandali da mare, scarponi da montagna, riversandosi poi in più punti: verso la piazza della stazione, verso il primo binario, entrando nel sottopassaggio. In pochi secondi, 85 morti e 207 feriti di cui 70 con invalidità permanente.

I miei pensieri vanno a quel giorno, i ricordi sono chiarissimi e indelebili. Non sembrano trascorsi venticinque anni, è come se tutto fosse appena accaduto. Penso ai parenti delle vittime e ai sopravvissuti, a cosa si porteranno dietro per tutta la vita. I dubbi di quel giorno poi sono diventati certezze attraverso processi e condanne.

Torniamo a quel 2 agosto. Vado a riprendere i miei appunti di quel giorno.

La nuvola di polvere sottile ha invaso il piazzale, sul quale mi sono affacciato tante volte. Bastava la voce dell'altoparlante, con quell'inconfondibile accento, per farmi sentire che ero arrivato a casa. La telecamera scopre l'orologio, con le lancette ferme sui numeri romani: le 10 e 25. Un attimo, e molti destini si sono compiuti.

Ascolto le frasi che sembrano monotone, ma sono sgomente, del cronista della tv, costretto a raccontare qualcosa che si vede, a spiegare ragioni e motivi che non sa, e immagino la sua pena. Dice: «Tra le vittime c'è il corpo di una bambina».

Mi vengono in mente le pagine di una lettura giovanile, e un romanzo di Thornton Wilder, *Il ponte di San Louis Rey*: c'era una diligenza che passava su un viadotto, e qualcosa cedeva, precipitavano tutti nel fiume, e Wilder immaginava le loro storie, chi erano, che cosa furono.

Quell'atrio, quelle pensiline, il sottopassaggio, il caffè, le sale d'aspetto che odorano di segatura, e nei mesi invernali di bucce d'arancia, mi sono consuete da sempre. E poi la cassiera gentile, il ferroviere che ha la striscia azzurra sulla manica, quello che assegna i posti, e mentre si aspetta ti racconta le sue faccende, quelle del suocero tedesco che vuol bere e della moglie che dice di no, e la giornalista che scherza: «ma come fa a leggere tutta quella roba?».

Si mescolano i ricordi: le partenze dell'infanzia per le colonie marine dell'Adriatico, i primi distacchi, e c'erano anche le locomotive che sbuffavano, i viaggi verso Porretta, per andare dai nonni, e le gallerie si riempivano di faville, e bisognava chiudere i finestrini, e una mattina, incolonnato, mi avviai da quei binari al battaglione universitario, perché c'era la guerra.

Ritornano, con le mie, le vicende della stazione: quando, praticante al *Carlino*, passavo di notte al Commissariato per sapere che cos'era capitato, perché è come stare al Grand Hotel, ma molto, molto più vasto, gente che va, gente che viene, e qualcuno su quei marciapiedi ha vissuto la sua più forte avventura: incontri con l'amore, incontri con la morte.

Passavano i treni oscurati che portavano i prigionieri dall'Africa, che gambe magre avevano gli inglesi, scendevano le tradotte di Hitler che andavano a prendere posizione nelle coste del Sud, e conobbi una fräulein bionda in divisa da infermiera alla fontanella, riempiva borracce, ci mettemmo a parlare, chissà più come si chiamava, com'è andata a finire.

Venne l'8 settembre, e davanti all'ingresso della stazione, dove quel 2 agosto c'erano le autoambulanze, si piazzò un carro armato della Wehrmacht; catturavano i nostri soldati, e li portavano verso lo stadio.

Cominciarono le incursioni dei «liberators», per bombardare quei binari lucidi che univano ancora in qualche modo l'Italia, ma colpirono gli alberghi di fronte, qualche scambio, i palazzi attorno: le bombe caddero dappertutto, vidi una signora con gli occhialetti d'oro, immobile, composta, seduta su di un taxi, teneva accanto una bambola, pareva che dormisse, e l'autista aveva la testa abbandonata sul volante.

«Stazione di Bologna», dice una voce che sa di Lambrusco e di nebbia, di calure e di stoppie, di passione per la libertà e per la vita, quando un convoglio frena, quando un locomotore si avvia. Per i viaggiatori è un riferimento, per me un'emozione. Ecco perché mi pesa, a distanza di tanti anni, scrivere queste righe: non è vero che il mestiere ti libera dalla tristezza e dalla collera, in quell'edificio devastato dallo scoppio io ritrovo tanti capitoli dell'esistenza della mia famiglia.

«Stazione di Bologna»: quante trame sono cominciate e si sono chiuse sotto queste arcate di ferro. Ottantacinque i morti. Credere al destino; la prima ipotesi: una caldaia che esplode, un controllo che non funziona, una macchina che impazzisce, qualcuno che ha sbagliato, Dio che si vendica della nostra miseria?, e anche l'innocente paga. Anche quei ragazzi nati in Germania che erano passati di qui per una vacanza felice, e attesa, il premio ai buoni studi o al lavoro, una promessa mantenuta, un sogno poetico realizzato: «Kennst du das land, wo die zitronen bluhen?», lo conosci questo bellissimo e tremendo Paese dove fioriscono i limoni e gli aranci, i rapimenti e gli attentati, la cortesia e il delitto? Dovevano pagare anche loro? Forse era meglio vagheggiare quel viaggio nella fantasia.

Ci sono genitori che cercano i figli; dov'erano diretti? Perché si sono fermati qui? Da quanto tempo favoleggiavano questa trasferta?

E le signorine del telefono, già che cosa è successo alle ragazze dal grembiule nero che stavano dietro il banco dell'interurbana: chi era in servizio? Qualcuna aveva saltato il turno? Che cosa gioca il caso?

Poi la seconda ipotesi, che diventa realtà, quella di uno sconosciuto che abbandona una valigia, magari per celebrare un anniversario che ha un nome tetro, «Italicus», perché vuol dire strage e un tempo «Italicus» significava il duomo di Orvieto, le sirene dei mari siciliani, i pini di Roma, il sorriso delle donne, l'ospitalità, il gusto di vivere di un popolo.

All'inizio non mi parve possibile, perché, mi dissi, sarebbe scattato l'inizio di un incubo, la fine di un'illusione, perché fin lì, pensai, non sarebbero mai arrivati.

«Stazione di Bologna», come un appuntamento con la distruzione, non come una tappa per una vacanza felice, per un incontro atteso, per una ragione quotidiana: gli affari, i commerci, le visite, lo svago.

Come si fa ad ammazzare quelle turiste straniere, grosse e lentigginose, che vedono in ognuno di noi un discendente di Romeo, un cugino di Caruso, un eroe del melodramma e della leggenda, che si inebriano di cattivi moscati e di sole e di brutte canzoni?

Come si fa ad ammazzare quei compaesani piccoli e neri, che emigrano per il pane e si fermano per comperare un piatto di lasagne, che consumano seduti sulle borse di plastica?

Come si fa ad ammazzare quei bambini in sandali e in canottiera che aspettano impazienti, nella calura devastante, la Coca Cola e il panino e non sanno, non lo sa nessuno, che c'è un orologio che scandisce in quei minuti la loro sorte?

Vorrei vedere che cosa contengono quei portafogli abbandonati su un tavolo all'istituto di medicina legale: non tanto i soldi, di sicuro patenti, anche dei santini, una lettera ripiegata e consumata, delle fotografie di facce qualunque, di quelle che si vedono esposte nelle vetrine degli «studi» di provincia: facce anonime, facce umane, facce da tutti i giorni.

Dicono i versi di un vero poeta, nato da queste parti che si chiama Tonino Guerra: «A me la morte – mi fa morire di paura / perché morendo si lasciano toppe / cose che poi non si vedranno mai più: / gli amici, quelli della famiglia, i fiori / dei viali che hanno quell'odore / e tutta la gente che ho incontrato / anche una volta sola». Sono facce che testimoniano questa angoscia, ma nessuno ha potuto salvarle.

«Stazione di Bologna.» D'ora in poi non ascolteremo più l'annuncio con i sentimenti di una volta; evocava qualcosa di allegro e di epicureo, tetti rossi e mura antiche, civiltà dei libri, senso di giustizia, ironia, rispetto degli altri, ma sì, anche la tavola e il letto, il culto del Cielo e il culto per le buone cose della terra.

Ora, ha sapore di agguato e tritolo. Perché il mondo è cambiato e in peggio: i figli degli anarchici emiliani li battezzavano Fiero e Ordigno, quelli dei repubblicani Ellero e Mentana, quelli dei socialisti Oriente e Vindice, quelli dei fascisti Ardito e Dalmazia, ma gli insegnavano a discutere a mensa imbandita. Si picchiavano anche, si sparavano talvolta, ma il loro ideale era pulito e non contemplava l'agguato: Caino ed Erode non figuravano tra i loro maestri.

«Stazione di Bologna»: si può anche partire, per un viaggio senza ritorno.

Dopo le pagine della memoria, torniamo a oggi e a coloro che avremmo intervistato, anche per capire che cosa è successo in venticinque anni.

Paolo Bolognesi, padre di quel bambino che aspettava lui e la mamma da Basilea, dopo la morte di Torquato Secci il papà di Sergio, ventiquattro anni, che era in attesa della coincidenza per Bolzano, è dal 1996 il presidente dell'*Associazione tra i famigliari delle vittime della strage di Bologna 2 agosto 1980*. «Ricordo che il treno su cui viaggiavamo io e mia moglie fu bloccato a Reggio Emilia. Allora la gente aveva le radioline a transistor e fummo informati che a Bologna era successo un grande incidente ma senza particolari. Arrivammo in città con circa tre ore di ritardo alle 13 e 30 e non trovammo nessuno ad attenderci: militari dappertutto e una specie di cordone che ci obbligò a fare un percorso diverso dal solito. La prima informazione ce la diede il facchino che trasportò mia moglie al taxi: ci disse che l'odore era quello dell'esplosione di una bomba. La stessa tesi fu confermata dal taxista: «Parlano tanto di una caldaia ma qui è scoppiata una bomba». Arrivammo a casa e cominciammo a telefonare senza ricevere risposta. Eravamo disperati. Poco dopo una telefonata ci informò che mia madre e mio suocero erano ricoverati in rianimazione all'Istituto Rizzoli. Sentii da una radio privata che un bambino di nome Marco era ricoverato all'Ospedale Maggiore. Era lui, lo riconobbi da una voglia sulla pelle: era tutto nero, bruciato, aveva perso l'uso della vista e non riusciva a parlare, il trauma lo aveva bloccato, poteva solo dire il suo nome. I miei erano stati investiti dallo scoppio delle vetrate della sala d'aspetto e i detriti, la polvere, i vetri si erano conficcati in profondità; ancora oggi mia madre, Bruna, sente pungere da sotto la pelle ed è costretta ad andare in ospedale a farsi togliere un pezzo di vetro. L'unica che non ce l'ha fatta è stata mia suocera Vincenzina, dilaniata dall'esplosione.»

«Suo figlio negli anni ha subìto quattordici interventi, la vista in parte è stata recuperata, ma cosa è accaduto dentro?»

«Per mio suocero e mia madre, c'è voluto molto tempo, hanno imparato a convivere con quello che è accaduto, la vita continua. Marco invece ha subìto un trauma notevole dovuto all'abbandono, al fatto di essere rimasto solo e al buio e questo ha cambiato la sua vita. Lo ha aiutato molto l'arte: oggi fa il fotografo e usa gli occhi che sono stati fortemente colpiti. Io e mia moglie cercavamo di non parlare di quel giorno davanti a lui anche se si passava da un ospedale a un altro. Poi, l'anno dopo la strage, Marco mi disse che voleva andare a vedere la stazione. La stavano ricostruendo e lui mi portò in giro: "Papà io e i nonni siamo entrati da qui, poi siamo andati di là...". Mi ha spiegato tutto quello che aveva fatto fino al momento dello scoppio.

«Quando penso a quei giorni mi chiedo come ho fatto a resistere. La prima settimana fu tremenda, il dramma, il riconoscimento dei morti, il funerale, gli ospedali. Un film dell'orrore, con la differenza che tutto era vero. Poi dopo tre mesi passai davanti a un magazzino le cui vetrine erano in allestimento con dei manichini appoggiati a terra uno sull'altro: nel guardarli mi sono sentito male. In quei giorni ho vissuto tutto senza rendermene conto, dovevo andare avanti e non potevo fermarmi.»

«Chi vi ha aiutato?»

«Inizialmente il Comune di Bologna e *Il Resto del Carlino* con un fondo di solidarietà che ha permesso di affrontare tutte le prime spese, ospedali, alberghi, c'erano famigliari che venivano dall'estero. Poi i taxisti ci accompagnavano gratuitamente, non siamo mai stati soli. In quel momento anche una semplice parola, una pacca sulla spalla era importante.»

«Lo Stato cosa vi ha dato?»

«Questa è la nota dolente, dovrei rispondere: cosa sarebbe accaduto allo Stato senza la nostra Associazione? Ci siamo dovuti battere perché le vittime del terrorismo venissero considerate come vittime del dovere, come i poliziotti o i carabinieri o i soldati e solo verso la fine degli anni Ottanta fu fatta la legge che dava cento milioni per ogni vittima e ai feriti con almeno l'80% di invalidità. Poi, sempre sotto nostra insistenza, nel 1990 la legge fu estesa anche a chi aveva avuto il 25% di invalidità e la cifra fu portata a centocinquanta milioni. Infine, dopo i fatti di Nassjria tutto il Parlamento ha votato una legge che eleva a duecentocinquantamila euro l'indennità a tutte le vittime del dovere comprese quelle del terrorismo.

«In questi venticinque anni non c'è una famiglia che abbia avuto quello che volta per volta la legge determinava, si è dovuto discutere su tutto: domande rispedite al mittente, prefetture che non applicavano la legge, poi come per Maria Fresu, che era una ragazza madre, non volevano riconoscere l'indennità al padre, e ancora oggi, nel caso di famiglie interamente distrutte, siamo in attesa della risposta per l'indennità ai fratelli, e gli stranieri non sono stati presi in considerazione. Siamo di fronte all'imbecillità e alla disorganizzazione associate.»

«Quante volte si è chiesto il perché di quella strage?»

«È tutto contenuto negli atti processuali, lì ci sono tutte le risposte. In questi ultimi anni mi sono fatto spesso questa domanda: "Perché quando si parla della strage si fa riferimento soltanto a chi ha messo la bomba, a quei due giovani neofascisti, Mambro e Fioravanti?". Il nostro Paese sta dimenticando la P2, e l'idea di sconvolgere lo Stato con "il piano di rinascita democratica" di Licio Gelli condannato per calunnia con gli affiliati, ufficiali del Sisde, Musumeci e Belmonte.»

La strage di Bologna ha delle condanne definitive: Francesca Mambro e Valerio Fioravanti sono considerati gli esecutori materiali, quelli che hanno fisicamente messo la bomba, per intenderci. Loro si sono sempre dichiarati innocenti, anche quando la Cassazione, nel 1995, ha confermato la condanna all'ergastolo. Per la precisione, in totale Francesca Mambro ha sei ergastoli e ottantaquattro anni e otto mesi di reclusione per altri reati. Oggi la Mambro ha quarantacinque anni e gode di un regime di semilibertà e insieme a Valerio Fioravanti lavora a «Nessuno tocchi Caino», l'associazione che si batte contro la pena di morte nel mondo.

Qualche anno fa c'è stato un movimento, politicamente trasversale, comprendente anche intellettuali con in testa l'ex presidente della Repubblica Francesco Cossiga a sostegno della loro innocenza.

Ho intervistato Francesca Mambro nel 1985 per *Linea diretta,* e se avessi potuto realizzare lo Speciale per il venticinquesimo anniversario della strage, avrei riproposto quell'intervista.

Allora la presentai così: «Nel mondo sovversivo c'è una figura che diventa un caso emblematico. Ha ventiquattro anni e sulle spalle due ergastoli: Francesca Mambro. Era considerata la primula nera del terrorismo di estrema destra. Ha sposato Giusva Fioravanti, tristemente noto per essere uno dei capi delle squadre armate neofasciste». L'intervista andò in onda il giorno stesso del nostro incontro.

«Signora, come è entrata nella lotta armata?»

«All'inizio non è stata una scelta ben precisa. Diciamo che a Roma esistevano delle realtà di quartiere dove si poteva fare politica. A seconda poi delle amicizie che uno frequentava poteva diventare di destra o poteva andare a sinistra.»

«Lei ha incontrato quelli di destra?»

«Sì, diciamo che è stata una simpatia all'inizio e attraverso questa simpatia sono arrivata a maturare anche delle scelte. E forse verso un'età matura ho dato anche dei contorni politici a queste scelte. Però all'inizio è stata soprattutto autoaffermazione, voler decidere della propria vita.»

«Lei si sentiva il capo o la ragazza del capo?»

«Visti i miei coimputati, penso un capo.»

«Che cosa le piace o le piaceva di Mussolini?»

«Per quanto riguarda Mussolini e tutto il contorno che c'è stato, diciamo che oggi vedo la cosa come una della mia generazione, quindi come una cosa folcloristica, però tragicamente.»

«E sotto l'etichetta nazista come si sentirebbe?»

«Ridicola, secondo me assolutamente ridicola.»

«Lei ha sparato diverse volte e suo fratello Marino racconta che lei aveva addirittura paura della rivoltella di ordinanza di suo padre che credo fosse un funzionario di polizia. Dove ha trovato il coraggio di uccidere? Lei è accusata di aver sparato a un uomo che era per terra, che stava morendo. Gli ha dato il colpo di grazia?»

«Adesso non voglio difendermi...»

«Lei avrebbe diritto anche di difendersi.»

«No, non avrebbe senso. Resta il fatto che noi abbiamo fatto determinate scelte. Queste scelte prevedevano anche lo sparare, quindi il conflitto a fuoco. Atteggiamenti da sciacallo per quanto riguarda il mio percorso non ne ho avuti.»

«Quindi questo episodio non è avvenuto?»

«Quindi ho sparato, ho premuto il grilletto.»

«Su uno che era per terra?»

«Ripeto: pezzi di sciacallaggio non ne ho mai fatti.»

«Qual è l'accusa che le pesa di più? A suo carico ci sarebbero un paio di carabinieri, un agente di custodia, un capitano della Digos.»

«Guardi, queste accuse fanno parte del mio percorso e quindi non è che mi pesino. Diciamo che quella che trovo molto ridicola e molto idiota è l'accusa per la strage di Bologna. Nel senso che trovo idiota che dei magistrati insistano ad accusare sia me sia Fioravanti Valerio della strage di Bologna del 2 agosto. Lo trovo comodo, diciamo, comodo perché è facile accusare noi quando non si ha la capacità di guardare e capire quelle che sono le realtà di una strategia della tensione da dieci anni a questa parte.»

«Insomma con la strage lei non ha niente a che fare?»

«Respingo l'accusa, ma non mi devo difendere perché è talmente idiota, talmente assurda come accusa perché il nostro percorso dimostra chiaramente che noi non abbiamo mai colpito vigliaccamente. Noi siamo cresciuti con la pistola in mano, abbiamo affrontato la situazione per quella che era, non abbiamo messo bombe indiscriminate. Anzi per quanto riguarda il nostro percorso di banda non abbiamo mai fatto uso di esplosivi. E questo i magistrati lo sanno.»

«Come viveva nella clandestinità?»

«Innanzitutto per noi la cosa importante erano i rapporti interpersonali perché attraverso un buon rapporto personale, un'amicizia, uno può arrivare anche a rischiare la vita insieme. Se non si hanno sentimenti di questo tipo è difficile arrivare a vivere insieme in quel modo. Anche perché due anni di latitanza sono paragonabili a vent'anni di vita di un impiegato di banca. Abbiamo vissuto intensamente, questo è.»

«Ha mai avuto paura?»

«Sì, credo di sì, ho avuto paura. Ho avuto paura quando è rimasto ferito Valerio e mi sono trovata sola. Sola completamente perché non avevo intorno gente che potesse capire certe situazioni.»

«Cosa pensa dei pentiti rossi o neri che siano?»

«La cosa più tragica è che non riesco a capire come mai non ci siamo resi conto delle persone che ci vivevano accanto. La prima cosa che bisognerebbe fare parlando di pentiti è un po' di autocritica perché nel momento in cui una persona tradisce il fratello, tradisce l'amico, tradisce il compagno di lotta, allora secondo me la colpa è anche nostra. Perché non abbiamo capito chi c'era dietro quella maschera.»

«Lei non ha niente da rimproverarsi, di cui pentirsi?»

«L'unica cosa che ho da rimproverarmi è il fatto di non essermi interessata troppo a quella che era la realtà del mio ambiente.»

«Lei ha davanti l'ergastolo. Nella solitudine del carcere

non ha mai pensato alle vittime delle vostre azioni, delle vostre scelte?»

«Diciamo che l'ergastolo ce l'ho, non è quello il problema. Il problema è un altro. Spero di non farmi assimilare dalla galera, spero di non entrare in meccanismi della galera e di mantenere i miei equilibri.»

«E del passato?»

«Del passato ho il ricordo di quanto ero entusiasta, di quanto ho vissuto nel modo che credevo giusto.»

«E a Dio ha mai pensato? Trova la domanda molto ingenua?»

«Me lo sono chiesto ultimamente quando ho sentito di gente che in galera ha incontrato Dio e la Madonna. Volevo capire come ha fatto perché non ci riesco proprio.»

«Lei in carcere non ha incontrato niente, nessuno?»

«Ho incontrato delle bellissime persone che hanno capito quello che ero io in realtà, non la figura che la stampa e la magistratura mi avevano dipinto addosso. Mi hanno capito e accettato per quello che ero.»

«Chi è Francesca Mambro?»

«Sono una persona che ha vissuto nel modo che credeva più giusto.»

Forse ogni tanto è bene voltarsi indietro, cercare di capire le tracce lasciate dalla storia dentro la società, senza pretendere di dare giudizi. La televisione, in particolare il così detto servizio pubblico lo dovrebbe fare di più, ma quando lo fa, secondo me, parte da un approccio sbagliato, quello politico. *La notte della Repubblica*, autore il mio amico Sergio Zavoli, oggi senatore Zavoli, è ancora, a distanza di tanti anni, l'inchiesta meglio riuscita, una tappa fondamentale per capire gli anni del terrorismo.

Se avessi potuto avrei fatto anch'io la mia inchiesta, che sarebbe partita dalla fine: 2 marzo 2003 quando, sul treno Roma-Firenze, venne ucciso il sovrintendente capo della polizia ferroviaria Emanuele Petri durante un conflitto a fuoco con i brigatisti Mario Galesi e Nadia Desdemona Lioce. Per le Brigate rosse è l'inizio della fine.

Il commando del quale facevano parte tra gli altri anche

Roberto Morandi, Marco Mezzasalma, Cinzia Banelli, Diana Blefari Melazzi e Simone Boccaccini, aveva ucciso il 20 maggio 1999 il professor Massimo D'Antona, consulente del ministro del Lavoro Antonio Bassolino.

Roma, via Salaria ore 8 e 30 del mattino: Mario Galesi e Nadia Desdemona Lioce attendono D'Antona dentro un furgone, lo fermano e Galesi fa fuoco con una pistola automatica: nove colpi, quello di grazia al cuore.

Il loro ultimo omicidio, il 19 marzo 2002, è quello del professor Marco Biagi anche lui consulente del ministro del Lavoro e delle Politiche sociali Roberto Maroni, prima collaboratore di Bassolino e Tiziano Treu.

Ancora una volta lo scenario è quello della mia città.

In questo momento non ricordo chi ha detto questa frase, ma mi è rimasta impressa.

«Il sangue si secca molto presto entrando nella storia.» Forse è vero, rimangono delle date, il racconto di un fatto, un giudizio che poi il tempo approfondisce o muta.

Penso alla vittima, e penso a chi ha eseguito la «sentenza». È lui il protagonista.

Nei vecchi plotoni di esecuzione si caricava qualche fucile a salve perché nessuno dei soldati si sentisse responsabile di una morte. Anche alle Fosse Ardeatine quelli che spararono sui prigionieri erano in tanti, li avevano ubriacati di cognac, non sapevano nulla di quegli uomini con le mani legate dietro le spalle. E voglio credere, anche se so che non è così, che chi a Bologna ha obbedito agli ordini non sapesse nulla di quel mite professore dai capelli grigi; penso a una definizione del codice inglese che parla degli «imbecilli morali».

La responsabilità della morte di Marco Biagi va condivisa tra chi non ha voluto dargli la scorta, dopo che lui aveva più volte denunciato le minacce ricevute, anzi era stato considerato troppo insistente e forse anche un po' mitomane al punto che il ministro Scajola, dopo averlo definito «rompicoglioni», ha dovuto dimettersi dal governo Berlusconi.

Un tempo anche gli assassini politici «avevano un cuore». Recita un personaggio di Camus: «L'odio pesava su quelle anime come una sofferenza intollerabile». Ho conosciuto un partigiano che durante la Resistenza doveva attentare al persecutore Carità, alleato dei nazisti. Lo vide uscire con il nipotino per mano e non sparò.

A una finestra di via Valdonica, a Bologna, la signora Biagi aspettava il marito, con il cuore in sussulto: sapeva delle minacce che il professor Biagi aveva ricevuto. Sparano e pensano di ammazzare anche delle leggi e delle idee. Questa la loro opinione, la loro teoria.

È vero, è giusto: nessuno può essere processato per le sue opinioni. Ma ci siamo chiesti se senza le teorie razziste di Rosenberg, ci sarebbe stato Heinrich Himmler? Rosenberg non portava gli ebrei nelle camere a gas: si limitava a teorizzare lo sterminio.

Marco Biagi, origini montanare, vita e studi a Bologna: quante parole grosse e nobili sono state dette e sentite ma la cronaca le ha ormai consumate. In questa vicenda c'è una vittima, un insegnante di diritto che, ironia della sorte, è stato condannato senza alcun codice.

Ma ci sono anche degli sconfitti: quelli che lo hanno ucciso, che si sentono ancora più respinti e disprezzati.

Loro dicono che abbattono «le strutture del sistema», ma sul marciapiede, sotto il portico, rimane una chiazza rossa e una borsa di pelle abbandonata.

Lo sappiamo: ci si abitua a tutto, anche allo sgomento, al sospetto, al dubbio.

Si sa che ogni guerra vuole i suoi morti. E anche le parole si logorano e il cerimoniale si esaurisce.

La vedova Biagi non ha voluto i funerali di Stato. I sindacati deplorano e condannano, i partiti si associano, le autorità mandano corone, il telegiornale manda gli operatori: poi restano una donna e i suoi figli, e un vuoto che nulla potrà mai riempire.

Oggi i brigatisti sono stati condannati all'ergastolo per i tre omicidi, compreso quello dell'agente di polizia ferroviaria. Ancora una volta grazie a un pentimento, quello di Cinzia Banelli, la compagna So. Il suo è un lungo racconto dettagliato sin nei minimi particolari. A sparare a Massimo D'Antona e a Marco Biagi fu Mario Galesi. Ancora una volta un pentito è stato fondamentale per aiutare le indagini, ma soprattutto per riuscire a entrare nei meccanismi del terrorismo.

Nell'aprile del 1983 intervistai Patrizio Peci. Con lui ho parlato per due ore: il tempo dell'intervista. Non l'avevo incontrato prima e non ho interesse a rivederlo.

Patrizio Peci aveva trent'anni e aveva militato nelle Brigate rosse dal 1976. Quando lo presero, il 19 febbraio 1979, aveva la direzione della colonna di Torino. Le sue rivelazioni sulle Br hanno consentito l'arresto, da parte degli uomini del generale Dalla Chiesa, di una settantina di terroristi e la scoperta di decine di covi. Fu il brigatista che inferse il più duro colpo al partito armato e dopo tre anni di detenzione ottenne la libertà provvisoria. Peci fu accusato di otto omicidi e per quattro delitti ammise la propria responsabilità. Figlio di un capomastro che aveva fatto la Resistenza, Patrizio Peci è nato a Ripa di Transone, nell'entroterra ascolano; ha studiato all'istituto tecnico e poi ha fatto il cameriere e l'operaio. Entrò in clandestinità l'ultimo giorno del 1976.

Dopo il suo arresto e la decisione di collaborare, le Br, per vendicarsi, nel giugno del 1980 rapirono suo fratello Roberto.

Roberto Peci fu ucciso il 3 agosto 1980 alla periferia di Roma con otto colpi sparati a bruciapelo.

Patrizio mi raccontò che prima di diventare brigatista, tra il '74 e il '75, aveva aderito a Lotta continua: «Erano gli anni in cui cominciò a sentirsi il peso della repressione; vi erano stati arresti durante le manifestazioni antifasciste, quasi tutti i dirigenti di Lotta continua finirono in galera o erano latitanti. Proprio in quel periodo arrivarono le prime notizie sulle Br. C'era stato il sequestro del giudice Sossi e questa azione ci aveva molto colpito. Ci siamo dati un minimo di organizzazione, abbiamo cominciato a rubare un ciclostile, abbiamo fatto un pestaggio a un professore di estrema destra».

«Chi l'ha convinta a trasformarsi in un ribelle della società?»

«Onestamente devo dire nessuno. La maturazione è stata mia. Io ho scelto la mia strada.»

Patrizio Peci aveva una bella faccia, una scioltezza di linguaggio inconsueta, una tecnica di argomentazione collaudata forse da molte e lunghe ore di solitudine, nei covi e in prigione. Trovava sempre una sua morale per ogni caso; per lui era razionale e comprensibile uccidere qualche nemico per fare felice milioni di fratelli, e il pentimento viene quando la sconfitta è ineluttabile per evitare altri dolori. Le denunce dei compagni sono il male minore.

Non c'è persona che incontri che non lasci in te un segno, un attimo di abbandono e di confidenza, un gesto senza difesa, un discorso appassionato.

Ricordo l'umiliazione dell'avvocato Michele Sindona, perquisito dalla guardia carceraria, mentre stavo salutandolo: «Nascondo un cannone», mormorò.

Kappler, nel penitenziario di Gaeta, inventava giochi per bambini handicappati; mi raccontò che si era turbato, a Berlino, sulla Kurfürstendam, osservando due vecchi coniugi ebrei che camminavano a braccetto con la stella di David sul petto. Fu colpito dalla loro dignità.

Il gelido Robert Kennedy mi mostrò compiaciuto i disegnetti ingenui dei suoi tanti figli; il maresciallo Kesserling volle offrirmi un vermut italiano, che aveva preparato per usarmi un'attenzione.

Di Mitterrand ho in mente la supponenza; di Willy Brandt la sincerità: è uno dei pochi politici che hanno rispettato la parola data agli elettori, mantenne da Cancelliere le promesse fatte da sindaco.

Nel campionario delle mie interviste c'è gente di ogni genere, perché la cronaca non fa sottili distinzioni nella scelta dei suoi «eroi», tristi o virtuosi.

Ma ognuno si caratterizza per qualche accento o per un visibile turbamento: chi si compiace o si vergogna dei suoi peccati, chi si difende con l'intelligenza o anche con qualche spudoratezza.

Non ho visto Patrizio Peci smarrito, ma solo per un attimo imbarazzato: quando gli chiesi come avevano ucciso il mio amico Carlo Casalegno, vicedirettore de *La Stampa*.

«Casalegno si occupava di terrorismo e aveva scritto articoli piuttosto duri su di noi, per cui l'organizzazione aveva fatto un'indagine su di lui: dove abitava, quali erano le sue abitudini. Alla mattina usciva di casa più o meno alle 9 e 30 e rientrava alla notte tra l'1e 30 e le 2. Si preparò una scheda, poi una proposta di campagna e la mia colonna, che a quel tempo era a Torino, decise l'obiettivo da colpire.»

«Lei partecipò alla scelta di Casalegno?»

«Sì, però devo dire che inizialmente avevamo deciso di azzopparlo soltanto. Quando partì la campagna, quattro o cinque mesi dopo l'indagine, le altre colonne colpirono. A Roma furono azzoppati Emilio Rossi e qualcun altro, mentre noi non ci riuscimmo, perché, mentre eravamo appostati, Casalegno arrivò con la scorta. Così fummo costretti a rimandare. Poi morì in carcere, in Germania, Andreas Baader insieme ad altri compagni e Casalegno scrisse giudizi molto pesanti, così decidemmo per la sua morte.»

«Che cosa accadde?»

«A quel punto si formò un nucleo, anzi fu sostituito il nucleo precedente, che era un po' leggero anche militarmente, perché per uccidere una persona ci vuole la giusta determinazione, bisogna crederci. Uccidere è una cosa tremenda.»

«Lei ha ucciso?»

«Non ho mai sparato a nessuno, ho partecipato all'azione attivamente, ma non ho mai sparato per uccidere.»

«Avrebbe avuto la forza di farlo?»

«A essere onesti, forse sì, a quel tempo penso proprio di sì.»

«Lei che parte ebbe nell'omicidio?»

«Eravamo in quattro; sapevamo che lui arrivava in macchina e la posteggiava vicino a casa, poi entrava nel portone. C'era un problema; la zona era militarizzata perché c'era una banca vicina, con una guardia giurata e passavano spesso pattuglie. Avevamo deciso di colpirlo dentro il portone. Due di noi stavano dalla parte opposta della strada. Come lo videro arrivare attraversarono il viale ed entrarono praticamente insieme a Casalegno. Io facevo l'appoggio, avevo un mitra e avevo il compito di controllare la zona esterna al portone: chiunque fosse arrivato, avrei dovuto bloccarlo. Dei due che erano entrati, uno doveva sparare e l'altro aveva il compito di proteggerlo dal portinaio o da qualsiasi altro imprevisto. Spararono con una pistola munita di silenziatore. Non ci furono sorprese.»

Patrizio Peci con l'aspetto da studente per bene, e quei modi così controllati, non pare un manovratore di mitra, e non ha neppure la presenza o il fascino, o almeno durante l'intervista non lo avvertii, di uno che decide, comanda e guida. Anche se aveva ammesso di averne ordinato otto e solo a quattro aveva partecipato, oltre a quarantacinque episodi criminali. Tra gli omicidi in aggiunta a quello di Carlo Casalegno, quello del maresciallo in servizio alla questura di Torino, Rosario Berardi, avvenuto il 10 marzo 1978, nella città in cui, il giorno prima, era iniziato il processo al nucleo storico delle Br, alla sbarra anche Curcio e Franceschini.

«Amicizia, amore, solidarietà: che senso hanno per un brigatista?»

«Tantissimo.»

«Chi erano le donne che venivano con voi e dividevano la vostra sorte?»

«Erano donne normali. Un uomo che viveva in clandestinità poteva mettersi solo con una compagna brigatista, cioè non poteva aver rapporti sentimentali con una donna qualsiasi; i rapporti dovevano avvenire all'interno dell'organizzazione, ma tutto era subordinato al lavoro. Cambiavamo spesso di zona e quando eri spostato perdevi anche la ragazza. Ci si vedeva solo per ragioni di lavoro e quando c'era del tenero si cercava di abbinare le due cose. Il rapporto era prima di tutto politico e poi sentimentale. C'erano delle regole da rispettare, anche se ognuno di noi faceva le proprie scorrettezze. Un esempio: io avevo, a quel tempo, una ragazza che era abbastanza conosciuta da parte dei carabinieri e della polizia, per cui non potevo andare a casa sua, né lei poteva conoscere casa mia. Qualche volta ho corso dei rischi, la raggiungevo di nascosto trasgredendo alle regole.»

«Come è stato il vostro rapporto?»

«Occasionale. Eravamo tutti e due all'interno della stessa organizzazione. Inizialmente era solo un fatto di stima e di condivisione della stessa vita, poi il fatto di rischiare insieme di morire, fare le stesse cose, alla lunga ci si affeziona. A lei ero molto affezionato, tant'è vero che dopo che avevo deciso di collaborare, feci mettere a verbale una frase: "Non ho intenzione di denunciare una ragazza che è legata sentimentalmente a me". Feci di più. Quando, per la seconda volta, mio fratello venne a trovarmi in carcere, gli chiesi un favore: dopo avergli dato il numero di telefono della ragazza, gli dissi di spiegarle il perché della mia scelta. Da me non avrebbe mai avuto nulla da temere, ma c'erano altri che avevano fatto la mia stessa scelta.»

«La ragazza che cosa fece?»

«Scelse di consegnarsi. Prima andò a trovare mio fratello, mangiò, si lavò, si tagliò i capelli, e poi Roberto l'accompagnò alla stazione. Quando arrivò a Torino si consegnò dicendo che io ero un traditore. Denunciò mio fratello, dicendo che l'aveva minacciata e indubbiamente ha avuto un ruolo notevole nel suo sequestro.»

«La ragazza l'ha accusata di essere un infame.»

«Secondo me è un termine che si deve usare all'interno della malavita, oppure quando si tradisce un amico. Io non mi sento di aver tradito, io ho fatto una scelta, una scelta politica.»

«Non crede di aver tradito i suoi vecchi compagni?»

«Assolutamente no.»

«Lei li ha fatti andare in galera, sì o no?»

«Sì, li ho fatti andare in galera. Io sono entrato nelle Brigate rosse perché credevo a certe cose, e che, attuando una certa linea politica, si arrivasse a una società migliore. Poi non l'ho più creduto; mi sono reso conto che, man mano salivo all'interno dell'organizzazione e conoscevo bene come stavano le cose, questo non era il sistema giusto. Ho cominciato a chiedermi se era giusto fare ammazzare altra gente: quando ho ucciso l'ho fatto perché ci credevo, se no non l'avrei fatto. Non sono mai stato un sadico. Mi sono posto una serie di domande: adesso che cosa faccio?, rompo il vincolo della solidarietà? Denunciare gli altri ha voluto dire far smettere di uccidere.»

«D'accordo, ma lei deve rendersi conto che dal punto di vista di un brigatista finire in galera per la denuncia di un compagno può provocare un giudizio diverso.»

«Io ho pensato che la lotta armata era finita, non avevamo più possibilità di vittoria. Se non avessi fatto quello che ho fatto, non sarebbe finito tutto così in fretta.»

«Provava odio per quelli che considerava nemici? O era come sbrigare una pratica burocratica?»

«Non so se era proprio odio. Odio è brutto, però forse lo era. Voglio raccontare un'azione che abbiamo fatto. Premere il grilletto quando uno è convinto è facile. Bloccammo un certo Farina all'uscita dall'ascensore. Fu il mio primo contatto diretto con la vittima: dovevo mettergli un cartello poi sparargli alle gambe. Lui disse: "Mia figlia sta per scendere". Questo mi colpì particolarmente. Gli risposi: "Stai tranquillo, l'ascensore è bloccato, tua figlia non può arrivare immediatamente". Dovevamo aver fatto del rumore e si affacciò una signora del primo piano, io avevo la pistola in mano. Lui le disse: "Non si preoccupi, signora, tutto è a posto". Generalmente sparavamo quattro o cinque colpi, anche perché non volevamo solo ferire, ma fare del male. Dissi al compagno che doveva sparare: "Solo un colpo".»

«Ha mai avuto paura?»

«Certo, a volte la paura si confondeva con la paranoia, soprattutto quando accadevano degli imprevisti. Il problema era di trattenerla, bloccarla razionalmente per rimanere lucidi in ogni situazione. La paura più grossa l'ho avuta quando sparammo contro il blindato dei carabinieri e loro risposero al fuoco con raffiche di mitra, la situazione non era più controllabile. Anche quando si aspetta sotto casa qualcuno, per ore, travestiti con barba e baffi finti, la tensione è altissima. A volte mi capitava che, prima di entrare in azione, mi veniva da vomitare.»

«Cosa accadeva dopo un'azione?»

«Si saliva in macchina subito dopo aver sparato. Immediatamente ci cambiavamo l'abito e ci si divideva. Poi ci si incontrava dopo qualche giorno per capire se, da un punto di vista militare, c'erano stati degli errori.»

«Lei ha dei rimorsi?»

«Ne ho tanti, soprattutto per la gente che ho ucciso e per quello che è accaduto a mio fratello.»

«Per molti lei è stato il principale sterminatore delle Br: è vero o no?»

«Secondo me le Brigate rosse si sono scardinate da sole;

forse io ho dato la prima spallata, ma penso anche che se non ci fossi stato io, ci sarebbe stato qualcun altro. Le Br non esistevano più politicamente.»

«Dopo tutte queste esperienze, che idea ha della morte?»

«Tremenda.»

«E della vita?»

«Bellissima. Secondo me vale la pena di viverla fino in fondo.»

Nelle rivelazioni di Patrizio Peci al generale Dalla Chiesa non c'era la presenza di un «Grande Vecchio» come suggeritore delle Br, come qualche giornale scrisse. Rivelò, invece, che i brigatisti in giro per l'Italia erano tre-quattromila e tra i capi, Mario Moretti, godeva di maggior credito, era il più esperto. Moretti si batteva anche tra di loro e con qualche scorrettezza, raccontò Peci.

Moretti che con Renato Curcio, Margherita Cagol, Alberto Franceschini è stato uno dei fondatori delle Brigate rosse, entrò in clandestinità nell'autunno del 1970 e nel 1974, dopo l'arresto dei vertici delle Br, divenne il capo indiscusso fino al 1981 quando a sua volta fu preso. Nato nelle Marche, si trasferisce a Milano nel 1968, assunto come impiegato nella fabbrica Sit-Siemens, incontra sul luogo di lavoro Corrado Alunni, Giorgio Semeria, Paola Besuschio, Umberto Farioli, Giuliano Isa, Pierluigi Zuffada, insieme diventarono, durante le rivendicazioni contrattuali del '69, delegati di reparto e di fabbrica. Dopo questa esperienza crearono i Gruppi di studio con l'intento di unire tutte le lotte di fabbrica di quel periodo.

«Riempivamo un vuoto lasciato dalla moderazione dei sindacati ufficiali, avevamo un seguito pressoché totale. In quel periodo con Margherita Cagol e Renato Curcio costruimmo il Collettivo Politico Metropolitano.»

Mario Moretti, condannato a sei ergastoli, oggi è in semilibertà, lavora come coordinatore di un laboratorio d'informatica, è ricordato come il protagonista principale del sequestro del presidente della Democrazia cristiana Aldo Moro.

Era Moretti che lo interrogava durante i cinquantacinque giorni di prigionia, e fu Moretti a sparare il 9 maggio 1978.

«Uccidere un uomo è aberrante. Oggi lo so ma allora mi

sentivo in guerra.» Dichiara Moretti, anni dopo, in una intervista al settimanale *Oggi*, aggiungendo: «Noi abbiamo fallito ma chi ha vinto non è molto meglio di noi. I politici devono ancora raccontare molto».

Il 22 aprile 1978, papa Paolo VI, che di Moro era molto amico, rivolse un accorato appello pubblico ai brigatisti, in ginocchio, li supplicò di rendere lo statista alla sua famiglia e ai suoi affetti.

La condanna a morte fu annunciata dalle Br con un comunicato, il numero nove, che poi fu l'ultimo: «Per quanto riguarda la nostra proposta di scambio di prigionieri politici perché venisse sospesa la condanna e Aldo Moro venisse rilasciato, dobbiamo registrare il chiaro rifiuto della Dc. Concludiamo quindi la battaglia iniziata il 16 marzo, eseguendo la sentenza a cui Aldo Moro è stato condannato».

Chiesi a Peci se aveva saputo qualcosa sul comportamento di Moro durante la prigionia.

«Sì ho sentito dire che ha avuto un comportamento molto dignitoso, non ha ceduto su niente, è rimasto lucido fino in fondo.»

«Pensa che si sarebbe potuto salvare?»

«Indubbiamente»

«Facendo che cosa?»

«Lui personalmente si sarebbe potuto salvare se avesse parlato, risposto alle domande, se avesse creato delle contraddizioni all'interno dello Stato, e della Democrazia cristiana, in particolare.»

«Quando, secondo lei, Moro poteva essere salvato?»

«Fino a pochi giorni prima della sua morte. Sarebbe bastato la liberazione di un detenuto malato.»

Nel 1986 durante la prima puntata di *Spot*, rimandai in onda parte dell'intervista ma iniziai la trasmissione con un documento drammatico: le riprese della condanna a morte di Roberto Peci. Per quello che mi riguarda rimane una delle testimonianze più sconvolgenti che io conosca.

Dal cerimoniale alle domande, al travestimento del giudice, alla logica dell'interrogatorio. Chi lo interrogava era Stefano Petrella, arrestato nel 1982 e condannato all'ergastolo. Era presente anche il professor Giovanni Senzani, ideatore del sequestro, arrestato nel 1982 e condannato all'ergastolo.

Feci vedere la confessione di Roberto, il momento della condanna, le sue ultime parole prima di essere giustiziato.

Questa puntata di *Spot* fece molto discutere e fu duramente criticata da Antonietta Peci, la vedova di Roberto, che parlando a nome di tutta la famiglia, disse: «Se Biagi ha i suoi cadaveri eccellenti li usi pure tranquillamente, ma a noi deve lasciarci stare. Noi vogliamo vivere, vogliamo andare avanti senza che nessuno venga a sconvolgere ogni volta la nostra esistenza».

Mi accusò di aver fatto una cosa immorale. Io replicai alla accuse difendendo la scelta, pur rendendomi conto della grande tragedia che la famiglia di Roberto Peci aveva vissuto e capendo anche le pene e i turbamenti ogni volta che le vicende di Roberto e Patrizio tornano alla ribalta della cronaca. Ancora oggi penso che non sia stato immorale mandare in onda e rendere pubblici degli atti giudiziari che dimostrano la crudeltà delle Brigate rosse, invece mi pare immorale averne fatto parte. Soprattutto pensavo che trasmettere il servizio, in quel caso «un documento storico», di per sé fosse la più dura condanna del terrorismo.

Conseguenze: la dottoressa Anna Maria Abbate, giudice istruttore di Ascoli Piceno, fece sequestrare la puntata di *Spot* per la presenza di quelle scene riguardanti il processo delle Br a Roberto Peci.

La polemica divampò. I giornali si divisero chi a favore chi contro a quella mia scelta. Ci fu chi si chiese «se era stato lecito mandare in onda, in ogni casa d'Italia, lo spettacolo della degradazione, dell'umiliazione e della tortura fisica e morale, e dell'agonia di un uomo». Quello che allora risposi desidero ripeterlo utilizzando il presente perché ancora oggi mi chiedo: «È permesso fare vedere cataste di corpi scheletrici, spinti dai bulldozer verso le fosse comuni?». È quanto è accaduto ad Auschwitz. «È permesso fare vedere montagne di morti?» È quello che è accaduto con le guerre nell'ex Jugoslavia.

Tornando agli anni di piombo, perché nessuno si è ribellato nel vedere la foto in prima pagina di Aldo Moro, angosciato, con sullo sfondo la «stella» dei suoi carnefici?

Io credo che spesso c'è più indecenza, più volgarità e più violenza nelle parole che nelle immagini. Certamente la famiglia Peci meritava e merita rispetto, voglio solo ricordare che il diritto all'immagine vale per i protagonisti di avvenimenti che hanno interessato la collettività: i fotografi scattano la scarpa bucata di Adlai Stevenson che candidato alle presidenziali degli Stati Uniti nel 1956 contro Dwight D. Eisenhower, per quella foto perse una marea di voti. In casa Peci c'è Patrizio che aveva concesso varie interviste parlando della morte di Roberto, e aveva scritto anche un libro di memorie. Non avevo l'impressione che il riserbo fosse strettissimo.

Alberto Franceschini non si è mai pentito e nel 1983 si dichiarò dissociato. Fu arrestato nel 1974 e condannato a oltre sessant'anni di galera. A suo carico reati di banda armata, sequestro, oltraggio e rivolta carceraria, ma non reati di omicidio: dopo diciotto anni di detenzione, grazie ai benefici della legge, dal 1992 è libero.

Gli ho parlato quando era in carcere a Novara, mi raccontò la sua vicenda con una certa ironia. «Eravamo una sera all'osteria. Avevamo bevuto troppo. Abbiamo deciso di cambiare vita di colpo. Ricordo che mangiammo un risotto con tanto peperoncino perché a Renato Curcio piaceva molto.»

Spiegò: «Avevamo una nostra concezione del comunismo. Se la rivoluzione in Italia non c'era ancora stata, era perché ci sembravano traditi i princìpi fondamentali del marxismo e del leninismo: bisognava ritornare alle origini. Il filo rosso era stato interrotto. Bisognava portare l'attacco al cuore dello Stato. Se adesso ci penso, mi vedo come una specie di monaco guerriero. Più tardi ho capito che invece di amare un'idea dovevo amare le persone».

Mi raccontò di un giudice che era loro prigioniero e piangeva perché gli mancava la famiglia, ma anche tanti brigatisti se ne andavano perché non resistevano lontano da casa. Disse anche: «Si uccide sempre una persona perché è l'emblema di qualcosa».

Che cosa è stato il terrorismo? Che cosa ha cambiato e se ha cambiato qualche cosa nel nostro Paese?

Si può tracciare una mappa delle vittime per categorie. Il

prezzo più alto lo hanno pagato gli studenti: sessantacinque; al secondo posto i poliziotti; venti le casalinghe e gli operai; diciotto gli impiegati; dodici gli insegnanti; dieci i magistrati; cinque gli esponenti politici.

Il 1980 è stato l'anno più terribile: 125 morti e 236 feriti. La strage più dura, quella di Bologna. È il simbolo più atroce degli «anni di piombo».

E ancora altri treni, altre trappole, sequestri, rapimenti, condanne.

La sfida più ambiziosa e più sconvolgente: lo sterminio della scorta e il rapimento di Aldo Moro. Il comunicato delle Brigate rosse diceva: «Giovedì 16 marzo 1978 un nucleo armato delle Br ha catturato e rinchiuso in un carcere del popolo Aldo Moro».

Si è detto e scritto molto su quel fatto, un cosa è certa: l'Italia non è più stata quella di prima.

La fine degli anni di piombo è merito di un generale dei carabinieri, Carlo Alberto Dalla Chiesa, piemontese di Saluzzo, vicino a Cuneo, nato nel mio stesso anno 1920, io in agosto, lui in settembre. Proveniva da una famiglia di militari, ufficiale di fanteria durante la guerra, dopo l'8 settembre del '43 partigiano.

Il generale Dalla Chiesa si occupò di Brigate rosse sin dall'inizio del terrorismo, riuscì a catturare i capi storici, grazie alle informazioni fornite da un infiltrato Silvano Girotto, detto «Frate Mitra», Renato Curcio e Alberto Franceschini. Era l'8 settembre del 1974.

Qualche volta Carlo Alberto Dalla Chiesa veniva a trovarmi, nel mio ufficetto sopra la libreria Rizzoli. All'improvviso, in borghese, senza scorta. Girava anche attorno ai banchi, sceglieva qualche volume: per molto tempo, credo che la lettura fosse la sua più frequente compagnia. L'ho visto in diverse occasioni al ristorante, cenava da solo.

Alcune sere ci siamo incontrati in casa di Emanuela, la ragazza gentile che poi diventò sua moglie. Lei abitava a due passi da casa mia. Il generale arrivava e partiva in macchina. E si metteva alla guida. «Importante» mi spiegava «è che nessuno sappia dove vai, quando ti muovi. Sono sempre io che telefono, non gli altri che mi cercano.»

Credeva in quello che faceva, e sapeva giudicare i fatti e gli uomini. Era cresciuto con una certa educazione; quando tornò dalla guerra, non abbracciò il padre, generale, ma lo salutò mettendosi sull'attenti.

Era capace di sentimenti profondi. Possiedo un libretto che volle dedicare a Dora, la prima sposa, e c'è in quelle pagine lo slancio di un diciottenne che rievoca la donna amata e perduta. Anche quando parlava degli «avversari» era sempre pietoso: ne rispettava l'umanità.

Nel 1977 fu responsabile della sicurezza nelle carceri. Fece chiudere quelle che considerava una vergogna.

Aveva il culto dell'Arma, e pretendeva che i suoi carabinieri fossero anche belli.

Era legato alle esperienze della nostra generazione, e si sforzava di capire anche un mondo che non solo cambiava, ma stava precipitando.

Nel 1981 lo intervistai, i giornali scrissero che era la prima intervista che Dalla Chiesa avesse mai rilasciato, e fu trasmessa in due puntate il 7 e il 10 marzo da ventiquattro emittenti private di tutta Italia.

«Generale, chi è un terrorista?»

«Io vorrei azzardare una distinzione iniziale tra terrorista ed eversore. Terrorista può essere anche un caso isolato, un anarchico. Certamente non iscritto in un processo che abbia alle sue spalle un retroterra culturale e davanti una strategia da condurre in porto. L'eversore invece lo vedo inserito non solo in un retroterra estremamente ideologizzato, ma sta all'interno di una strategia che prevede la violenza.»

«Si può fare una specie di radiografia dei terroristi per vedere se si tratta di figli del sottoproletariato, di delusi del '68, dei rampolli delle borghesia o dei virgulti di una pseudocultura cattolica-marxista?»

«Se si dovesse fare quella radiografia che lei chiede, piccola o grande che sia, verrebbero a emergere più marcatamente delle ombre per quanto riguarda gli ultimi tre gruppi da lei indicati. Nel periodo in cui fui a capo di quel particolare organismo preposto, dal settembre '68 al dicembre 1979, alla lotta contro il terrorismo vennero arrestati centonovantasette eversori. Di questi, soltanto undici risultavano disoccupati. Oltre settanta erano docenti o studenti universitari. Poi c'erano trentatré operai, nove casalinghe, diciannove impiegati, cinque laureati. Insomma un'immagine dell'eversione forse un po' diversa da quella che normalmente uno si fa.»

«Il '68 è stato o no una fabbrica di terroristi? Sono molti quelli che provengono dal mondo universitario.»

«Ritengo che il '68 non sia stato né una fabbrica né l'unica motrice del terrorismo. È certo che molti docenti universitari provenivano dal '68, e negli anni successivi alcuni di loro hanno insegnato agli studenti, che accettavano tacitamente e in modo gerarchico, la guerriglia e a rubare. Questo accadeva nelle aule delle università. Quegli insegnanti istigavano alla violenza contro le istituzioni dello Stato.»

«La stampa ha delle responsabilità?»

«Penso di sì, senza voler fare il polemico a tutti i costi. Penso di sì da un punto di vista professionale. Nel senso che, così come un corteo è preceduto da un megafono altrimenti dietro non sentirebbero, altrettanto l'eversore, i gruppi eversivi si propongono di ottenere dalla stampa quella cassa di risonanza che, da soli, per la loro organizzazione logistica e strutturale, non riuscirebbero a ottenere sull'intero territorio del Paese.»

«Perché qualcuno si pente?»

«Ci sono le norme politico-legislative che hanno certamente contribuito molto a rendere più attuale il fenomeno del pentimento. Ma non dobbiamo dimenticare che sotto un profilo psicologico, tutto nacque con la confessione di Patrizio Peci. E ciò che più stupisce, ciò che più emerge nel pentito è il riaffiorare di valori che per tanto tempo sembravano compromessi, invece erano stati contenuti. Il rapporto con i pentiti è servito alle forze dell'ordine – e alla stessa giustizia – per prevenire molti omicidi, molti ferimenti, molte rapine. E questo, credo, debba essere valutato nella misura più esatta.»

«Lei pensa che Peci abbia parlato per una crisi di coscienza?»

«Una crisi di coscienza che lo ha visto di fronte a una valutazione, direi onesta, di quello che in quel momento era la disarticolazione che noi avevamo creato in seno all'organizzazione eversiva.»

«Lei crede che i brigatisti che confessano siano sinceri?»

«Io non ho motivi né ho avuto motivi per pensare diversamente.»

«Peci che impressione le ha fatto?»

«Peci mi ha impressionato sotto il profilo umano.»

«In che senso?»

«Per una progressione nella liberazione di qualche cosa che dentro premeva. Questa gente parte con un volantinaggio, una volta reclutata. Parte andando a rilevare le targhe di qualche auto. Parte perché gli viene ordinato di fare l'inchiesta nei confronti di una persona. Tutti comportamenti che non costituiscono reato, se non inquadrati in un'associazione. Ma quando a uno, a un certo momento, si richiede di fare l'autista per andare a compiere qualche cosa, e assiste a un omicidio è pronto per sparare. Alla seconda occasione lo deve fare. Insomma è un progredire e qualcuno, a un certo momento, può desiderare di liberarsi, di salvarsi, di espiare. Di salvare altre vite umane che potrebbero essere coinvolte.»

«Che differenza c'è tra terrorismo di destra e terrorismo di sinistra?»

«Per me nessuna differenza. Se c'è una differenza è in questo senso: mentre nel terrorismo di destra noi troviamo un retroterra culturale sbiadito, non assimilato con una pericolosità estemporanea e immediata, in quello di sinistra c'è la presenza, invece, di un filone ideologico, che viene coltivato, insegnato. In questo caso la violenza contro le istituzioni dello Stato è una vera strategia.»

«Lei crede che un terrorista pentito un giorno possa rientrare nella vita normalmente?»

«Io penso di sì. Soprattutto se lo Stato lo aiuta a dimenticare e a farsi dimenticare.»

«Quando racconterà la sua vita ai suoi nipotini, che cosa dirà?»

«Beh, ai bambini si raccontano le favole, le belle favole. E le racconterò anch'io ai miei nipotini. Ma se si riferisce alla mia vita, io penso che la mia vita non sia stata una favola. E se è, come è, una esperienza duramente vissuta, ambisco solo raccontarla ai giovani della mia Arma.»

Al generale Dalla Chiesa non è stata data questa possibilità. Fu nominato prefetto di Palermo, dopo che la mafia in aprile aveva assassinato Pio La Torre, il deputato comunista, che dette vita a una indimenticata stagione di lotta contro la mafia.

Dalla Chiesa era stato mandato in Sicilia per combattere Cosa Nostra senza poteri e senza uomini. Il 3 settembre 1982, dopo cento giorni, fu assassinato, in pieno centro, insieme alla moglie Emanuela Setti Carraro e all'agente della scorta Domenico Russo.

Poche settimane prima aveva detto a Giorgio Bocca, durante un'intervista: «Da quando sono qui nessuno mi telefona. Tutti mi scantonano. Mi hanno lasciato solo. Lo scriva, Bocca, e lo faccia sapere».

Hanno scritto che il momento più difficile della sua esistenza è stata la lotta al terrorismo. No: ha sofferto per la rivolta al carcere di Alessandria, quando gli furono addossate responsabilità che non erano sue, e quando lo accusarono di appartenere alla P2. Teneva soprattutto alla sua onorabilità.

DECIMO CAPITOLO
Beautiful Berlusconi

La mia è una veneranda età, anche perché la vita me lo ricorda tutti i giorni e chi legge deve portare pazienza se lo ripeto. Mi rendo conto che gli anni, i mesi, i giorni non si allungano con il trascorrere del tempo, ma diventano sempre più veloci.

Vedo i miei quattro nipoti, che per me sono ancora dei bimbi, è come se fossero nati ieri, e ricordo ogni momento della loro vita. Lucia, la più grande, si sta per laureare, Pietro è in età da militare, Marina e Rachele hanno iniziato l'anno della maturità. E io, con una certa rassegnazione, mi rendo conto che preferisco sempre più stare seduto in poltrona e qualche volta alla mattina telefono alla mia segretaria Pierangela per dirle che mi piace di più scrivere nel mio studio di casa e quindi non vado a bottega in Galleria.

Da un paio di anni, luglio e agosto sono per me mesi di vacanza, tiro giù la saracinesca: «Chiuso per ferie». Il pensiero, invece, viaggia alla stessa velocità di anni fa e ho ancora tante curiosità: prenderei, anche in questo momento, la mia troupe, un aereo e via fino all'altra parte del mondo per raccontare una storia nuova.

Ci pensa il mio caro amico medico Carlo Agnoletto a risvegliarmi dal sogno, a riportarmi alla realtà: bisogna fare il prelievo del sangue, un elettrocardiogramma e qualche volta è meglio un giorno in clinica per una messa a punto del motore.

Però, quando qualcuno mi fa notare che sono anziano, peggio, un «grande vecchio», mi girano i coglioni. È accaduto domenica 21 maggio 2006: stavo guardando il telegiornale quando, a un certo punto, è apparso Silvio Berlusconi, l'ex premier, che da Arcore, mentre tirava la volata al suo candidato sindaco, in una intervista faceva il mio nome e dichiarava: «È una vergogna che un giornale come il *Corriere della Sera* ospiti i rancori di un vecchio rancoroso che ce l'ha con me».

Ho aperto il giornale e sono andato a leggere l'articolo, intitolato *Il grande show della politica* che aveva suscitato per l'ennesima volta le ire del Cavaliere.

Avevo scritto: «Il dolore non risparmia nessuno: neppure Silvio Berlusconi. L'ho visto molto teso, con la pelle tirata più del solito e gli occhi a fessura. Al discorso di insediamento di Giorgio Napolitano alla presidenza della Repubblica, una fotografia ritrae il Cavaliere seduto, immobile, le mani congiunte, a testa china, con a lato in piedi Fini e Martino che civilmente applaudono. Devono avergli fatto un dispetto perché l'ordine era di stare composti come a un funerale. Ma la vera irritazione il leader di Forza Italia l'ha avuta perché Napolitano, nel suo intervento a Camere riunite, non lo ha citato nei saluti iniziali. Capisco che per il padrone di Mediaset, che si sente l'unto del Signore, un po' più alto di Napoleone, che entrava al Cremlino non sentendosi ospite ma lo zar, sia difficile rientrare nel ruolo del comprimario. Chissà che cosa avrà pensato mentre interveniva il "comunista" del Quirinale.

«Questa è la vera sconfitta di un uomo che ha fatto dell'anticomunismo una bandiera, soprattutto quando non aveva altro da dire. Sarebbe giusto non dimenticasse che se è riuscito a costruire un impero dal niente, creare tre reti televisive come quelle di Stato, è stato grazie all'amicizia di un politico, Bettino Craxi, che non si è mai seduto sui banchi della destra. Poi se Silvio Berlusconi ha potuto fondare un partito e addirittura diventare capo del governo, dovrebbe ringraziare quanti, soprattutto i comunisti, durante la Resistenza, hanno combattuto perché questo diventasse un Paese democratico. Ma va riconosciuto al Cavaliere uno straordinario senso dello spettacolo. Basta che si accendano i riflettori e il suo volto si distende. È successo il giorno in cui ha passato le consegne a Romano Prodi: davanti alle telecamere, eccolo di nuovo sorridente, pronto alla barzelletta, suonando un campanellino. Poi però le luci si sono spente».

Che programma sarebbe poter raccontare la storia di Silvio Berlusconi, a puntate, ci scommetto farebbe un successo superiore a quello degli anni Ottanta di *Dallas* o di *Beautiful* che sta andando in onda ininterrottamente dal 1987.

In queste pagine cercheremo di mettere insieme un po' di materiale per gli sceneggiatori.

La storia potrebbe partire dalla fine, quando, per la seconda volta, il Cavaliere lascia Palazzo Chigi dopo la sconfitta elettorale dell'aprile 2006, e decide di ritirarsi per un periodo nell'eremo che si è costruito su misura, per i momenti in cui ha bisogno di stare con se stesso, per decidere che cosa fare, e cosa sarà del suo futuro, al di là delle dichiarazioni ufficiali all'insegna del «boia chi molla».

Nel giro di pochi mesi tutto gli è crollato: tre sconfitte elettorali, i fidi compagni di viaggio che cominciano a metterlo in discussione come leader del centrodestra; il pm Ilda Boccassini che presenta in Cassazione un ricorso contro la sentenza del Tribunale di Milano che aveva assolto Berlusconi nel dicembre 2004 dall'accusa di corruzione in atti giudiziari e in parte dichiarato prescritto il reato a suo carico nella vicenda Sme; il ministro Gentiloni che sta lavorando alla riforma della «legge Gasparri»; il Milan che dalla «bufera calcio» si salva dalla serie B ma partirà con una penalizzazione di otto punti nel prossimo campionato e per poter fare la Champions League dovrà disputare i preliminari; Antonio Di Pietro che scopre che le grandi opere, di cui il Cavaliere si è sempre fatto vanto, non hanno la copertura finanziaria e, in alcuni casi, gli stessi soldi che dovevano servire per la costruzione di un'opera erano stati stanziati per più lavori. L'ultima notizia è che servono altri dodici miliardi di euro per portare a termine tutte le opere pubbliche già iniziate e per finire i cantieri arrivati a metà strada. Il ministro Padoa Schioppa, al primo colpo, si fa approvare dall'Unione europea la prossima manovra finanziaria, e poi il giudice dell'udienza preliminare di Milano, rinvia Berlusconi a giudizio per la compravendita dei diritti televisivi e cinematografici di società Usa, insieme a Fedele Confalonieri, all'avvocato inglese David Mills e ad altri undici imputati per reati che vanno dalla ricettazione e riciclaggio alla frode fiscale, dall'appropriazione indebita al falso in bilancio, mentre le posizioni dei figli, Marina, presidente di Fininvest, e Piersilvio, vicepresidente di Mediaset, messi sotto indagine nel 2004, sono state stralciate dall'inchiesta. Cuore di padre batte felice.

L'imprenditore brianzolo, fattosi dal nulla, che si era pagato gli studi esibendosi come cantante di piano bar sulle navi da crociera, aveva fondato la sua prima società, la Edilnord, nel 1963 per costruire Milano 2. Aveva ventisette anni, e aveva iniziato grazie a una fideiussione della banca Rasini di Milano, dove lavorava suo padre, e che secondo un rapporto della Criminalpol, era implicata nel riciclaggio di denaro proveniente dai traffici illeciti della mafia siciliana. Nel 1985, il banchiere piduista Michele Sindona, durante un'intervista al giornalista Nick Tosches, che gli chiedeva quali erano le banche usate dalla mafia, rispondeva: «In Sicilia, il Banco di Sicilia, a volte. A Milano una piccola banca, la Rasini, in piazza Mercanti».

Intanto Berlusconi, dando retta a un amico, si era iscritto nel 1978 alla Loggia massonica Propaganda 2 (P2) del gran maestro venerabile Licio Gelli, e riceveva, guarda che combinazione, da affiliati alla P2 che trafficavano nell'àmbito finanziario, crediti economici per le sue attività. Tra i «fratelli» c'erano Giovanni Cresti, direttore generale della banca del Monte dei Paschi di Siena, Gianfranco Graziadei, direttore generale della fiduciaria Servizio Italia spa.

Sta scritto nella relazione finale della Commissione parlamentare d'inchiesta presieduta da Tina Anselmi: «Alcuni imprenditori (Mario Genghini, Silvio Berlusconi, Giovanni Fabbri) trovano appoggi e finanziamenti al di là di ogni merito creditizio».

Per il Cavaliere era talmente casuale l'iscrizione alla P2, che di fronte al Tribunale di Verona, il 28 settembre 1988, dichiara: «Non ricordo la data esatta della mia iscrizione, ricordo che è di poco anteriore allo scandalo. Non ho mai pagato una quota, né mi è mai stata chiesta». Per questo Berlusconi fu dichiarato colpevole nel 1990 dalla Corte di Appello di Venezia per aver giurato il falso davanti ai giudici di Verona. Il reato fu amnistiato.

Il 10 marzo del 1994, a dimostrazione della sua memoria

corta, Silvio Berlusconi dimentica anche la condanna e dichiara: «Basta con questa storia della P2, l'ho già detto, ricevetti la tessera per posta e non pagai neppure la quota».

Quella volta fu smentito dallo stesso Licio Gelli: «Berlusconi ha fatto la normale iniziazione alla Loggia». Chissà com'era con il cappuccio.

Il nostro protagonista, lo immagino seduto sul trono in cima al monte, all'ombra dell'ulivo secolare, guardando il tre alberi ancorato nel porticciolo privato all'interno dell'insenatura del mare di Sardegna, viene preso da un momento di angoscia, di paura, la paura di essere lasciato solo. Questo non può succedere. Lui ha bisogno di essere amato, di sentirsi desiderato. Il mondo non può fare a meno di lui. È in piedi, lo sguardo rivolto al cielo, non sta implorando, questo non lo ha mai fatto. Lui che in un sondaggio fra i giovani, di qualche anno fa, era il più amato battendo sia Arnold Schwarzenegger sia Gesù Cristo.

Una domanda gli frulla per la testa: «Dove ho sbagliato?».

Il magnate dell'impero televisivo ed editoriale che ha costruito, consapevolmente, il suo potere politico sul controllo del sistema radiotelevisivo, negando il pluralismo e il diritto all'informazione conferma quanto ha scritto Enrique Baron Crespo, quando era presidente del gruppo Pse al Parlamento europeo: «Ormai gran parte dei messaggi e dei modelli culturali passa attraverso la comunicazione, visiva in particolare, che costituisce anche un sistema economico forte e incurante delle frontiere statali, che produce profitti e che reclama potere». Berlusconi lo sa bene: è stato proprio grazie al suo impero mediatico che nel maggio 2001 è riuscito a prendere la rivincita tornando da trionfatore a Palazzo Chigi, con la speranza, ma che nel suo intimo era più che una convinzione, di rimanerci per tutto il resto dei suoi giorni.

Quei giorni sono ormai lontani, i riflettori su di lui si sono spenti, anche quelli che credeva amici, George, Vladimir e Tony si sono complimentati con il suo successore Prodi e oggi si comportano con il nuovo presidente del Consiglio come si comportavano con lui.

Il Cavaliere dovrà di nuovo avere a che fare con la giustizia, se invitato a comparire non potrà più nascondersi dietro la scusa «sto lavorando per il Paese e non posso perdere tempo», oppure andando in Tribunale e pretendendo che i giudici non gli formulino una sola domanda. Questo rafforza il suo convincimento di essere un perseguitato dalla giustizia e in particolare da alcuni giudici milanesi, quelli considerati toghe rosse, che hanno come obiettivo non la verità ma la sua eliminazione dalla scena politica.

C'è un magistrato, un'affascinante donna dai capelli rossi, che fu amica di Giovanni Falcone, la quale dopo gli attentati di Capaci e di via D'Amelio andò in Sicilia e fece arrestare gli esecutori materiali delle due stragi: Ilda Boccassini. Una donna tenace, che non si ferma di fronte a nulla, che ha un unico obiettivo, quello di far trionfare la giustizia, come aveva fatto a Palermo il giudice Falcone nel maxi processo contro la mafia. La pm milanese è diventata ormai l'incubo nelle notti del Cavaliere, fa parte dei suoi sogni. E il risveglio è sempre molto agitato.

In flashback, potrebbe partire la storia del nostro «eroe» che, appena nominato presidente del Consiglio, con l'aiuto dei suoi avvocati, portati con sé in Parlamento, decide di fare approvare una serie di leggi per mettere fine ai problemi personali: giustizia, Guardia di finanza, il rischio che una sua televisione vada sul satellite, il conflitto di interessi ecc., per dormire, finalmente, sonni tranquilli. Lo fa in un tempo molto breve, in media dai tre ai quattro mesi per approvazione di una legge. Qualche giornalista «maligno» o «rancoroso» ha scritto che questa rapidità coincideva sempre con «un'urgenza processuale» sua o dei suoi «soci». L'opposizione, impotente, denuncia questo suo comportamento, cerca di fare ostruzione presentando migliaia di emendamenti, ma lui ha fretta e per fare prima, il più delle volte, chiede il voto di fiducia alla coalizione. L'opposizione definisce quelle leggi *ad personam*.

Rogatorie internazionali: il 3 ottobre 2001, Berlusconi fa approvare il disegno di legge che ratifica la convenzione di cooperazione giudiziaria tra Italia e Svizzera, disciplinando la procedura delle rogatorie internazionali, cioè lo strumento che consente a un giudice di chiedere a un collega straniero di fare atti processuali anche al di fuori della sua giurisdizione. Nel passaggio al Senato la legge subisce due modifiche rilevanti: si può applicare ai processi in corso e annulla le rogatorie macchiate da visti formali come la mancanza di un timbro o di un numero di registro.

Conseguenza: diventano inutili per il processo Sme-Ariosto, le dichiarazioni sui movimenti nei conti correnti esteri fatte da Previti, dal giudice Squillante e dal responsabile Mediaset che aveva dato disposizione di effettuare i pagamenti.

Falso in bilancio: aprile 2002. La legge depenalizza il reato trasformandolo da «reato di pericolo», con pene previste fino a cinque anni di reclusione e una prescrizione di quindici anni, a «reato di danno», se non lo si reca a terzi, e la pena prevista è l'arresto fino a un anno e sei mesi. Prescrizione massima sette anni e mezzo.

Il magistrato Piercamillo Davigo ha così commentato: «Sarebbe come pretendere che il furto divenga perseguibile a querela del ladro». Grazie a questa legge, il 26 settembre 2005, i giudici di Milano hanno assolto Silvio Berlusconi nel processo *All Iberian*, dove era imputato per falsità contabili, per mille miliardi di lire, nei bilanci Fininvest tra il 1989 e il 1995.

In America chi giura il falso rischia venti anni di carcere e una multa fino a cinque milioni di dollari.

Legge Cirami: definitivamente approvata il 5 novembre 2002, permette all'imputato di chiedere il cambio del magistrato giudicante in caso di «legittimo sospetto» che non sia imparziale. A pronunciarsi è la Corte di Cassazione se constata che il giudice non garantisce l'imparzialità, e quindi trasferisce il processo in un'altra città, dove deve ricominciare da capo.

Lodo Maccanico-Schifani: approvato il 19 giugno 2003, stabilisce la non processabilità delle cinque più alte cariche dello Stato durante il loro mandato; la licenza di dire, sostenere qualunque cosa per un parlamentare senza che un cittadino possa difendersi querelando. La Consulta è intervenuta giudicando la legge incompatibile con l'articolo 3 della Costituzione.

Legge Gasparri: aprile 2004, ridisegna il sistema radiotelevisivo italiano. È una legge che nega il principio pluralistico nel settore della radiotelevisione, conferma il duopolio Rai-Mediaset, aumenta la concentrazione pubblicitaria a favore di quest'ultima e di fatto sposta il potere sulla Rai dal Parlamento al ministero dell'Economia, cioè al governo, visto che è il ministro che propone due consiglieri di amministrazione, tra cui il presidente.

La legge, approvata al Senato il 3 dicembre 2003, ha un iter molto travagliato: il 15 dicembre viene rimandata alle Camere dal presidente della Repubblica Ciampi.

Nel suo messaggio il capo dello Stato fa riferimento al fatto che la legge non tiene in considerazione la sentenza della Corte Costituzionale del 20 novembre 2002 che sentenzia: «a uno stesso soggetto o soggetti controllati o collegati non possono essere rilasciate né concessioni né autorizzazioni che consentano di irradiare più del venti per cento delle reti televisive, che comunque non oltrepassi il 31 dicembre 2003, entro il quale i programmi trasmessi dalle emittenti eccedenti tali limiti, devono essere mandati in onda esclusivamente via satellite o via cavo». Quello che sarebbe dovuto accadere a Rete 4.

In merito, il presidente ha fatto riferimento a un'altra sentenza della Corte Costituzionale del 20 dicembre del 1994, che stabilisce il limite di due concessioni su canali terrestri e quindi doveva ritenersi illegittima la titolarità di tre concessioni.

In sostanza, attraverso i poteri conferiti alla presidenza della Repubblica, l'intervento di Ciampi è una «denuncia» che la «legge Gasparri» rappresenta la negazione del pluralismo e del diritto all'informazione e la concentrazione di media e pubblicità a favore di un soggetto unico: l'impresa del presidente del Consiglio. Nel luglio 2006 sulla legge interviene il Commissario alla Concorrenza dell'Unione europea con una lettera, inviata al governo Prodi, di messa in mora dell'Italia, perché le norme della «Gasparri» avvantaggiano il duopolio Rai e Mediaset discriminando altri «attori» presenti sul mercato.

Legge sul Conflitto di interessi: promessa nei primi cento giorni, è stata in realtà approvata dopo tre anni. L'Autorità Antitrust dovrà vigilare sugli atti del premier e dei ministri perché in essi non si configuri un conflitto di interessi. È prevista l'incompatibilità tra cariche di governo e la gestione delle imprese ma non la proprietà. Esempio: Silvio Berlusconi può fare il premier mentre Fedele Confalonieri, presidente di Mediaset, no.

Ex Cirielli: approvata il 29 novembre 2005, la legge accorcia i tempi di prescrizione per molti reati. Nella versione definitiva le norme non saranno applicate ai processi già avviati e ai processi già pendenti in grado di appello o davanti alla Corte di Cassazione, grazie a un emendamento presentato dall'Udc di Follini.

La legge, in un primo tempo, era stata soprannominata «salva Previti». Durante il dibattimento l'ex ministro della Difesa è intervenuto e dopo aver, con ironia, ringraziato i centristi, ha dichiarato: «Questa legge cercava di dare certezza alla pena e ai tempi di prescrizione dei reati, ma poiché avrebbe potuto riguardare anche me, per l'opposizione si è trasformata nella peggiore delle leggi possibili».

Legge Pecorella: presentata da Gaetano Pecorella, parlamentare di Forza Italia e avvocato di Berlusconi, riguarda la riforma dell'appello che prevede l'inappellabilità delle sentenze di assoluzione. Approvata il 12 gennaio 2006, viene giudicata, in alcuni punti, incostituzionale dal presidente della Repubblica che la rimanda alle Camere. Nel mese di febbraio la legge è stata modificata, ma non variata nella sua essenza. Il primo presidente della Cassazione, Nicola Marvulli, ha dichiarato: «Sono sbigottito. Una simile iniziativa legislativa distrugge la funzione assegnata alla Suprema Corte».

Quelle che sto scrivendo non sono novità, ormai fanno parte della nostra vita. Speriamo che il governo Prodi vi ponga rimedio: certo metterle tutte in fila, una dopo l'altra, fa un certo effetto.

Si potrebbe immaginare, sempre pensando a un'ipotetica sceneggiatura, quello che la cronaca non ci ha mai raccontato. Ad esempio, i discorsi durante le cene che Berlusconi ha offerto ai suoi «soci» Bossi, Fini e Casini, perché per poter realizzare tutti gli *ad personam* avrà pur dovuto trovare un accordo, avrà concesso, in cambio, qualche cosa, anche perché i «soci» poi, a loro volta, dovevano convincere i loro partiti, che non sempre erano d'accordo. Infatti, alcuni articoli delle leggi hanno subìto modifiche, qualche volta il voto segreto ha portato la maggioranza alla sconfitta, per colpa dei «franchi tiratori» all'interno della Casa delle Libertà.

I patti fatti con Bossi sono stati chiari sin dall'inizio: la devoluzione, la riforma costituzionale, che poi il Referendum ha cancellato, ma a Casini e a Fini il Cavaliere cosa ha promesso? Anche perché l'immagine politica dei leader di Alleanza nazionale e Udc si è molto appannata, se non indebolita, proprio a causa del loro appiattimento su Forza Italia.

Quando si vince tutto va bene, ma quando si perde e non si riescono a mantenere le promesse, allora la musica cambia. Infatti stanno venendo a galla tutti gli attriti e si capisce che solo la forza del potere ha tenuto unita la coalizione. Oggi Gianfranco Fini fa capire che la Cdl deve essere riformata, mentre Pier Ferdinando Casini sta cercando di prendere le distanze dal Cavaliere. Il centrodestra è diviso in due, da una parte Forza Italia e Lega, e dall'altra An e Udc. Ma la discussione vera è sulla posizione di Silvio Berlusconi e sulla sua leadership: quanto durerà ancora?

Che *Beautiful* sarebbe poter trasformare tutto questo in un programma tv: sono convinto che riusciremmo a trovare persone, inaspettate, disposte a raccontare.

Non so se con Loris tornerò mai a fare la televisione, ma una cosa è certa: questa trasmissione non me la faranno fare mai.

Ma torniamo da dove abbiamo cominciato questo capitolo. La domenica successiva, 28 maggio, sulla prima pagina del *Corriere della Sera* ho ritenuto opportuno rispondere al magnate della televisione che per l'ennesima volta aveva tentato di portarmi via il lavoro: «Una volta tanto sono costretto a dare ragione al Cavaliere Silvio Berlusconi, che qualche lettore ricorderà come ex presidente del Consiglio. In un comizio, il leader dell'opposizione, ha detto, riferendosi alla mia rubrica su queste colonne, che sono vecchio e rancoroso. Ho ottantasei anni, quattro nipoti, chissà che non ce la faccia a diventare bisnonno, e non mi sono mai vergognato dei capelli bianchi. Questo per dire a un giovanotto settantenne che l'età non è una colpa e si può convivere con una faccia con le rughe.

«Per quanto riguarda il "rancoroso", invece non sono d'accordo: l'aggettivo non è appropriato e vorrei rassicurare l'onorevole Berlusconi. Non gli porto rancore per la cacciata dalla Rai, figuriamoci, piuttosto ho criticato il suo governo perché convinto che portasse allo sfascio il mio Paese, perché non potevo sopportare le leggi *ad personam* e le bugie per far credere agli italiani di vivere nel paese delle meraviglie. E poi, come fa a dare del rancoroso a me lui, un uomo che non è capace di accettare la sconfitta, che ha esasperato il clima politico tanto che un suo alleato è riuscito a offendere Rosy Bindi nel modo che nemmeno all'osteria del mio villaggio potevano immaginare?

«Ancora: può un ex capo di governo strizzare l'occhio alle signore dichiarando che adesso avrà più tempo per loro? E come giudicare non il comizio ma l'arringa a *Porta a Porta*, peraltro senza contraddittorio? Infine l'incitamento a scendere in piazza: "Attenzione a tirare troppo la corda", ha detto il capo di Forza Italia a Napoli. "Se questa gente che sto conoscendo perde la pazienza e scende in piazza, peggio per loro." Vede, Cavaliere, anche su questo non siamo d'accordo: conosco il mio Paese e so che è più maturo di quanto lei pensa, so che rispetta la democrazia e mi auguro che oggi glielo dimostri ancora una volta nelle urne. Senza rancore».

E così è accaduto. Anche dal referendum Berlusconi è uscito sonoramente sconfitto.

UNDICESIMO CAPITOLO

Nel nostro Paese sotto il coperchio lo stesso brodo: il calcio, il re...

Un po' di cronaca. Il 15 maggio 2006 si è insediato al Quirinale il nuovo presidente della Repubblica, Giorgio Napolitano, che si è definito il presidente del dialogo.

Nel suo primo discorso ha detto: «Non sarò, in alcun momento, il presidente solo della maggioranza che mi ha eletto. Avrò attenzione e rispetto per tutti voi, per tutte le posizioni ideali e politiche che esprimete. Dedicherò senza risparmiare le mie energie all'interesse generale. Senza distinzioni di parte». Aggiungendo un invito a ritrovare lo spirito dell'Assemblea costituente, «il senso della missione nazionale comune che fu più forte, allora, di pur legittimi contrasti ideologici e politici».

Credo che Napolitano farà bene, e il suo appello all'unità è un messaggio importante che la classe politica non può non ascoltare, per poter portare l'Italia fuori dalla crisi che la sta attanagliando.

Il mio pensiero però va a Carlo Azeglio Ciampi che prima che il centrosinistra facesse il nome di Napolitano, aveva detto no al secondo settennato. Aveva detto no a quelli che lo stavano tirando per la giacca e a chi ha tentato di strumentalizzarlo.

Tutti i giornali hanno titolato «Il grande rifiuto di Ciampi».

L'ex presidente aveva solo confermato quello già detto parecchio tempo prima. Fino all'ultimo, una lezione di stile.

Nel suo momento di maggior popolarità, Ciampi, in quanti al suo posto si sarebbero comportati così?, ha detto: «La Repubblica non è una monarchia». Poi, con grande sincerità, ha confidato di aver paura di non possedere l'energia, vista l'età avanzata, per affrontare questo compito.

Se avessimo avuto la nostra trasmissione, mi sarebbe piaciuto poterlo intervistare dopo la prima notte in cui lui e la signora Franca hanno dormito nel loro vecchio letto, nella loro vecchia casa.

A Carlo Azeglio Ciampi dobbiamo essere tutti grati perché ha tenuto alto il nome dell'Italia quando altri andavano in giro per il mondo a dare del «kapò» a qualcuno o a raccontare barzellette o, peggio ancora, a fare le corna. Nei suoi sette anni, ho avuto l'onore di chiacchierare ogni tanto con lui e mi sono permesso di consigliargli di tenere un diario. Penso che sarebbe una lettura appassionante e servirebbe a capire meglio questi ultimi tempi.

Io gli sono grato per tante cose, ma in particolare per aver difeso la Costituzione, di fronte agli assalti costanti del governo capitanato da Silvio Berlusconi. Per sei volte ha rimandato alle Camere una legge, già approvata, perché ritenuta anticostituzionale, come la riforma dell'ordinamento giudiziario proposta dall'ex ministro alla Giustizia, il leghista Roberto Castelli.

Gli sono grato infine per aver appoggiato le mani sulla bara, avvolta nella nostra bandiera, di uno dei giovani carabinieri morti a Nassjiria in quell'inutile guerra che si consuma in Iraq. Un gesto che ha rappresentato tutto il Paese.

Non molto tempo fa, Ciampi disse: «Il 1945 è un anno davvero denso di ricordi per quelli della mia generazione, è l'anno del ritorno di tutta l'Italia alla libertà, alla democrazia, l'anno in cui risorse una stampa libera e una radio libera. Il 25 aprile segnò la fine della guerra e la riunificazione della Patria». Il presidente era davanti a una platea di giornalisti e aggiunse: «Forse per voi non è facile comprendere appieno quel che volle dire la rinata libertà di stampa, non soltanto per i giornalisti, ma per tutti noi, per tutta la società. In quelle giornate, in quei giornali e nelle trasmissioni radio di quel tempo, ha le sue radici la vostra libertà. Non lo dimenticate mai».

Infine, a livello personale, gli sono grato per aver scoperto a Gaggio Montano, un paese delle mie parti, sull'Appennino tosco-emiliano, una lapide in memoria del capitano Toni, Toni Giuriolo, partigiano, medaglia d'oro al valor militare, comandante di una Brigata Matteotti.

Carlo Azeglio Ciampi venne nominato presidente, il decimo dall'inizio della Repubblica, il 13 maggio 1999. Poco tempo prima, quando era ministro del Tesoro e del Bilancio e già si parlava di lui come probabile inquilino del Colle, in un'intervista per *Il Fatto*, mi disse: «Io ho avuto molto, tanto, dal mio Paese e dai miei concittadini. Sono stato tredici anni, anzi quattordici, governatore della Banca d'Italia, un anno presidente del Consiglio, sono tre anni che faccio il ministro e ho avuto la soddisfazione di veder realizzato quello che era un sogno, politico più che economico, con la nostra entrata in Europa e la circolazione della moneta unica. Cosa posso chiedere di più? Ho avuto già abbastanza, mi accontento, mi creda».

In quell'incontro parlammo di tante cose, anche della disaffezione degli italiani per la politica. Questo il suo commento: «La colpa è di tutti quanti noi, che non siamo evidentemente capaci di proporre valori, di proporre obiettivi in cui gli italiani si sentano impegnati. Chi governa deve avere la capacità di individuare i bisogni, di dare dei traguardi verso i quali i cittadini si sentano stimolati e di avere poi la forza e la determinazione di raggiungerli».

Riflessioni, nonostante il tempo passato, di grande attualità. Romano Prodi ne dovrebbe fare tesoro. Cosa che non ha fatto il suo predecessore, Silvio Berlusconi, che, non solo ci ha lasciato una pessima eredità economica, ma come ultimo provvedimento, a firma della signora Moratti, oggi sindaco di Milano, allora ministro dell'Istruzione e della Ricerca, ha bloccato il finanziamento per il ritorno dei nostri ricercatori dall'estero. Il Paese ne fu informato grazie alla denuncia pubblica fatta dal professor Umberto Veronesi.

La mancanza di valori, l'individualità sempre protagonista rispetto al comune agire, l'egoismo sfrenato e, soprattutto, l'assenza di speranza, possono essere alcune delle ragioni che hanno portato la corruzione e il degrado nella nostra società.

Le notizie che riguardano l'estate 2006 sono molte e ogni volta che in Italia si scopre una pentola non si trova mai del brodo buono.

È vero che ogni periodo ha il suo scandalo, si diceva una volta, oggi invece gli scandali eccedono.

Ma cominciamo con ordine: scoperchiamo la prima pentola, partiamo dallo scandalo del calcio dove una «cupola» decideva e sei personaggi erano in grado di condizionare le partite del campionato di Serie A: Luciano Moggi, direttore generale della Juventus, Antonio Giraudo, amministratore delegato anche lui del club torinese, i due designatori arbitrali Paolo Bergamo e Pierluigi Pairetto, il vicepresidente della Federcalcio Innocenzo Mazzini e l'arbitro internazionale Massimo De Santis. Inizialmente gli indagati sono quarantuno, poi la giustizia sportiva ne assolve cinque, tutti arbitri, e invece di diciassette, come richiesto dall'accusa, ne radia solo tre: Moggi, Giraudo e Mazzini, mentre sulle quattro società coinvolte il tribunale sportivo in appello ha deciso che la Juventus viene relegata alla Serie B con diciassette punti di penalizzazione, la Fiorentina rimane in A con diciannove punti di penalizzazione, la Lazio in A con undici punti, anche il Milan rimane in Serie A con una penalizzazione di otto punti. Gli scudetti annullati sono due: quello del campionato 2004-2005 tolto alla Juventus e quello 2005-2006, vinto sempre dalla Juventus, assegnato poi all'Inter.

Certo qualcuno ha pensato che dopo il trionfo dell'Italia in Germania, una bella amnistia e via, invece no, la risposta sta nei nomi delle tre persone a cui è stato affidato il compito di ripulire questo marciume che ha colpito il calcio italiano: Guido Rossi commissario della Federcalcio, Francesco Saverio Borrelli capo delle indagini della Figc e Cesare Ruperto, presidente emerito della Corte Costituzionale a capo della Giustizia Sportiva. Morale: chi ha sbagliato paga. Anche se poi la sentenza di appello, contenendo le condanne alle società decretate dal presidente Ruperto, qualche dubbio lo ha sollevato.

Ma la Procura di Napoli, dove è cominciata l'indagine, non si ferma. Le partite dubbie, su cui indaga ancora, sono diverse. Mentre sto scrivendo si parla anche di una quinta società sospettata: la Reggina, che potrebbe rischiare una penalizzazione nel prossimo campionato o addirittura la Serie B.

Lo scopo principale degli illeciti è la speculazione, il guadagno a tutti i costi, non ha importanza in che modo. Ma al di là del business, quello che Moggi e compagnia hanno fatto non è grave solo di fronte alla Giustizia sportiva, ma è un'offesa agli sportivi, un pessimo esempio per i ragazzi che frequentano le società dilettantistiche: si è contaminato l'ambiente e rovinata l'immagine del gioco più popolare. Certamente il tifoso continuerà a fare il tifo per la propria squadra, alla domenica andrà lo stesso allo stadio, ma con il dubbio in caso di sconfitta: è stato tutto regolare?

È vero che non bisogna però stupirsi più di tanto perché questi «affari» stanno andando avanti dagli anni Settanta, dal «calcio scommesse» passando attraverso Tangentopoli che poi è finita come è finita. La maggior parte dei responsabili è tornata in pista e quelli che non lo hanno fatto è perché o si sono ritirati o perché sono morti.

Ho letto qualche tempo fa, durante il Mondiale di Calcio, che il segretario generale dell'Onu ha dichiarato di provare «invidia» per l'evento che riesce a catalizzare l'attenzione di milioni e milioni di persone. Vero, ma affidare certi sentimenti al pallone è una resa, perché dovrebbero unirci le idee e non un pallone che entra in rete. L'uomo ha bisogno di credere in qualcosa e il calcio è comunque espressione di appartenenza.

Io tengo per la squadra della mia città, il Bologna. Da un po' di tempo i sogni di gloria si sono allontanati e in più risulta dalle intercettazioni telefoniche che, nell'affare «Calciopoli», ha subìto una grande ingiustizia: lo scorso anno è stata fatta retrocedere per salvare qualche altra squadra.

Bulagna, me at voj ben (Bologna io ti voglio bene); era il titolo di una vecchia commedia, ed esprime benissimo il sentimento di noi esuli che ormai da tanti anni lavoriamo lontano e che estendiamo il concetto dell'affetto per le due Torri alla squadra che rappresenta la nostra città.

Mi è sempre piaciuto guardare la partita non solo del Bologna, ma anche delle altre squadre. Ci fu un periodo, ero appena arrivato a Milano, che quasi tutte le domeniche andavo allo stadio e non importava se giocava l'Inter o il Milan. Oggi guardo le partite alla tv e continuerò a farlo a prescindere da quali squadre faranno parte del campionato di Serie A. Devo dire che in questi ultimi anni quelle più interessanti non sono state le solite blasonate, ma il Chievo, il Palermo e il Livorno. Non vorrei essere considerato un abusivo anche perché non sono un tecnico e non intendo discutere di come schierare la squadra in campo, anzi devo dire che ho seguito con qualche irritazione le recenti telecronache, perché erano inzeppate da considerazioni specialistiche che rendevano faticoso l'ascolto. Non mi interessa se la punizione è tirata di punta o di collo, mi appassiona se finisce in rete.

È un po' come ascoltare un concerto, con uno che ti soffia nelle orecchie: attento adesso entrano i tromboni, preparati a un assolo di violino.

Il calcio è bello, più che per le geometrie, per l'imprevedibile: del torero prima si ammira il coraggio, poi la sapienza. E soprattutto mi interessa vedere in gol i miei rossoblu. Confesso la mia faziosità. Per questo ho sperato, purtroppo inutilmente, che la Giustizia sportiva fosse «giusta» anche per il Bologna riportandolo da dove è stato estromesso: in Serie A. Così anche noi bolognesi, dopo le umiliazioni, potevamo tornare a sognare, ed è legittimo qualche abbandono alla retorica, con le citazioni di Schiavio, di Monzeglio, di Bulgarelli, di Haller, di Pascutti, con la rievocazione dell'ultimo scudetto guadagnato agli ordini del dottor Bernardini quando, con la consueta moderazione emiliana, dalle gradinate dello stadio di via Andrea Costa si proclamava: «Così si gioca solo in paradiso».

Anche per noi c'è stata la gloria. Bisogna andare molto indietro nel tempo, io ero un ragazzino quando il Bologna faceva scuola in Europa, e si batteva con le grandi del football danubiano: parlo del Rapid di Vienna, o del Ferencvaros di Budapest.

Per entrare allo stadio, al *Littoriale*, allora si chiamava così, dovevo ogni domenica andare a cercarmi un padre che mi facesse passare i cancelli: perché era concesso l'ingresso gratuito ai bambini accompagnati dai genitori.

Sono cresciuto con il culto di Angelo Schiavio, il centravanti che realizzò la rete del due a uno durante i tempi supplementari nella finalissima con la Cecoslovacchia e l'Italia divenne Campione del Mondo nel 1934, e andavo alla Cassa di Risparmio per vedere il portiere Gianni, soprannominato «Gatto Magico» perché tra i pali volava, che durante la settimana se la spassava da diligente impiegato sbrigando pratiche agli sportelli.

Ho anche cominciato questo mestiere scrivendo per il *Carlino Sera* rapide e superficialissime cronache degli incontri minori, quelli che si giocavano sul campo dello *Sterlino*, ma non credo proprio di aver posseduto le doti del bravo cronista.

Tra i miei precedenti, c'è una breve sosta nel Consiglio del Bologna Football Club: il mio amico Renato Zambonelli mi regalò duecentomila lire di azioni e io, che non ho mai avuto una carica neppure nel condominio, mi inebriai per quella promozione, che mi permetteva l'accesso, il sabato sera, allo Chalet delle Rose a Sasso Marconi, dove l'allenatore Bruno Pesaola raccoglieva gli invincibili atleti per un pensoso ritiro.

Me ne sono andato quando mi sono accorto che, anche se avevo pochi suggerimenti da dare, non c'era proprio nessuno disposto ad ascoltarli. E siccome sono convinto che non c'è nulla di peggio che recitare la parte del fesso per conto terzi, ho preso congedo.

Nella seconda pentola abbiamo trovato di tutto: sesso, bugie, videopoker, tangenti, corruzione e un giro, che coinvolge anche la tv di Stato, di puttanieri che promettendo carriere facili a vallette o aspiranti tali, ricevevano in cambio prestazioni molto particolari, da casino del Bronx. Nelle intercettazioni, più che piccanti molto volgari, si è scoperto che c'è chi usava la propria trasmissione per fare un «un vestitino su misura» a un importante leader politico, ma ci fa anche capire che quel politico o quei politici che, attraverso il loro portavoce, trattavano con *Porta a Porta* la qualità della confezione, hanno paura di affrontare un confronto normale con altri politici o soprattutto con certi giornalisti, che non ho mai visto seduti sulle poltrone della trasmissione di RaiUno.

A proposito di giornalisti, nel pentolone ci sono anche quelli che, convinti di fare il bene del Paese, usano il mestiere per fare invece gli spioni, come il vicedirettore di *Libero*, Renato Farina, nome in codice *Betulla*, che dal 1999, per sua ammissione, confessa ai pm di Milano di lavorare per il Sismi, prima missione la Serbia, e di aver ricevuto, in due anni, trentamila euro per rimborso spese, perché non poteva addebitare al giornale i costi del suo doppio lavoro.

Credo che, non solo la magistratura, ma anche l'Ordine dei giornalisti, per quello che vale, dovrebbe intervenire. Ho sempre pensato che per fare James Bond, occorra avere anche una certa prestanza fisica, invece, guardando l'agente *Betulla* mi sembra più adatto a un'indagine segreta sulle tagliatelle e sul cotechino. Sia chiaro, non sono qui a dare giudizi morali, scrivo quello che la cronaca ha riportato, ma di Farina voglio ricordare quello che scrisse su Enzo Baldoni a proposito del suo sequestro in Iraq: «Gli esperti dell'intelligence atlantica hanno molti dubbi su tutta la vicenda. Il volto del prigioniero non rivela contrazioni inevitabili per chi si trova sull'orlo dell'abisso. Non appaiono intorno all'italiano uomini armati o mascherati. Potrebbe essere una recita». Mi auguro, per la sua coscienza, che abbia chiesto scusa alla vedova e ai figli.

Se l'estate del 2005 era stata calda e ci eravamo appassionati alla lettura delle intercettazioni telefoniche del governatore Antonio Fazio e della sua signora, nei mesi estivi del 2006 ci hanno ancor più appassionato i resoconti degli interrogatori di Sua Altezza Reale Vittorio Emanuele di Savoia e le chiacchierate che intercorrevano tra il principe e i suoi compagni in affari. Che l'erede di Umberto fosse diverso, che so, da Juan di Borbone e perfino da Carlo d'Inghilterra, lo si è sempre saputo. E non importa ricordare la tragica vicenda dell'isola di Cavallo quando il nobiluomo sparò un colpo di fucile e il risultato fu un ragazzo tedesco gravemente ferito, Dirk Hammer, che morì quattro mesi dopo all'ospedale di Heidelberg. E ancora poco importa se, in età giovanile, il pretendente al trono d'Italia più che studiare da re si interessasse alle Ferrari, allo sci e alle notti nei night in compagnia delle più belle fanciulle ginevrine. Certo, dal rientro sul suolo patrio, non è che Vic, come lo chiamavano le sorelle quando ancora gli rivolgevano la parola, si sia distinto, come dire, per impegni più o meno istituzionali. Più che altro l'abbiamo visto frequentare ristoranti, feste, cocktail, ricevimenti, e alla compagnia dei nobili o politici romani sembrava preferire quella dei manager di stelle e stelline. Insomma, un'immagine più da rotocalco rosa che da Gotha.

Da qui a immaginare che, quel bimbo dai riccioli biondi, tanto simile ai parenti belgi della mamma Maria Josè, impettito davanti al fotografo negli ultimi giorni nei giardini del Quirinale, l'avremmo visto entrare nel carcere di Potenza, poi agli arresti domiciliari con l'accusa di associazione a delinquere finalizzata alla corruzione riferita a un «mercato» di nulla osta per videogame e apparecchi elettronici utilizzati per il gioco d'azzardo, al falso e allo sfruttamento della prostituzione, infine, rimesso in libertà dal Tribunale del Riesame ma con l'obbligo di non espatriare, il passo è lungo.

Il 20 giugno, Vittorio Emanuele si è presentato davanti ai magistrati in camicia bianca con lo stemma sabaudo e i pantaloni del gessato blu che portava la notte del suo arresto, dichiarando: «Ma cosa vuole dottore che mi mettessi a fare l'intermediario per ventimila euro? Argent de poche, suvvia...». Poi ha aggiunto «È vero che ho preso i soldi, anche tanti, ma sempre a fine di beneficenza».

In questi anni avrei tentato di intervistarlo almeno due volte. La prima il 15 marzo 2003 quando dopo cinquantasette anni la famiglia reale tornava sul territorio italiano, per una visita a Napoli, e la seconda quando il figlio di Umberto II è uscito dal carcere di Potenza per andare a Roma agli arresti domiciliari. So bene che sarebbe stata un'intervista complicata da realizzare perché il magistrato di sorveglianza difficilmente ci avrebbe dato il permesso, comunque ci avremmo provato.

In ogni modo non sarebbe stato un primo incontro. Ho conosciuto tempo fa, televisivamente parlando, Vittorio Emanuele e allora i giornali scrissero che il principe cercò di smentire la fama di «antipatico cretino».

Lo raggiunsi a Vesenaz, un villaggio sul lago di Ginevra abitato da gente facoltosa, dove si conoscono tutti. La sua villa è protetta da una muraglia e da un cancello che si apre soltanto per i visitatori graditi. La costruzione è fastosa: c'è la sala cinematografica, la palestra, la piscina con una parete di vetro che si apre automaticamente, una grande abbondanza di soffice moquette, molti quadri e sculture moderne firmati da Arnaldo Pomodoro e Lucio Fontana, per intenderci.

Il personale di servizio è composto da due cameriere, un

giardiniere e una governante: ma le abitudini dei signori sono assai semplici. Il pasto è quasi sempre formato da un piatto unico, secondo la comune usanza svizzera, e si beve vino bianco della tenuta di Merlinge.

Il mancato re d'Italia è un uomo d'affari sempre impegnato nei suoi business. Negli anni Settanta vendeva armi alla Persia, che non era ancora l'Iran teocratica e khomeinista; e dello Scià Reza Pahlevi era amico di famiglia tanto da vendergli gli elicotteri da guerra del conte Corrado Agusta.

Ci furono due inchieste della magistratura, che però non arrivarono a nulla, perché c'era il sospetto che le armi, gli elicotteri e le munizioni finissero in Giordania, in Sudafrica, a Singapore, in Malesia e ai palestinesi. È certo invece che l'erede di casa Savoia aveva un posto nell'elenco della P2 di Licio Gelli, tessera numero 1621, insieme a Berlusconi, Calvi e Ortolani.

Grazie alla massoneria ha conosciuto banchieri, imprenditori e persone legate a importanti uomini politici, tra cui l'architetto Silvano Larini, detto il «postino delle tangenti» amico di Bettino Craxi e dello stesso Berlusconi. Con Larini, con il quale divide la passione per la vela, si mise in affari per far diventare l'isola di Cavallo, vicino alla Corsica, un posto esclusivo per aristocratici e personaggi della «Milano bene».

Gli piace praticare sport, pilota l'aereo, possiede un paio di belle vetture, ma il fattaccio accaduto all'isola di Cavallo gli ha sconvolto l'esistenza.

Quando lo intervistai era tornato di grande attualità perché si pensava di concedere, per la prima volta, agli ex regnanti la facoltà di rientrare in Italia, in quanto nessuno li considerava una minaccia per la Repubblica, che già allora aveva ben altri e più seri problemi.

Invece dovettero passare diversi anni ancora.

Mi pare che l'ultimo principe di Napoli abbia risposto con sincerità alle mie domande anche se non è semplice parlare di una famiglia dove tutto è determinato dai ruoli.

«Quando ha lasciato l'Italia aveva nove anni: ricorda il giorno della partenza, si rendeva conto che era accaduto qualcosa di irreparabile?»

«Sì e no. Sul momento per noialtri, che eravamo bambini,

era l'emozione di salire sul *Duca degli Abruzzi*, su una nave militare.»

«Non vi hanno spiegato che cambiava qualcosa nel vostro destino?»

«Sì, ma ci hanno detto che il viaggio sarebbe stato corto: che saremmo andati e poi ritornati.»

«La vostra infanzia e la vostra giovinezza sono state felici?»

«Sì.»

«Ma sua moglie ha detto che invece non furono periodi particolarmente lieti e che questo ha influito sul suo carattere, su tante cose: è così?»

«Eravamo separati, un po' in Portogallo, un po' in Svizzzera, fuori dall'Italia, senza sapere bene dove si andava. Io abitavo con mia madre e vedevo le mie sorelle solo durante le vacanze d'estate e così il resto della famiglia.»

«Il suo matrimonio non è stato per caso ostacolato?»

«Un poco. Siamo stati fidanzati tredici anni. Quella è stata anche la ragione per la quale mi sono messo a lavorare molto, perché ho voluto la mia indipendenza.»

«I suoi genitori le passavano tanto denaro?»

«Mille franchi svizzeri, che corrispondevano più o meno, allora, a centocinquantamila lire.»

«E con quello doveva mantenersi. C'era poco da stare allegri?»

«No, no bastavano.»

«Quando ha cominciato a guadagnare?»

«Quando ho lasciato l'università di Ginevra, dopo aver fatto un viaggio in America. Sono rientrato in Svizzera e sono andato da un agente di Borsa, per imparare il mestiere, poi sono tornato negli Stati Uniti per gli esami e sono rimasto con quella società tre anni. Poi ho aperto un ufficio e ho cominciato a lavorare con ditte italiane; la prima, come tutti sanno, l'Agusta.»

«Lei una volta ha detto che la presentano come un mostro e che per lei è molto difficile difendersi. Ma da che cosa?»

«Dai giornalisti, dai giornali. Anche se ormai ci ho fatto l'abitudine.»

«Quali sono le menzogne che sono state dette sul suo conto?»

«Che non lavoravo, che ero un figlio di papà.»

«Beh, figlio di papà, direi di sì.»

«Sicuro, ma non per i soldi. Io ho sgobbato tranquillamente dopo essermi sposato.»

«Perché la stampa avrebbe tutto questo interesse a diffamarla?»

«Perché è più facile per loro parlar male piuttosto che bene. Mi hanno classificato come la terza persona più antipatica del mondo. Forse perché non mi hanno mai visto. Io sono il tabù, la bestia nera, il mostro, come dice lei.»

«No, io non lo dico. Lei invece che cos'è?»

«Una persona normale e semplice: provo a fare quello che posso.»

«Altri oltraggi?»

«Che sono un cretino.»

«Cos'è successo a Cavallo, il 18 agosto 1978?»

«La sera, rientrando a casa dopo il solito pranzo al bar *Des Pecheurs* ho visto che la mia barchetta era sparita. Ne ho preso un'altra e sono andato a riprenderla; quando mi sono mosso, siccome in Corsica c'è sempre pericolo, ho preso una carabina.»

«Lei esce di casa con un fucile? Perché?»

«Per essere più sicuro. Me lo ha detto mia moglie, perché, mi ha spiegato, poteva essere rischioso.»

«Dunque, arrivato lì, ha ritrovato la sua imbarcazione.»

«Sì, l'ho ripresa e ho fatto cadere una bombola; in quel momento è venuto fuori un signore (dopo ho saputo che si chiamava Pende) e abbiamo avuto una disputa e ho tirato un colpo in aria.»

«La lite perché? Lui le ha detto qualcosa?»

«Qualche complimento: principe di merda, e qualche consiglio di andare... Abbiamo avuto un contrasto veloce, un colpo è stato tirato in aria e l'altro è partito quando mi è caduto addosso. Questo colpo dovrebbe essere andato a finire in quella barca dove dormiva il ragazzo. Non è come hanno detto i giornali, che io l'ho voluto assassinare, che io ho voluto sparare addosso a un tedesco, che io l'ho mirato. In più, se ovviamente la pallottola era la mia, è stato veramente casuale, perché ha dovuto attraversare e passare attraverso quattro imbarcazioni per forare il bordo della nave e andare a colpire quel povero giovanotto che era dentro. Io sono caduto in mare con il signor Pende. Pare che ci siano stati altri spari.»

«Dicono che in casa Savoia c'è una tradizione massonica: anche lei è un "libero muratore"?»

«No, non lo sono più.»

«Ha conosciuto qualcuno di quei fratelli che si chiamavano Gelli, Calvi, Ortolani?»

«Tutti e tre.»

«Chi è Gelli?»

«Gelli è una persona, come dire, simpatica. Un buon uomo con il quale si possono fare degli affari; volevamo combinare qualcosa in Iran.»

«Li avete fatti quegli affari?»

«No.»

«E Calvi?»

«Calvi è stato un gran banchiere, ritenuto tale nell'àmbito ginevrino. L'ho incontrato in vari pranzi con esponenti dei grossi istituti svizzeri.»

«E Ortolani?»

«Ortolani era sempre appiccicato a Gelli.»

«Da quando non è più massone? Da quanto tempo non appartiene più alle logge?»

«Dal 1979.»

«Era una questione di fede o una questione di quattrini?»

«Soprattutto di business.»

«Ha mai pensato di diventare re?»

«Mi sono già posto questa domanda, naturalmente. Ma soltanto se potessi essere utile al mio Paese, se potessi aggiungere qualcosa a quello che c'è già.»

«Nella storia della sua famiglia, chi è il sovrano che le piace di più?»

«Credo che siano stati tutti meritevoli di considerazione: da Vittorio Emanuele III fino ai primi duchi di Savoia.»

«A proposito di duchi, si dice che la successione della sua famiglia toccherebbe a un duca d'Aosta: è una chiacchiera di giornalisti?»

«Basta chiedere al duca Amedeo e lui stesso glielo dirà: ci

ha sempre rappresentato in Italia, non potendo andare noi, e di questo lo ringrazio tanto, perché lo ha sempre fatto molto bene, ed è come un fratello per me: ci si intende, ci telefoniamo, siamo sempre insieme e non vedo perché si sia dovuto tirar fuori una trovata così, quando c'è lo Statuto Albertino. Non vedo perché non dovrei essere io il pretendente al trono, al limite toccherebbe a mio figlio.»

Per Vittorio Emanuele l'estate 2006 sarà indimenticabile, non solo per la galera e i sospetti infamanti, ma soprattutto perché, ai primi di luglio, la Consulta dei Senatori del Regno, organismo nato nel 1955 con l'approvazione del re Umberto II, ha stabilito che lo scettro di casa Savoia spetti, caso mai, al duca Amedeo d'Aosta «con i relativi titoli e le prerogative da esso spettanti». La motivazione è il matrimonio di Vittorio Emanuele con una borghese, Marina Doria Ricolfi, senza l'assenso dell'ex sovrano Umberto II.

«Il Sovrano non ha mai modificato tale disconoscimento e le sue conseguenze; Vittorio Emanuele prese atto del divieto paterno, ma agì di sua scelta e si pose al di fuori della Famiglia Reale.» Sta scritto ancora nella sentenza della Consulta: «l'esclusione ipso iure, o automatica, di Vittorio Emanuele e dei suoi discendenti, a cominciare dal figlio Emanuele Filiberto; perché Vittorio Emanuele contrasse nozze senza consenso regio, in violazione di norme, come invano il Padre gli ricordò anche per lettera, non dipendenti dalla volontà del Sovrano ma dalle leggi alle quali il Re stesso non può sottrarsi. Come ogni padre, Re Umberto ebbe per il figlio e il nipote affetti di famiglia, che però sono altra cosa dal riconoscimento del rango del principe ereditario».

La reazione del giovane Emanuele Filiberto non si è fatta attendere: ha dato immediatamente mandato ai legali di famiglia «di intraprendere le azioni opportune contro queste offese». Ha aggiunto, poi, l'erede dell'erede: «La scelta di lanciare proclami offensivi nei confronti di chi non può in questo momento replicare, dà la misura della rettitudine morale degli autori di questa offensiva mediatica».

La sensazione è che per Vittorio Emanuele, in questo momento, casa Savoia sia l'ultimo dei problemi.

Conclusioni

Molti mesi sono passati da quando Loris e io abbiamo cominciato a scrivere questo libro e molti fatti sono successi. Il più importante, non per me, ma per il Paese, è stato lo sfratto, con il voto popolare, di Silvio Berlusconi da Palazzo Chigi. Nella mia grande presunzione ho pensato che qualcosa sarebbe cambiato anche nella mia vita e, sono sincero, mi aspettavo una telefonata da viale Mazzini, se non altro come segnale di ritrovata indipendenza dal Cavaliere. Nel frattempo è tornato al vertice dell'azienda Claudio Cappon, di cui conservo un buon ricordo. Sicuramente, il nuovo direttore generale, ha altri problemi, ben più complicati del mio, da risolvere, ad esempio dove trovare i soldi per la sanzione, ricevuta dalla Rai, di quattordici milioni e trecentomila euro decretata dai giudici del Tar, che hanno confermato il verdetto dell'Autorità per le Comunicazioni, nel quale si diceva che Alfredo Meocci era incompatibile con il ruolo di direttore generale. Motivazione: aveva lavorato per sette anni con la stessa Autorità, cioè, colui che vigilava era diventato il vigilato, e per legge questo non può accadere.

Io un'idea per trovare i soldi ce l'avrei: bisognerebbe chiederli a chi lo ha voluto direttore perché, con consapevolezza, ha agito da fuori dalla legge. Non vorrei che, invece, ancora una volta fossimo noi a pagare, magari con un aumento del canone.

Per quanto mi riguarda, comunque andrà a finire, per me va bene così: scrivere questo libro è stato un po' come fare una trasmissione a puntate. E sin dall'inizio ho avuto la consapevolezza che, anche con il centrosinistra al governo, io rimango fuori dai giochi.

In poche parole, sono convinto che nessuno mi farà più fare *Il Fatto*. C'è un grande alibi, la mia età, ma non è che ottantasei anni vogliano per forza dire che uno è rincoglionito. E poi, se il mio nome, la mia faccia e i miei appelli funzionano per le campagne elettorali, non capisco come mai non vadano bene per un programma televisivo.

Mi piacerebbe pensare che il mio posto in tv venisse occupato da giovani autori, registi, giornalisti, anchor men, anche perché anch'io ho avuto un inizio e qualcuno che ha creduto in me.

Ricordo certi colloqui con Pier Paolo Pasolini e soprattutto una frase: «Vedo di fronte a me un mondo doloroso e sempre più squallido. Non ho sogni, quindi non mi disegno neppure una visione futura».

Nelle sue parole c'erano innocenza e bisogno di verità. Non temeva la vecchiaia e non aveva più paura della morte: «Ne ho avuta molta a vent'anni. Ma era giusto perché allora, attorno a me, venivano uccisi dei giovani, venivano trucidati. Adesso non l'ho più. Vivo un giorno per l'altro, senza quei miraggi che sono alibi. La parola speranza è completamente cancellata dal mio vocabolario».

Perché concludo il libro con Pasolini? Perché in poche parole lui è riuscito a rappresentare uno stato d'animo che è anche mio. È vero, mi sono nascosto dietro le parole del poeta, ma non è facile mettere a nudo quello che si prova, si è sempre un po' portati a recitare una parte. Anche per me lo scrivere non ha rappresentato solo il lavoro, è stato tutto nella mia vita. So bene che è un mio grande limite, ma non sarei capace di fare niente altro, non ho hobby, non so pescare, giocare a carte, il giardinaggio non mi ha mai attratto, faccio sempre più fatica a leggere, mi interessano solo le biografie nella speranza di trovare un po' della mia vita e dei miei pensieri in quelli degli altri. Non ho mai avuto frequentazioni mondane, raramente partecipo a iniziative pubbliche, perché mi danno la sensazione di essere ancora più solo. Sto con la mia famiglia e frequento pochi amici: Loris, che mi scrocca sempre un pasto caldo, Missoni che ha per me un grande affetto, ricambiato, Giancarlo Aneri e Giorgio Bocca con i quali mi incontro per il premio *È giornalismo*. Infine Franco Iseppi che mi tiene informato sulle vicende della Rai e per lui credo sia diventato un incubo la mia domanda: «È previsto qualcosa per noi? Ci faranno fare qualcosa?». Ma gli amici servono anche per questo. Ricordo quando fu direttore generale della Rai, e la prima volta che lo andai a trovare al settimo piano di viale Mazzini, là dove c'è il cavallo, mi tolsi la soddisfazione di andare a pisciare nel bagno dove erano stati i grandi direttori generali: Ettore Bernabei e Biagio Agnes.

Gli amici della mia generazione, invece, uno alla volta se ne stanno andando: Federico Fellini, Dario Zanelli, Renzo Renzi, Giuliano Lenzi, Sandro Bolchi, l'ultimo Pietro Garinei. Mi manca la sua telefonata domenicale che arrivava anche quando la Roma aveva perso. Mi mancano i suoi commenti a quello che scrivo, mi manca il suo affettuoso: «Tieni duro». Mi mancheranno le nostre discussioni guardando la partita in tv nelle sere d'agosto, e le nostre silenziose passeggiate nei boschi. Da quando Pietro era rimasto vedovo, quei pochi giorni che si concedeva lontano dal suo Sistina, li passava con me a Pianaccio.

Il ruolo del regista non lo abbandonava mai; come arrivava organizzava la mia giornata: «Enzo devi camminare. Domani andiamo a Porretta. Andiamo a prendere i prosciutti a Pietracolora». E alla sera mi diceva: «giochiamo», che voleva dire metterci a cantare le nostre canzoni, e quasi sempre vincevo io perché me ne ricordavo di più. Inevitabile era la sigla di chiusura prima della buonanotte: «Roma nun fa' la stupida stasera» di Garinei e Giovannini, musica di Trovajoli, interpreti Pietro e Enzo.

Per scrivere un libro che parla anche della vita dell'autore, la mia segretaria Pierangela mi ha preparato tanto materiale e una scatola di vecchie foto dove ho trovato quelle di quando andavo a scuola a Bologna, che si fanno a fine anno: tutti in fila, i più piccoli in piedi sulla panca nascosta dai più grandi e il maestro al centro. Rivedo i miei compagni: sorridenti, pantaloni alla zuava, chi aveva i soldi portava i maglioni come Robert Taylor, che fu un bellissimo di Hollywood.

La mia scuola una volta, diciamo nel 1930, si chiamava

Manzolin: devo confessare che non ricordo chi fosse questo illustre personaggio che aveva dato il nome all'edificio, ospitava i bambini delle elementari, tante classi, anche le bambine. All'uscita, lungo il portico, facevamo delle grandi corse e il bidello diceva: «state attenti». Passava, sferragliando, un trenino che andava a Casalecchio, un paese poco lontano da Bologna, meta domenicale delle scampagnate dei morosi. C'era allora il giardino del fioraio Romanò. Delle volte lo si vedeva girare per la serra a ispezionare le sue piante. A primavera arrivava il profumo delle erbe, e si fermavano sui vetri delle farfalle e dei coleotteri. Allora tutti ci distraevamo per seguire, magari, il volo di un calabrone che era riuscito a infilarsi tra i banchi.

Il maestro si chiamava Dante Dallari, portava gli occhiali con le lenti molto spesse, era bravo, ci faceva persino il cinematografo, quasi sempre *La Passione di Cristo*, ogni tanto *Zorro*. Qualcuno dei miei compagni, che ho rincontrato nel tempo, mi ha detto che era socialista, ma chi lo sa.

Noi eravamo tutti balilla. Mi ricordo che stavamo ad ascoltare la storia del quadrato di Villafranca o a osservare le meraviglie dei cristalli. Il maestro ci leggeva *I ragazzi della via Pal* e per la morte di Nemecsek, unico soldato semplice in un esercito di generali, tutti abbiamo pianto. Nella mia classe non c'è stato nessun personaggio famoso.

Da allora sono passati tanti anni, è difficile per me rivedere quei volti e individuare una storia ed è impossibile ripercorrere l'itinerario di una classe che nel 1930 aveva dieci anni e ne ha avuto venti nel 1940. È anche impossibile, oggi, fare il bilancio di una generazione.

Come era entrato il fascismo nelle nostre case? Forse era entrato come un po' dappertutto, con l'imposizione. Veniva accettato perché, se si era fascisti, si lavorava e non si andava incontro a beghe varie.

Io ricordo che diventai balilla perché mia nonna faceva la maestra e ricevette la disposizione per cui bisognava iscrivere i ragazzi. Allora lei, poveretta, non trovò niente di meglio che iscrivere i suoi nipoti: mia cugina Pina e me.

Siccome le condizioni della mia famiglia non erano certamente floride, non avevo la divisa ed era una delle cose di cui sentivo la mancanza. Me la regalarono in occasione della Befana fascista perché veniva data ai più poveri. Mi diedero anche un cartoccio di arance, se ricordo bene, e poi fecero la fotografia che venne pubblicata sul giornale. Questo mi sembrò un po' umiliante, voglio dire la benevolenza fissata su una lastra.

Era un tempo in cui tutti portavano le divise, le portavano i letterati, i questurini, i funzionari e gli operai.

Rivedo nella foto un mio compagno di scuola, si chiamava Gherardi, non me lo sono mai dimenticato. Morì il giorno in cui si sposava la principessa Iolanda di Savoia con re Boris di Bulgaria e andai al suo funerale. Gherardi fu il primo morto che vidi in vita mia. Nella cassa era vestito da balilla, aveva il fez in testa e gli avevano messo la camicia nera. Suo padre era un facchino, stava in via Frassinago vicino alla scuola.

Quel giorno pioveva, io e i miei compagni andammo dietro al piccolo corteo, il padre si avvicinò al maestro e disse: «Mi dispiace che in questa giornata di letizia nazionale, signor maestro, lei debba partecipare a una cerimonia così triste». Quando il funerale fu finito il maestro ci comperò le caldarroste.

Nel 1935 avevo quindici anni e più o meno avevo già scelto la mia strada. Quando cominciai a lavorare la cosa più bella era portare a casa la paga. Alla fine della settimana davano i soldi e provavi l'orgoglio dei quattrinelli, perché erano i primi guadagnati.

Non sapevo niente dell'antifascismo, non sapevo che c'erano i giornali clandestini, l'unico nome di antifascista, che avesse un grande significato e che conoscevo era quello di Giacomo Matteotti: mi ricordo ancora una vecchia *Domenica del Corriere* con la copertina che riproduceva il suo omicidio.

Nel caseggiato popolare in via Pietralata dove abitavo, squallido, pieno di tante famiglie, c'era la moglie di un pompiere, una signora che si chiamava Ada Matteuzzi, che mi invitava in casa sua, poi chiudeva tutte le porte e sintonizzava la radio, con molta fatica. Dicevano: «È Mosca che parla, qui parla radio Mosca». Mi sentivo un po' colpevole di partecipare a questa piccola congiura.

Su di me ha influito molto il cinema francese, Julien Duvivier e Jean Renoir, Marcel Carné, alcuni titoli: *Il porto delle nebbie, Alba tragica, La bandera, La grande illusione.*

L'attrice che ho maggiormente amato è stata Michelle Morgan con quell'impermeabile bianco e il basco nero. Quei film raccontavano storie populiste che portavano il pessimismo in mezzo all'ottimismo ufficiale del regime.

Quel cinema ha contato per la mia formazione più di qualsiasi altra cosa. Era l'altra faccia della luna. Si annunciavano, attraverso quei fotogrammi, il disfacimento e la grande minaccia che incombeva sull'Europa e su tutti noi.

Primo settembre 1939: comincia l'attacco con l'invasione della Polonia, e il giornalaio strillava sotto i portici del bar Centrale: «Ocio a Danzìga e a chi la stuzìga». Traduco: «Attenzione a Danzica e a chi la provoca». Era l'unico che aveva visto giusto in quel momento. Allora ero già un giovane giornalista e le storie di quei polacchi che andavano all'attacco a cavallo lanciando delle bottiglie contro i carri armati tedeschi, questo eroismo inutile, dava la dimensione di una grandezza umana, il sacrificio della propria vita per la libertà.

25 luglio 1943: ero al giornale, mi ricordo che capitò nelle mie mani la notizia che il cavaliere Benito Mussolini aveva ceduto il posto al cavaliere Pietro Badoglio. La prima reazione all'interno della redazione fu di entusiasmo.

Allora i giornali uscivano a mezzogiorno e si cominciava a lavorare a mezzanotte, quindi la preoccupazione di quelle ore fu di andare a chiamare gli operai per farlo uscire immediatamente. Il giornale era il *Carlino* e il proprietario Dino Grandi era quello, che il 24 luglio, aveva proposto, durante la seduta del Gran Consiglio, la destituzione del Duce.

Andai per le strade: c'era euforia e la gente gridava «Viva il re, viva l'Italia». Vedevano in Vittorio Emanuele il simbolo della pace, della riscossa, qualcosa che stava per finire.

Il giorno dopo ci fu una grande manifestazione contro il giornale perché era considerato fascista, e mi stupì la freddezza dell'amministratore che davanti alla folla che chiedeva i ritratti di Benito Mussolini per spaccarli, disse: «Date la fotografia ma la cornice e i vetri no, perché possono ancora servire».

Il 25 aprile 1945 finiva la guerra e l'Italia era liberata dai nazifascisti, lasciandosi dietro tanti morti, tanti rancori e un mondo diviso in due.

C'è qualcuno che ha detto che questa generazione, la mia, non ha avuto altro che il tempo di morire. Ma c'è una cosa che è ancora più triste, perché è vero che ci sono molti morti nella nostra vita, ma come ha detto Bernanos, «più morto di tutti è il ragazzo che io fui». Voglio dire che quello che la guerra ha portato via e che nessuno ci potrà mai più rendere sono le illusioni, i sogni e gli errori dei vent'anni.

Forse è qui la nostra unica grande attenuante, quella di una generazione che non ha mai avuto la giovinezza.

Le pagine che andate a leggere non hanno la presunzione di essere una cronologia degli ultimi quattro anni. Semplicemente sono annotati i fatti che hanno colpito Loris e me. Sono gli avvenimenti sui quali abbiamo ragionato, sono quelli che avremmo voluto approfondire, sono quelli che per noi hanno significato «Quello che non si doveva dire».

Uno dopo l'altro, così in fila, ci si accorge che gli avvenimenti dal 2002 al 2006 hanno un paio di cose in comune: certamente il destino, sul quale non possiamo intervenire, poi l'egoismo del potere che fa sì che siano sempre in pochi a decidere della vita di molti.

La cronologia è stata curata da Claudia Turconi

Cronologia

ANNO 2002

6 giugno: Silvio Berlusconi e Pietro Lunardi, ministro delle Infrastrutture e dei Trasporti, annunciano che il ponte sullo stretto di Messina si farà e i lavori cominceranno nel 2004.

16 giugno: Padre Pio è proclamato Santo.

20 giugno: sciopero dei magistrati contro la legge di riforma dell'ordinamento giudiziario.

27 giugno: la Russia entra a far parte del G8. Nello stesso incontro viene deciso che nel 2006 Mosca avrà la presidenza.

30 giugno: il Brasile per la quinta volta vince i Mondiali di calcio battendo in finale la Germania con due gol di Ronaldo.

1 luglio: aerei americani per errore bombardano in Afghanistan un villaggio mentre si festeggia un matrimonio: 54 morti.

3 luglio: il ministro dell'Interno Claudio Scajola è costretto alle dimissioni dopo aver definito Marco Biagi «un rompicoglioni». Prende il suo posto Giuseppe Pisanu.

6 luglio: muore a 69 anni l'anarchico Pietro Valpreda, accusato e poi assolto per la strage di piazza Fontana.

11 luglio: il cardinale Dionigi Tettamanzi è nominato arcivescovo di Milano al posto di Carlo Maria Martini, dimissionario per limiti d'età.

14 luglio: durante la festa nazionale a Parigi un naziskin spara contro il presidente francese. Il colpo non raggiunge Jacques Chirac.

21 luglio: Michael Schumacher con la Ferrari vince il Gran Premio di Francia e si aggiudica il 5° titolo mondiale, il 3° consecutivo.

1 agosto: tra polemiche, girotondi e manifestazioni di protesta, il Senato approva la legge Cirami che reintroduce la possibilità di ricusare i giudici per «legittimo sospetto». Verrà approvata in via definitiva il 5 novembre.

5 agosto: muore suicida lo scrittore Franco Lucentini. Aveva 82 anni.

12 agosto: maltempo sulll'Europa Centro-Orientale. I Paesi più colpiti sono la Germania dove il fiume Elba straripa a Dresda, la Repubblica Ceca dove Praga viene inondata dal fiume Moldava, l'Austria e la Slovacchia. 47 i morti.

5 settembre: Jacques Chirac sconfigge lo sfidante, il leader dell'estrema destra Jean-Marie Le Pen, ed è rieletto presidente della Francia con l'82,2% dei voti.

10 settembre: Basilica della Natività di Betlemme: dopo 39 giorni di assedio viene trovato l'accordo che permette ai 13 palestinesi, considerati da Israele pericolosi, di poter andare in esilio in Europa.

11 settembre: in occasione del 1° anniversario dell'attentato alle Torri Gemelle, gli Stati Uniti dichiarano che il numero definitivo dei morti è di 3028.

20 settembre: Guglielmo Epifani è il nuovo segretario generale della Cgil.

24 settembre: al Cremlino il presidente Bush e il presidente Putin firmano il «Trattato di Mosca», nel quale si impegnano a ridurre, in Russia e negli Usa, gli armamenti nucleari.

4 ottobre: Desirée Piovanelli, 14 anni, scomparsa a Leno (Brescia) il 28 settembre, viene trovata uccisa a coltellate in una cascina. Saranno arrestati, e giudicati colpevoli, tre adolescenti e Giovanni Erra, 36 anni.

7 ottobre: muore a 60 anni il cantautore Pierangelo Bertoli, l'autore di *Eppure il vento soffia ancora* la canzone considerata l'inno contro le industrie chimiche.

9 ottobre: la Fiat presenta la richiesta di stato di crisi. Cassa integrazione a zero ore per un anno, mobilità per 8100 lavoratori. Gli stabilimenti di Arese e Termini Imerese rischiano la chiusura. Cominciano le proteste degli operai.

18 ottobre: oltre 400.000 partecipano alle manifestazioni in tutta Italia in occasione dello sciopero generale proclamato dalla Cgil e dalle organizzazioni sindacali di base contro il «Patto per l'Italia» che demolisce l'articolo 18.

21 ottobre: a Roma, presso il Consolato di Francia, prima unione gay in Italia con il rito francese del patto civile di solidarietà (Pacs).

23 ottobre: a Mosca 41 guerriglieri ceceni entrano nel teatro Dubrovka di Mosca e prendono in ostaggio oltre 800 persone.

26 ottobre: le forze speciali russe con un blizt entrano nel teatro di Mosca dopo aver utilizzato un gas che doveva soltanto inibire temporaneamente il cervello. Muoiono tutti i componenti del «commando» ceceno e 129 ostaggi.

31 ottobre: un terremoto dell'ottavo grado della scala Mercalli colpisce il Molise. I danni maggiori a San Giuliano di Puglia dove muoiono 30 persone, tra le quali 27 alunni e una maestra della scuola «Iovine».

8 novembre: il Consiglio di Sicurezza dell'Onu approva la Risoluzione 1441 che prevede la ripresa di ispezioni in Iraq.

14 novembre: Giovanni Paolo II visita Montecitorio. È la prima volta, nella storia dell'Italia, che un papa entra in Parlamento.

14 novembre: Franco Frattini (Forza Italia) viene nominato ministro degli Esteri e il suo posto al ministero della Funzione Pubblica viene preso da Luigi Gazzella, già a capo dell'avvocatura generale dello Stato.

18 novembre: il senatore Giulio Andreotti, in appello, viene condannato a 24 anni di carcere per l'omicio Pecorelli.

20 novembre: si dimettono dal cda della Rai i consiglieri del centrosinistra Luigi Zanda e Carmine Donzelli. Dopo poco se ne va anche Marco Staderini (Udc). Rimangono il presidente Antonio Baldassarre e l'assessore leghista della Regione Lombardia Ettore Albertoni. Il cda viene soprannominato la «smart» di viale Mazzini.

20 novembre: per un articolo, considerato blasfemo dai mussulmani, apparso sul quotidiano *This Day*, in cui si sostiene che il profeta Maometto sarebbe felice di prendere in moglie una della candidate al concorso di Miss Mondo, che si sta per svolgere ad Abuja, Nigeria, muoiono 215 persone e 500 rimangono ferite a Kaduma durante gli

scontri causati dagli integralisti islamici all'arrivo delle finaliste. Il redattorecapo Simon Kolawole e l'autore dell'articolo lo scrittore Idioma Daniel vengono arrestati. Il concorso viene spostato a Londra.

2 dicembre: la Procura di Genova chiede l'archiviazione per il carabiniere Mario Placanica che sparò uccidendo Carlo Giuliani durante le manifestazioni contro il G8.

7 dicembre: le autorità irachene consegnano all'Onu la dichiarazione sulle armi di distruzione di massa. Nel rapporto l'Iraq afferma di non disporre di tali armamenti.

8 dicembre: a Roma il primo congresso nazionale dell'Udc elegge Marco Follini segretario.

9 dicembre: due bombe esplodono vicino alla Questura di Genova, rivendicate dalla Brigata anarchica 20 luglio.

12 dicembre: la Cassazione annulla l'assoluzione dell'ex dirigente del Sisde Bruno Contrada e conferma la condanna a 10 anni per collusione con la mafia.

23 dicembre: Vittorio Emanuele di Savoia viene ricevuto in Vaticano. In ottobre era stata promulgata la legge di riforma costituzionale che permetteva il rientro in Italia degli eredi maschi di casa Savoia.

ANNO 2003

1 gennaio: il cantante e attore Giorgio Gaber, 63 anni, muore a Montemagno (Lucca).

11 gennaio: il segretario alla Difesa Usa Donald Rumsfeld firma l'ordine d'invio nel Golfo di 27.000 militari, in vista di un attacco all'Iraq. Il 10 Rumsfeld aveva ordinato la mobilitazione di altri 35.000 soldati. È l'ordine di spiegamento di truppe più massiccio, da quando il Pentagono ha iniziato a rafforzare il dispositivo militare schierato nella regione.

16 gennaio: i vertici dell'azienda petrolchimica dell'Enichem di Priolo vengono arrestati dalla Guardia di finanza di Siracusa nell'àmbito di un'inchiesta sullo smaltimento dei rifiuti speciali. Parti di mercurio sarebbero state buttate in alcuni tombini.

20 gennaio: in un'intervista al quotidiano *la Repubblica* il leader della Lega Umberto Bossi parla di elezioni e difende la sua scelta di far

«correre» il Carroccio da solo: «Il patto con la Casa delle Libertà vale per le politiche, non per le amministrative. Qui sono convinto che da soli possiamo portare più voti e questo farà bene alla coalizione».

23 gennaio: dopo che il presidente francese Chirac e il cancelliere tedesco Schroeder hanno ribadito che sull'Iraq deve essere fatto il possibile per evitare una guerra, il segretario alla difesa Usa Donald Rumsfeld dichiara che gli Stati Uniti non andranno da soli alla guerra per disarmare l'Iraq di Saddam Hussein, ma guideranno una coalizione di cui faranno parte Gran Bretagna, Australia, Italia, Spagna e alcuni Paesi ex comunisti dell'Europa dell'Est.

24 gennaio: il presidente onorario della Fiat Giovanni Agnelli, 81 anni, muore a Torino.

27 gennaio: in occasione della «Giornata della Memoria» il vicepresidente del Consiglio Gianfranco Fini interviene all'Auditorium di Roma alla proiezione per le scolaresche del film *Perlasca, un eroe italiano*, e dice che «bisogna considerare le leggi razziali come una pagina vergognosa della storia nazionale».

29 gennaio: il giorno dopo la sentenza della Cassazione che respinge le istanze di rimessione e lascia i processi Imi-Sir e Sme a Milano, il presidente del Consiglio Silvio Berlusconi rilascia una dichiarazione da Arcore. Prima di parlare il premier concorda con i giornalisti televisivi presenti (Rai, La7, Mediaset) che la dichiarazione sarà registrata dal suo operatore di fiducia e poi immediatamente riversata alla Rai di Milano attraverso Mediaset. Berlusconi dice che in una democrazia liberale «chi governa per volontà sovrana degli elettori» è giudicato «solo dai suoi pari, dagli eletti del popolo», con la consuetudine e le «leggi di immunità e garanzia» che dovrebbero metterlo al riparo dal rischio «della persecuzione politica per via giudiziaria». Il presidente del Consiglio aggiunge che «il governo è del popolo e di chi lo rappresenta, non di chi avendo vinto un concorso ha indossato una toga e ha soltanto il compito di applicare la legge».

5 febbraio: il segretario di Stato americano Colin Powell espone al Consiglio di Sicurezza delle Nazioni Unite il rapporto che accusa l'Iraq di possedere armi di distruzione di massa.

13 febbraio: la Corte d'Assise d'appello di Perugia rende note le motivazioni della sentenza di secondo grado con la quale ha condannato a 24 anni di reclusione il senatore a vita Giulio Andreotti e Gaeta-

no Badalamenti per l'uccisione del giornalista Mino Pecorelli. Nelle motivazioni si dice che l'imputato Giulio Andreotti «è stato l'ideatore dell'omicidio Pecorelli», commesso «nel suo interesse». «Andreotti», si legge ancora, «aveva un forte interesse a che Pecorelli non pubblicasse certe notizie scottanti o le pubblicasse comunque in maniera addolcita.»

25 febbraio: muore a Roma a 82 anni Alberto Sordi. Ai funerali, che si svolgono il 27 nella basilica di San Giovanni, partecipano 250.000 persone.

2 marzo: in una sparatoria sul treno Roma-Firenze muoiono il poliziotto Emanuele Petri e il brigatista Mario Galesi. Arrestata la br Nadia Desdemona Lioce che si dichiara prigioniera politica e rivendica gli attentati a Marco Biagi e Massimo D'Antona.

7 marzo: il presidente della Camera Pier Ferdinando Casini e del Senato Marcello Pera designano Paolo Mieli presidente della Rai. I nuovi consiglieri sono Giorgio Rumi, Marcello Veneziani, Angelo Maria Petroni e Francesco Alberoni. Paolo Mieli accetta con riserva. Tra le condizioni poste l'immediato reintegro di Biagi e Santoro in prima serata. Il 12 rinuncia all'incarico. Il 13 la presidenza è affidata a Lucia Annunziata.

15 marzo: la famiglia Savoia torna a Napoli per un week-end dopo 57 anni di esilio. Il presidente della Regione Campania, Antonio Bassolino, e il sindaco di Napoli, Rosa Russo Iervolino, raccogliendo una richiesta fatta da casa Savoia, decidono di vedere gli ospiti lontano dai palazzi istituzionali, in un circolo nautico privato e popolare. Una procedura dettata dalla necessità di non dare ufficialità a un incontro con la famiglia reale che ha ancora un contenzioso in atto con lo Stato italiano, legato alla richiesta di restituzione dei beni della casa.

17 marzo: dopo quattro mesi dal loro ingresso in Iraq, gli ispettori dell'Onu ricevono l'ordine dal segretario generale dell'Onu, Kofi Annan, di lasciare il Paese dopo che gli Usa ne hanno raccomandato il ritiro per ragioni di sicurezza.

Ecco un breve riepilogo di questi quattro mesi di ispezioni:

8 novembre 2002: il Consiglio di Sicurezza approva la Risoluzione 1441.

13 novembre: l'Iraq accetta la risoluzione.

18 novembre: i primi ispettori giungono a Bagdad.

27 novembre: gli ispettori compiono la loro prima missione.

7 dicembre: le autorità irachene consegnano all'Onu la dichiarazione sulle armi di distruzione di massa. Nel rapporto l'Iraq riafferma che il Paese non dispone di tali armi.

9 gennaio 2003: secondo il rapporto fatto all'Onu dai capi degli ispettori, Blix ed El Baradei, non ci sono prove di programmi di armamenti segreti, ma la dichiarazione fornita da Bagdad alle Nazioni Unite il 7 dicembre è lacunosa.

16 gennaio: gli esperti dell'Unmovic durante un'ispezione in un deposito di munizioni nella zona di Ukhainer trovano 12 ogive chimiche vuote da 122 millimetri per missili.

18 gennaio: Blix definisce le ogive vuote ritrovate un'omissione da parte di Bagdad.

20 gennaio: a Bagdad, Blix ed El Baradei raggiungono un accordo in dieci punti con le autorità irachene. L'Iraq garantisce la massima disponibilità a collaborare con gli ispettori.

27 gennaio: Blix ed El Baradei presentano il loro rapporto sul disarmo iracheno al Consiglio di Sicurezza. Blix afferma che «l'Iraq non sembra avere sinceramente accettato, neppure adesso, il disarmo che gli viene richiesto, ma finora non ha trovato prove per convalidare la tesi Usa che Bagdad si sta in segreto riarmando».

3 febbraio: gli ispettori trovano uno stampo per missili e un'ogiva, modificata e danneggiata nel sito al-Nida nei pressi di Bagdad.

4 febbraio: gli ispettori trovano una testata chimica vuota in un deposito di munizioni ad Al Taji, nei pressi di Bagdad.

6 febbraio: primo colloquio privato degli ispettori Onu con uno scienziato iracheno.

10 febbraio: l'Iraq autorizza i voli degli aerei spia U-2 sul suo territorio.

12 febbraio: una commissione di esperti Onu stabilisce che il missile iracheno Al Samoud 2 supera di 30 km il limite di gittata di 150 km imposto ai missili iracheni dal Consiglio di Sicurezza.

14 febbraio: Blix ed El Baradei presentano al Consiglio di Sicurezza il secondo rapporto sulle ispezioni in corso in Iraq. Secondo

Blix, troppe armi proibite mancano all'appello, ma se Bagdad collabora al cento per cento il disarmo attraverso le ispezioni si potrà ottenere in breve tempo.

22 febbraio: Blix ordina la distruzione dei missili iracheni Al Samoud 2.

25 febbraio: Blix rende noto che l'Iraq ha denunciato all'Onu di aver trovato una bomba R-400 con liquido e un centinaio di nuovi documenti relativi alla distruzione di armi proibite dopo il '91.

1 marzo: l'Iraq comincia la distruzione dei missili balistici Al Samoud 2.

2 marzo: l'Iraq rende noto che nuove ricerche hanno permesso di scoprire in due siti ingenti quantità di antrace e tracce di gas nervino, su cui l'Onu da anni chiedeva chiarimenti.

7 marzo: Blix ed El Baradei presentano una nuova relazione al Consiglio di Sicurezza. Per Blix la distruzione dei missili Al Samoud 2 costituisce «vero disarmo» da parte dell'Iraq. Blix inoltre rende noto che sette scienziati iracheni sono stati interrogati dagli esperti di disarmo senza alcun tipo di controllo da parte dell'autorità irachena.

18 marzo: il presidente Usa George W. Bush in un discorso televisivo alla nazione dà un ultimatum al presidente iracheno Saddam Hussein e ai suoi figli concedendogli 48 ore per andare in esilio ed evitare così la guerra. Ma il Consiglio del Comando della rivoluzione respinge l'ultimatum nel corso di una riunione presieduta dal presidente Saddam Hussein.

19 marzo: approvata dal Parlamento italiano la risoluzione della maggioranza che permette agli americani l'utilizzo delle basi militari, delle infrastrutture e il sorvolo degli aerei.

20 marzo: alle ore 3,35 (ora italiana, le 5,35 ora irachena) comincia l'operazione «Iraqi freedom» («Libertà per l'Iraq») con missili cruise e bombardieri «invisibili» F-117 che colpiscono «obiettivi scelti» alla periferia di Bagdad. L'attacco avviene un'ora e mezza dopo la scadenza dell'ultimatum di Bush a Saddam Hussein. Alle 19,27 il Pentagono rende noto che i primi marines Usa sono entrati in Iraq. Anche forze di terra britanniche partecipano all'attacco.

22 marzo: a Roma si svolgono due manifestazioni separate del centro-

sinistra contro la guerra in Iraq. Al corteo del Comitato «Fermiamo la guerra», che parte nel pomeriggio da piazza della Repubblica, partecipano Prc, Verdi, Pdci, Cobas, Cgil e molte associazioni e alcuni esponenti del correntone Ds come Cesare Salvi, Giovanni Berlinguer e Fabio Mussi. La manifestazione si conclude a piazza Venezia. Gli organizzatori parlano di 70.000 partecipanti. Gli stessi Berlinguer, Mussi, e anche il segretario del Pdci Oliviero Diliberto fanno la spola con l'altra manifestazione, organizzata in piazza del Popolo, denominata «Guerra no!» alla quale partecipano esponenti dei Ds, della Margherita e dell'Italia dei Valori. A questa seconda manifestazione, sempre secondo gli organizzatori, prendono parte 50.000 persone.

26 marzo: Flavio Cattaneo viene designato direttore generale dal cda della Rai con tre voti a favore e due astenuti. I due astenuti sono il presidente Lucia Annunziata e il consigliere Giorgio Rumi.

3 aprile: il presidente della Repubblica Carlo Azeglio Ciampi, in visita ad Asti, incontra un gruppo di manifestanti, composto da militanti del Prc e dei No-Global, e assicura che «nessun soldato italiano è andato in Iraq e nessuno ci andrà».

9 aprile: le truppe americane entrano nel centro di Bagdad. Abbattuta dalla folla la statua di Saddam Hussein in piazza al Ferdous. Saccheggiati alcuni edifici diplomatici stranieri.

15 aprile: il governo ottiene il «via libera» dal Parlamento alla «missione umanitaria d'emergenza» per l'Iraq che sarà accompagnata e scortata da circa 2500-3000 militari italiani.

24 aprile: si consegna alle autorità militari Usa l'ex vicepremier iracheno Tareq Aziz.

1 maggio: il presidente Bush afferma che i maggiori combattimenti in Iraq sono finiti e la coalizione ha vinto. Il 6 Paul Bremer viene nominato capo amministrazione civile Usa in Iraq.

2 maggio: la Corte d'Appello di Palermo conferma l'assoluzione del senatore Giulio Andreotti dal reato di associazione mafiosa.

10 maggio: dopo una trattativa protrattasi per giorni si consegna alle forze della coalizione Rihab Rashid Taha, conosciuta come dottoressa «Germe», direttrice – secondo il Centcom (Comando centrale americano) – del programma iracheno per le armi biologiche e batteriologiche.

26 maggio: si svolgono le elezioni amministrative in 12 province e

più di 500 comuni italiani. Il centrosinistra vince alla Provincia di Roma e la Casa delle Libertà a Palermo. Il centrosinistra si afferma anche a Massa, Benevento, Enna e Foggia. La Cdl ad Agrigento, Catania e Messina. Per l'Ulivo, il coordinatore Francesco Rutelli parla di «voto politico». Il capogruppo di Forza Italia al Senato Renato Schifani commenta che il voto non ha alcuna valenza politica.

27 maggio: il maestro Luciano Berio, 77 anni, grande musicista e compositore, muore al Policlinico Gemelli di Roma.

29 maggio: la Corte d'Appello di Milano dichiara inammissibile l'istanza di ricusazione presentata da Cesare Previti nei confronti del collegio giudicante del processo Sme. Il giorno successivo la pm Ilda Boccassini chiede la condanna a 11 anni per Cesare Previti.

1 giugno: prosegue la protesta degli assistenti di volo dell'Alitalia. La compagnia riceve i certificati medici di 840 assistenti che attestano la malattia dei dipendenti fino al 3 giugno compreso. I voli cancellati sono decine.

3 giugno: il giudice del lavoro Massimo Pagliarini stabilisce che la Rai deve affidare a Michele Santoro un programma di approfondimento giornalistico sull'informazione di attualità «collocato in prima o seconda serata» con puntate tendenzialmente monotematiche e una durata oscillante tra i 90 e i 150 minuti.

8 giugno: si svolgono i ballottaggi delle elezioni amministrative e le elezioni regionali in Friuli-Venezia Giulia e in Valle d'Aosta. Successo del centrosinistra.

13 giugno: dopo l'incontro con il centrosinistra di Bologna, l'ex leader della Cgil Sergio Cofferati dichiara di accettare «di buon grado la proposta che mi è stata fatta da parte dell'Ulivo bolognese e dall'Italia dei Valori di essere il loro candidato sindaco alle Amministrative del 2004».

15 giugno: non raggiungono il quorum e quindi non sono validi i due referendum abrogativi sull'estensione dell'art.18 dello Statuto dei lavoratori e la servitù coattiva di elettrodotto. Per entrambi i referendum vota il 25,7% degli aventi diritto. Per la prima volta votano anche gli italiani all'estero.

26 giugno: sei milioni di persone di varie zone di Italia sono coinvolte in un black-out provocato dal forte consumo dell'elettricità a causa dell'utilizzo di condizionatori per contrastare il gran caldo.

27 giugno: lo scrittore Giuseppe Pontiggia, 69 anni, muore nella sua casa di Milano.

29 giugno: l'attrice americana Katharine Hepburn, 96 anni, muore nella sua abitazione nel Connecticut. La Hepburn aveva vinto quattro premi Oscar e conquistato 12 nomination.

1 luglio: con il passaggio del testimone tra Atene e Roma, comincia la presidenza di turno italiana dell'Unione europea.

2 luglio: la città di Betlemme (Cisgiordania) torna sotto il controllo dell'Autorità nazionale palestinese. Sulla base dell'intesa raggiunta con Israele, l'Anp recupera non solo il controllo amministrativo di Betlemme ma anche la piena responsabilità della sicurezza e dell'ordine pubblico nella città.

2 luglio: a Strasburgo, il presidente di turno dell'Ue, Silvio Berlusconi, presenta al Parlamento europeo il programma della presidenza italiana. Durante il dibattito il deputato tedesco Martin Schulz afferma, in aula, che il premier è in grado di presentarsi a Strasburgo perché «l'ex presidente del Parlamento Nicole Fontaine ha fermato a lungo le procedure di immunità contro Berlusconi e Dell'Utri» e aggiunge che Bossi è peggio di Haider. Il presidente del Consiglio italiano risponde che «in Italia stanno preparando un film sui campi di concentramento nazisti. La proporrò per il ruolo di kapo» e replica anche a quegli eurodeputati che lo hanno contestato, impedendogli a tratti di parlare, definendoli «turisti della democrazia».

Il 3 luglio in una telefonata Berlusconi manifesta al cancelliere tedesco Schroeder il suo rincrescimento per le frasi pronunciate all'indirizzo dell'eurodeputato Schulz.

13 luglio: si insedia a Bagdad il Consiglio del governo di transizione iracheno. Vi fanno parte 25 rappresentanti delle diverse comunità etniche che vivono nel Paese.

22 luglio: 200 soldati Usa della 101ᵃ Divisione aero-trasportata assaltano una villa di Mossul, nel nord dell'Iraq. Nell'attacco, durato sei ore, restano uccisi Qusay e Uday i due figli dell'ex rais Saddam Hussein. Muoiono altre due persone, una guardia del corpo e Mustafa, il figlio quattordicenne di Qusay.

22 luglio: più di 600 civili sono stati uccisi nei combattimenti degli ultimi giorni fra ribelli e forze governative a Monrovia.

31 luglio: muore a Milano il disegnatore Guido Crepax, 70 anni, il creatore del famoso personaggio dei fumetti Valentina.

11 agosto: a Kabul, la Nato prende ufficialmente il comando della forza di pace Isaf (Forza internazionale di assistenza alla sicurezza), che agisce sotto mandato Onu. È la prima volta che l'organizzazione del Patto atlantico si impegna in una operazione fuori dell'Europa nei suoi 54 anni di storia.

19 agosto: a Bagdad, un camion bomba con circa mezza tonnellata di esplosivo viene lanciato contro l'hotel Canal, che ospita il quartier generale dell'Onu. Nell'esplosione muoiono 22 persone, tra cui Vieira de Mello, rappresentante speciale delle Nazioni Unite per l'Iraq. Un centinaio i feriti. L'attentato viene rivendicato il 21 agosto da un gruppo denominatosi «Avanguardie armate del secondo esercito di Maometto» e il 25 agosto, con un comunicato via internet, dalle «Brigate di Abu Hafs Al Masri (al Qaida)».

26 agosto: con i due soldati Usa uccisi oggi, il numero dei caduti americani nel conflitto iracheno è salito a un totale di 278, 140 dei quali dopo che, il 1° maggio, il presidente americano George W. Bush aveva dichiarato la cessazione delle ostilità in Iraq.

29 agosto: a Najaf, un'autobomba esplode durante la preghiera del venerdì: uccise almeno 80 persone tra cui l'ayatollah Mohammad Baqr al Hakim, capo spirituale del Supremo consiglio per la rivoluzione islamica in Iraq (Sciri).

4 settembre: il presidente del Consiglio Silvio Berlusconi, in un'intervista rilasciata a Boris Johnson, direttore del settimanale inglese *The Spectator*, e Nicolas Farrel, editorialista de *La Voce di Rimini*, commentando l'accusa ad Andreotti di essere un mafioso, dice: «Questi giudici sono doppiamente matti. Per prima cosa, perché lo sono politicamente, e secondo sono matti comunque. Per fare quel lavoro devi essere mentalmente disturbato, devi avere delle turbe psichiche. Se fanno quel lavoro è perché sono antropologicamente diversi dal resto della razza umana».

11 settembre: il quotidiano *La Voce di Rimini* e il settimanale britannico *The Spectator* pubblicano nuovi estratti dell'intervista di Boris Johnson e Nicolas Farrel a Silvio Berlusconi. Nel corso del colloquio Berlusconi affronta il tema dell'Iraq ed è sollecitato a fare un paragone tra Saddam e Benito Mussolini, il cui regime, secondo il premier, non fu feroce come quello iracheno. «Mussolini non ha mai ammazzato

nessuno, Mussolini mandava la gente a fare vacanza al confino.» Amos Luzzatto, presidente dell'Unione delle comunità ebraiche italiane, commenta: «Sono dispiaciuto che per difendere, di fronte alla stampa straniera, l'italianità si sia concessa una attenuante al regime di Benito Mussolini». Il segretario dei Ds Piero Fassino dice: «Sono parole vergognose e inaudite che danno l'idea dell'irresponsabilità e dell'ignoranza abissale del presidente del Consiglio».

23 settembre: il gup di Milano Maurizio Grigo decide che Vanna Marchi verrà processata il 4 maggio 2004 insieme al convivente Francesco Campana e alla figlia Stefania Nobile, per aver messo a segno 108 truffe telefoniche e oltre 304.000 televisive.

27 settembre: muore per infarto l'ex giocatore di Milan, Sampdoria e Fiorentina Nello Saltutti malato da anni di cuore. Era stato uno dei pochi a parlare di doping. Saltutti chiese di essere ascoltato dal pm di Torino Raffaele Guariniello il quale, nel 1998, aveva aperto un'indagine sul doping che aveva portato alla luce morti sospette nel mondo dello sport per uso eccessivo di farmaci, dopo la denuncia dell'allenatore Zeman.

28 settembre: black-out in tutta l'Italia, esclusa la Sardegna. Il sistema viene ristabilito completamente solo dopo 19 ore. A causare l'interruzione di corrente la caduta di un albero che avrebbe danneggiato una linea ad alta tensione in Svizzera, vero e proprio crocevia degli scambi di corrente elettrica in Europa.

30 settembre: muore a Roma il giornalista e scrittore Oreste del Buono, 80 anni. Dal 1971 al 1981 era stato il direttore della rivista di fumetti *Linus*.

7 ottobre: i californiani eleggono l'attore Arnold Schwarzenegger, repubblicano, nuovo governatore.

12 ottobre: Michael Schumacher è ottavo nel gran premio del Giappone vinto dall'altro ferrarista Barrichello. Schumacher si aggiudica il 6° mondiale superando il record di Fangio. Alla Ferrari il mondiale costruttori.

19 ottobre: papa Giovanni Paolo II proclama beata Madre Teresa di Calcutta. Il Papa non riesce a leggere l'omelia, lo fa monsignor Sandri.

24 ottobre: circa un milione e mezzo di persone, secondo i sindacati, scendono in piazza in Italia contro la riforma del sistema previdenziale (incentivi in busta paga dal 2004 per chi decide di rinviare la

pensione di anzianità, e aumento a 40 anni di contributi a partire dal 2008 per chi vuole lasciare il lavoro prima dell'età di vecchiaia). Cgil, Cisl e Uil affermano che allo sciopero hanno aderito 10 milioni di lavoratori, il 70-80% dei lavoratori dipendenti.

25 ottobre: il Tribunale dell'Aquila dispone la rimozione del Crocifisso in una scuola materna di Ofena. L'ordinanza viene revocata il 29 novembre in attesa della decisione del Tar. La vicenda scatena un'aspra polemica.

30 ottobre: a Torino muore, dopo una lunga malattia, Alessandro Galante Garrone, 94 anni, storico ed ex magistrato.

2 novembre: elicottero americano abbattuto a Fallujia. Morti 16 militari Usa. Un secondo elicottero americano viene abbattuto il 7 nei pressi di Tikrit: 6 le vittime.

7 novembre: circa 1500 ricercatori annunciano di voler lasciare l'Italia dove, sostengono, viene impedito di lavorare.

12 novembre: 19 italiani (12 carabinieri, 5 militari dell'Esercito e 2 civili) e 9 iracheni muoiono nella deflagrazione di un'autobomba guidata da un kamikaze ed esplosa all'interno della base «Maestrale», quartier generale del contingente militare italiano a Nassjiria. Nell'attentato rimangono feriti altri 20 italiani e 59 iracheni.

13 novembre: il Consiglio dei ministri approva all'unanimità il progetto di riforma della legge sulla droga del vicepresidente del Consiglio Gianfranco Fini. Il disegno di legge non fa alcuna differenza tra droghe leggere e pesanti e prevede tabelle che determinano le quantità di droga massima da poter detenere oltre la quale scatta la sanzione penale.

13 novembre: il governo sceglie Scanzano Jonico (Matera) come luogo del sito nazionale per le scorie nucleari. Seguono proteste con blocchi stradali, il 27 novembre il nome di Scanzano scompare dal decreto.

16 novembre: la Rai decide di non trasmettere la trasmissione satirica *Raiot* di Sabina Guzzanti, ma poi, dopo le accuse di censura e le proteste dei telespettatori, il direttore di RaiTre Paolo Ruffini dà il via libera alla messa in onda del programma. Attorno a *Raiot* nascono numerose polemiche che porteranno alla sospensione delle puntate successive. Mediaset porta Sabina Guzzanti e gli autori in tribunale con l'accusa di diffamazione.

19 novembre: muore a Napoli lo scrittore Michele Prisco, 83 anni.

19 novembre: un bambino di 11 anni residente a Ostiglia (Mantova) rischia l'avvelenamento dopo aver bevuto un sorso di acqua minerale da una bottiglia acquistata in un supermercato, nella quale vengono trovate tracce di sali di ammonio, iniettati attraverso il tappo. In dicembre decine di casi in tutta Italia, manomesse anche confezioni di latte e bibite.

19 novembre: la Camera dà la fiducia al governo, chiesta sul decreto legge che accompagna la manovra Finanziaria 2004. I voti favorevoli sono 329, i contrari 6. I gruppi di opposizione non partecipano alla votazione. Il maxi-decreto introduce fra l'altro la sanatoria per le costruzioni abusive.

24 novembre: a Gerusalemme Gianfranco Fini definisce il fascismo «male assoluto». Il 27 Alessandra Mussolini lascia Alleanza nazionale e aderisce al gruppo misto della Camera. In una dichiarazione dice «che è stata sancita una incompatibilità e un pregiudizio non tanto con le mie posizioni politiche, ma con il cognome che porto».

2 dicembre: il Senato approva in via definitiva il ddl Gasparri sul riassetto del sistema radio-tv con 155 sì, 128 no e nessun astenuto. I punti principali della riforma sono: la fissazione di nuovi tetti antitrust e per la pubblicità, nuovi criteri di nomina del cda della Rai, l'avvio del digitale terrestre e del processo di privatizzazione della tv di Stato.

6 dicembre: si svolge a Roma, con tre cortei che raggiungono piazza San Giovanni, la manifestazione nazionale contro la riforma delle pensioni organizzata da Cgil, Cisl e Uil.

14 dicembre: inaugurato a Venezia con un concerto diretto da Riccardo Muti il teatro La Fenice, ricostruito dopo l'incendio del 1996.

14 dicembre: forze speciali catturano l'ex presidente iracheno Saddam Hussein nascosto in una buca scavata nel terreno di una fattoria vicino a Tikrit.

16 dicembre: ordine di custodia per Igor Marini, accusato di calunnia contro Prodi, Dini, Fassino e altri per Telekom Serbia.

19 dicembre: precipita la crisi Parmalat; la Bank of America nega l'esistenza di liquidità per 3,9 miliardi di euro, in Borsa il titolo perde il 66%. Il 27 il fondatore ed ex presidente del gruppo Parmalat

Calisto Tanzi viene fermato a Milano dalla Guardia di finanza su ordine della Procura di Parma. Le accuse sono di aggiotaggio, false comunicazioni ai revisori, associazione a delinquere finalizzata alla bancarotta.

23 dicembre: il Consiglio dei ministri approva il decreto legge per «salvare» Rete4 dal passaggio su satellite e RaiTre senza la pubblicità.

30 dicembre: bilancio delle vittime in Iraq. I morti iracheni, tra civili e militari, sono oltre 13.000 mentre i militari della coalizione sono 560, compresi i militari italiani caduti nell'attentato del 12 novembre a Nassjiria.

ANNO 2004

4 gennaio: la sonda Spirit atterra su Marte e la Nasa mostra le prime immagini della superficie del pianeta rosso.

9 gennaio: muore nel reparto di cardiologia dell'ospedale Molinette di Torino il filosofo e senatore a vita Norberto Bobbio, 94 anni.

12 gennaio: un plico contenente cartucce da caccia già esplose, alcuni petardi senza innesco e un documento attribuibile ad ambienti anarco-insurrezionalisti sardi, viene recapitato a casa del presidente della Commissione europea Romano Prodi.

13 gennaio: la Corte Costituzionale dichiara l'illegittimità dell'articolo 1 della legge numero 140 del 20 giugno 2003 (lodo Schifani) che sospende i processi penali nei confronti delle cinque più alte cariche dello Stato, perché viola gli articoli 3 (principio di uguaglianza) e 24 (diritto di difesa) della Costituzione.

13 gennaio: un soldato, Joseph Darby, informa i suoi superiori di alcune sevizie sessuali compiute da militari americani nel carcere di Abu Ghraib. Il giorno dopo viene aperta un'inchiesta. Il 28 aprile il canale americano Cbs trasmette delle foto scattate verso la fine del 2003 che mostrano soldati americani mentre maltrattano prigionieri iracheni nel carcere. Il 1° maggio il *New Yorker* pubblica stralci di un rapporto dell'esercito americano in cui si fa riferimento ad «atti criminali sadici ed eclatanti» compiuti da militari americani ai danni di prigionieri iracheni. Il 5 maggio il presidente degli Stati Uniti George W. Bush dichiara alla televisione araba che i colpevoli delle sevizie saranno puniti. Il 6 maggio Bush chiede scusa per le torture subite dai prigionieri iracheni ma respinge le richieste dei Demo-

cratici di imporre le dimissioni al segretario della Difesa Donald Rumsfeld. Il 19 maggio la corte marziale americana condanna il soldato Jeremy Sivits alla massima pena possibile, un anno di detenzione, e lo radia dall'esercito.

14 gennaio: l'Oms lancia un allarme per l'influenza dei polli, che ha ucciso almeno tre persone in Vietnam, e che potrebbe rivelarsi più pericolosa della Sars. Nelle settimane successive altre vittime anche in Thailandia e Corea.

23 gennaio: il celebre fotografo Helmut Newton, 83 anni, muore in un incidente stradale a Los Angeles.

27 gennaio: la Cassazione deposita le motivazioni relative all'annullamento con rinvio della condanna per concorso nella strage della stazione di Bologna del neofascista Luigi Ciavardini, deciso dalla Sesta sezione penale il 17 dicembre 2003. Conferma invece le responsabilità per Francesca Mambro e Giusva Fioravanti condannati all'ergastolo.

30 gennaio: nel suo rapporto *Italia 2004* l'Eurispes denuncia per gli impiegati una perdita di potere d'acquisto di quasi il 20% negli ultimi due anni. I ceti medi sono a forte rischio di proletarizzazione.

31 gennaio: la Procura di Milano chiede l'archiviazione della denuncia del presidente di Mediaset, Fedele Confalonieri, contro Sabina Guzzanti e gli autori del programma *Raiot*. Il procuratore aggiunto Giuliano Turone sostiene, prendendo in esame le varie leggi che disciplinano l'emittenza televisiva, che le affermazioni della Guzzanti contengono fatti «non solo socialmente rilevanti», ma anche «obiettivamente veri nei loro elementi essenziali».

1 febbraio: ad Arbil, nel Kurdistan iracheno, due kamikaze si fanno esplodere, pochi minuti l'uno dall'altro, nelle sedi dei due principali partiti curdi – il Partito democratico del Kurdistan (Pdk) e l'Unione patriottica del Kurdistan (Puk) – affollate in quel momento per la ricorrenza musulmana dell'Eid Al Adha, la «festa del sacrificio». Nei due attentati muoiono 100 persone e oltre 200 restano ferite.

8 febbraio: in un'intervista alla Nbc il presidente George W. Bush nega di avere condotto gli Stati Uniti alla guerra contro l'Iraq con il falso pretesto delle armi di distruzione di massa. Bush, che si considera «un presidente di guerra», ammette, tuttavia, che alcune informazioni, ricevute dell'intelligence prima del conflitto, oggi risultano inesatte.

14 febbraio: il ciclista Marco Pantani, 34 anni, è trovato morto in una stanza del residence «Le Rose» di Rimini. Nella stanza molti medicinali e tracce di stupefacenti. Il 19 marzo la perizia del medico legale scrive che la morte di Pantani è stata causata da un'intossicazione acuta da cocaina.

14 febbraio: il presidente della Commissione europea Romano Prodi interviene a Roma alla Convention che decreta la nascita della lista per le elezioni europee *Uniti per l'Ulivo*, della quale fanno parte Ds, Margherita, Sdi e Repubblicani europei.

2 marzo: il Senato approva l'articolo 3 delle riforme che introduce il Senato federale. In favore vota la maggioranza mentre contro si esprimono i gruppi di opposizione. Il futuro Senato federale sarà composto da 200 senatori eletti in ciascuna regione, più 6 eletti nella circoscrizione Estero, nonché 3 senatori a vita nominati dal presidente della Repubblica. A essi si aggiungono gli ex inquilini del Quirinale.

3 marzo: viene depositata la richiesta di rinvio a giudizio per 29 poliziotti, tra dirigenti e funzionari, a conclusione dell'inchiesta sull'irruzione notturna della polizia nella scuola Diaz di Genova durante il G8 (21 luglio 2001) in cui vennero arrestati 93 manifestanti poi prosciolti.

4 marzo: per la prima volta gli ascolti del Festival di Sanremo vengono superati da un programma della concorrenza. La gara canora, con la direzione artistica di Tony Renis e Simona Ventura come conduttrice, nella terza serata cede nei confronti del *Grande Fratello*, in onda su Canale5, che ottiene uno «share» del 32% contro il 29% del Festival.

11 marzo: a Madrid, dieci bombe esplodono a distanza di pochi minuti su quattro treni, tutti convogli di pendolari. Alle ore 7,39 tre su un treno fermo alla stazione di Atocha e altre quattro su un treno in avvicinamento alla stazione a circa 500 metri dal primo. Due minuti dopo, due bombe esplodono su di un treno fermo alla stazione di El Pozo e un'altra esplode alle 7,42 su un treno fermo alla stazione di Sant'Eugenia. 190 i morti, 1400 i feriti di cui 10 in gravi condizioni. Secondo il ministro dell'Interno, Angel Acebes, gli esplosivi erano contenuti in dodici zainetti, uno dei quali viene ritrovato inesploso. Per Acebes non c'è «nessun dubbio» che sia dell'Eta la responsabilità degli attentati. In serata il ministro, rende noto che in un furgone ri-

trovato nei dintorni di Madrid, sono stati rinvenuti «sette detonatori e un nastro con versetti del Corano in arabo». Al quotidiano londinese in lingua araba *Al Quds al Arabi* giunge la rivendicazione degli attentati delle Brigate Abu Hafs al Masruna, legate ad al Qaida. Il 12 l'organizzazione indipendentista basca Eta, con una telefonata, nega ogni responsabilità nella strage. Lo stesso giorno in tutta la Spagna avvengono manifestazioni contro il terrorismo, che vedono scendere nelle piazze 11 milioni di spagnoli. Imponente quella di Madrid con oltre 2 milioni di persone. Nella notte tra il 13 e il 14, viene trovato, dopo una telefonata di segnalazione a un'emittente tv locale, in un cestino dei rifiuti fra la moschea e l'obitorio di Madrid, un video con la rivendicazione degli attentati da parte del «portavoce militare» di al Qaida in Europa identificatosi come «Abu Dujam Al Afgani».

11 marzo: il leader della Lega Nord Umberto Bossi viene ricoverato per un malore. Si tratta di ictus.

14 marzo: in Spagna si vota per le politiche, nonostante il tentativo di Aznar di rinviarle. Vittoria del Partito socialista di José Luis Rodriguez Zapatero. Pesante la sconfitta del primo ministro.

15 marzo: il futuro capo di governo, nella sua prima intervista, annuncia il ritiro delle truppe spagnole dall'Iraq se entro il 30 giugno il controllo del potere non sarà passato nelle mani delle Nazioni Unite e afferma che il presidente Usa George Bush e il premier britannico Tony Blair «dovranno riflettere e fare autocritica» sulla guerra. Sull'Unione europea dice che è sua intenzione di accelerare il più possibile l'adozione della Costituzione europea.

22 marzo: pochi minuti dopo le 5 della mattina a Gaza City, tre elicotteri israeliani lanciano due razzi contro lo sceicco Ahmad Yassin, leader di Hamas, mentre sta uscendo dalla moschea dopo la preghiera del mattino. Le esplosioni uccidono Yassin, e le due guardie del corpo che lo accompagnano. Un terzo razzo uccide altre 5 persone uscite di corsa dalla moschea per cercare di soccorrere il capo di Hamas. In 200.000 partecipano ai funerali dello sceicco, chiedendo vendetta.

24 marzo: nel 60° anniversario dell'eccidio delle Fosse Ardeatine, alla presenza del presidente Ciampi e delle più alte cariche dello Stato, il rabbino capo di Roma Riccardo Di Segni, intervenuto con i vertici della comunità ebraica romana, celebra la cerimonia di commemorazione insieme al cappellano militare dello Stato Maggiore dell'Esercito, monsignor Pignoloni.

25 marzo: con 156 sì, 110 no e 1 astenuto, il Senato approva il ddl di riforma costituzionale che riscrive la seconda parte della Carta costituzionale approvata nel 1948. Prevede il premierato forte (nomina e revoca dei ministri, scioglimento delle Camere), la devolution, il Senato federale con la riduzione del numero dei parlamentari. Alle Regioni viene attribuita la competenza esclusiva sull'organizzazione della sanità, l'organizzazione scolastica (compresa la parte riguardante i programmi scolastici di interesse regionale) e la polizia locale.

29 marzo: a Genova due bombe vengono fatte esplodere di notte contro strutture della polizia.

1 aprile: si apprende che il presidente della Repubblica Carlo Azeglio Ciampi ha richiesto al ministro della Giustizia Roberto Castelli, il fascicolo dell'istruttoria condotta sulle istanze di grazia presentate da Ovidio Bompressi, al fine di poter procedere a una approfondita valutazione del caso. Tenuto conto che la posizione processuale di Bompressi è connessa a quella di Adriano Sofri, Ciampi ha anche chiesto di conoscere se siano state svolte anche su Sofri attività di istruttoria.

3 aprile: il segretario di Stato Usa Colin Powell ammette che non erano «solide» le informazioni che aveva presentato il 5 febbraio 2003 all'Onu sui laboratori mobili iracheni, ritenuti parte del programma di armi chimiche o batteriologiche del regime di Saddam Hussein.

3 aprile: durante una vasta operazione nell'àmbito dell'inchiesta sugli attentati dell'11 marzo a Madrid, la polizia individua un gruppo di presunti terroristi barricati in un appartamento in un palazzo di Leganes (Madrid). Gli uomini del Gruppo di Operazioni Speciali (Geo) danno inizio all'assalto del palazzo e dopo un breve conflitto a fuoco le persone barricate nell'appartamento si fanno esplodere intonando canti e preghiere in arabo.

3 aprile: la cantante Gabriella Ferri, 62 anni, muore in seguito alla caduta dal balcone della sua casa di Corchiano (Viterbo).

5 aprile: il ministro Roberto Castelli, nel corso della puntata di *Porta a Porta* in onda, annuncia che darà parere negativo alla proposta di grazia per Adriano Sofri.

13 aprile: 4 italiani vengono rapiti in Iraq da un gruppo denominato Falangi Verdi di Maometto. La notizia viene confermata dalla televisione del Qatar Al Jazira attraverso un video con le immagini dei

quattro sequestrati. Sono: Salvatore Stefio, 34 anni, responsabile in Iraq della società italiana di sicurezza Presidium; Umberto Cupertino, 35 anni, guardia privata; Fabrizio Quattrocchi, 36 anni, collaboratore dell'agenzia di investigazioni e sicurezza Ibsa, e Maurizio Agliana, 37 anni, guardia giurata. Per la liberazione degli ostaggi i sequestratori chiedono che il governo italiano ritiri le sue forze dall'Iraq, che il ritiro avvenga secondo un calendario, che il governo italiano, per voce del premier, presenti scuse ufficiali attraverso le emittenti satellitari arabe per le trasgressioni contro l'Islam e i musulmani, che il governo italiano liberi i detenuti iracheni.

14 aprile: la televisione araba Al Jazira annuncia di aver ricevuto una registrazione video con le immagini dell'uccisione di uno degli ostaggi e un proclama delle Falangi Verdi di Maometto. In serata, durante la trasmissione *Porta a Porta*, il ministro degli Esteri Franco Frattini conferma che l'ostaggio italiano ucciso è Fabrizio Quattrocchi. Nel messaggio scritto allegato alla cassetta video inviata dai sequestrati ad Al Jazira si afferma che l'ostaggio è stato ucciso perché «il presidente del Consiglio Silvio Berlusconi ha detto che il ritiro delle forze italiane dall'Iraq è fuori discussione». Al Jazira decide di non mandare in onda la cassetta registrata perché «le immagini dell'esecuzione sono orribili».

17 aprile: a Gaza City, elicotteri israeliani lanciano due missili contro l'auto su cui viaggia il leader di Hamas a Gaza, Abdel Aziz Rantisi. Nell'esplosione Rantisi resta gravemente ferito mentre sono uccisi il figlio, Mohamed Rantisi, e una guardia del corpo. Rantisi muore poco dopo.

26 aprile: la tv araba Al Arabiya trasmette un breve video con le immagini dei tre italiani presi in ostaggio in Iraq. Nel messaggio contenuto nella videocassetta, le Falangi Verdi minacciano di uccidere entro cinque giorni i tre uomini, a meno che i loro connazionali non scendano in piazza in Italia per protestare contro la presenza di truppe straniere in Iraq.

27 aprile: la quarta sezione del Tribunale penale di Milano condanna a 2 anni di reclusione il parlamentare di Forza Italia Marcello Dell'Utri, dichiarato colpevole di tentata estorsione. Analoga pena viene inflitta al coimputato Vincenzo Virga, che deve rispondere di concorso nello stesso episodio. La vicenda riguarda la sponsorizzazione della Pallacanestro Trapani. Secondo il capo d'imputazione, Marcello Dell'Utri, nella veste di presidente di Publitalia, avrebbe disposto

per la sponsorizzazione lo stanziamento di un miliardo e mezzo di lire, ma poi ne avrebbe chiesto la restituzione di circa la metà.

28 aprile: la rete televisiva americana Cbs trasmette alcune foto che mostrano il maltrattamento di detenuti iracheni nella prigione di Abu Ghrai per mano dei soldati americani. Il 29 viene reso noto che alla fine di gennaio il generale Usa Janis Karpinski, donna, responsabile dei centri di detenzione in Iraq, è stata sospesa dal suo incarico e che assieme ad altri sei ufficiali è oggetto di un'inchiesta amministrativa.

4 maggio: l'immobiliarista Stefano Ricucci è in possesso del 2,013% di Rcs MediaGroup, attraverso Magiste International. Lo comunica la stessa Magiste alla Consob. L'operazione ha un valore di circa 50 milioni di euro.

4 maggio: Lucia Annunziata si dimette dalla presidenza e dal cda della Rai.

16 maggio: a Nassjiria, miliziani del leader radicale sciita Moqtada al Sadr si scontrano con i militari italiani in diversi punti della città. Per difendere la Base Libeccio, restano feriti 7 soldati. Il caporale Matteo Vanzan, dei Lagunari Serenissima di Venezia, 23 anni, muore.

21 maggio: la Croce rossa italiana rende noto che al commissario straordinario della Cri, Maurizio Scelli, è stata consegnata a Bagdad la salma di un uomo indicato come Fabrizio Quattrocchi.

26 maggio: la Procura di Milano presenta la richiesta di rinvio a giudizio per 29 persone fisiche e 3 persone giuridiche coinvolte nell'inchiesta sul crac Parmalat per aggiotaggio, false comunicazioni dei revisori e ostacolo all'esercizio delle funzioni di vigilanza della Consob: Calisto Tanzi, i componenti dell'ex cda, gli ex sindaci, gli ex direttori finanziari, gli ex contabili, revisori dei conti e 3 fra funzionari ed ex funzionari di Bank of America.

27 maggio: Umberto Agnelli, 69 anni, muore nella sua casa di Torino.

30 maggio: il Consiglio di amministrazione della Fiat nomina presidente Luca Cordero di Montezemolo e vicepresidente John Elkann.

2 giugno: la televisione satellitare araba Al Jazira diffonde un video in cui compaiono i tre ostaggi italiani in Iraq, Salvatore Stefio, Maurizio Agliana e Umberto Cupertino. Il video mostra i tre ostaggi vestiti all'occidentale che mangiano intorno a un tavolo. Uno dei tre, Stefio, lancia l'appello «Diciamo al governo, al Papa, alla Chiesa cattoli-

ca e alle nostre famiglie che siamo stati trattati finora in modo eccellente e che stiamo bene. Non abbiamo problemi con gli uomini che ci tengono in questo posto».

8 giugno: un commando di unità speciali americane e polacche libera in un luogo a sud di Bagdad gli ostaggi italiani Maurizio Agliana, Salvatore Stefio, Umberto Cupertino, sequestrati il 13 aprile.

9 giugno: la Corte d'Assise di Arezzo condanna Nadia Desdemona Lioce all'ergastolo per la sparatoria del 2 marzo 2003 sul treno Roma-Firenze in cui rimasero uccisi il sovrintendente della Polfer Emanuele Petri e il brigatista Mario Galesi.

12 giugno: sono quasi 50 milioni gli elettori chiamati al voto per eleggere i 78 rappresentanti al Parlamento europeo. Si vota anche in Sardegna per la regione, in 4518 comuni per il sindaco e in 63 province. Forza Italia arretra al 21 % (25,2 alle europee 1999). La lista Uniti nell'Ulivo ottiene il 31,1% ed è la lista più votata. Nella Casa delle Libertà An avanza dal 10,3% all'11,5%, l'Udc dal 4,8 al 5,9% e la Lega Nord dal 4,5 al 5%. Nel centrosinistra, Rifondazione comunista sale dal 4,3 al 6,1%, i Verdi dall'1,8 al 2,5%, i Comunisti italiani dal 2 al 2,4%. La lista Di Pietro-Occhetto ottiene il 2,1% e l'Ap-Udeur scende dall'1,6 all'1,3%. Per quanto riguarda i seggi, il centrosinistra ne ottiene 37 e il centrodestra 36. Nelle Amministrative il centrosinistra riconquista Bologna dove Sergio Cofferati viene eletto al primo turno, vince anche le elezioni regionali in Sardegna con Renato Soru. Ballottaggio per la provincia di Milano tra il presidente uscente di centrodestra Ombretta Colli e il diessino Filippo Penati. Per quanto riguarda le altre province, il risultato è di 38 conquistate al primo turno dal centrosinistra e 3 dal centrodestra.

13 giugno: successo dei giornalisti alle elezioni europee. Lilli Gruber, capogruppo Uniti nell'Ulivo nelle circoscrizioni Nord-est e Centro ottiene oltre 1 milione e 100.000 voti. Michele Santoro supera le 730.000 preferenze. L'editorialista de *La Stampa* Giulietto Chiesa, candidato nella lista «Di Pietro-Occhetto, Società civile», entra nel Parlamento europeo, al posto di Achille Occhetto che opta per il seggio al Senato.

18 giugno: i capi di Stato e di governo dei 25 Paesi dell'Unione europea raggiungono un compromesso sul testo della futura Costituzione europea.

23 giugno: agli Europei di calcio l'Italia viene eliminata. Come allenatore al posto di Giovanni Trapattoni arriva Marcello Lippi.

26 giugno: si svolge in 22 province e 101 comuni (di cui 6 capoluoghi) il ballottaggio. Ai seggi sono chiamati quasi 12 milioni di elettori. La sfida più attesa, quella alla provincia di Milano, viene vinta da Filippo Penati (centrosinistra) 54%, Ombretta Colli (Polo delle Libertà) 46%. In totale, 14 presidenti di provincia vanno al centrosinistra e 8 al centrodestra. Per quanto riguarda i comuni capoluogo, l'opposizione si aggiudica quelli di Biella, Bergamo, Firenze e Foggia, mentre al governo vanno quelli di Vercelli e Arezzo.

29 giugno: in un'intervista a *la Repubblica* il segretario dell'Udc Marco Follini commenta i risultati delle elezioni europee e amministrative mettendo in discussione la leadership di Silvio Berlusconi e la validità del sistema maggioritario: «Ho coltivato l'illusione che il maggioritario potesse aiutarci a superare la transizione. Oggi dico che forse il bipolarismo ha qualche possibilità di sopravvivere se si affida a un proporzionale corretto, che levighi le asperità riducendo il peso delle estreme e diminuendo le tensioni».

1 luglio: il presidente del Consiglio Silvio Berlusconi dice di essere favorevole al proporzionale con indicazione del premier, la proposta lanciata da Follini.

2 luglio: il vicepresidente del Consiglio Gianfranco Fini, al termine dell'esecutivo di An, dice che Alleanza nazionale ritiene «indispensabile una svolta nella politica economica, pena il suo disimpegno dal governo».

2 luglio: Marlon Brando, 80 anni, muore per collasso polmonare al Medical Center dell'Università di California a Los Angeles.

3 luglio: dopo giorni di polemiche e di scontri, soprattutto con An, il ministro dell'Economia Giulio Tremonti si dimette. Il presidente del Consiglio Silvio Berlusconi assume l'interim.

6 luglio: il primo ministro Tony Blair ammette che le armi chimiche e biologiche irachene potrebbero non essere mai trovate.

7 luglio: secondo i dati forniti dal Pentagono, la guerra contro il terrorismo che gli Stati Uniti combattono in Afghanistan e in Iraq ha fatto, dall'ottobre 2001, 1000 morti tra i soldati Usa.

16 luglio: Domenico Siniscalco è il nuovo ministro dell'Economia.

19 luglio: Annamaria Franzoni è condannata a 30 anni per l'omicidio volontario aggravato dal rapporto di parentela del figlio Samuele. All'imputata non è stata concessa alcuna attenuante e solo la diminuente della pena, conseguenza del giudizio abbreviato.

28 luglio: a Orsigna (Pistoia) muore il giornalista e scrittore Tiziano Terzani, 65 anni, da tempo malato di cancro.

29 luglio: la Camera approva definitivamente il provvedimento che abolisce il servizio militare obbligatorio di leva a partire dal 2005.

2 agosto: muore Henry Cartier Bresson, 95 anni, uno dei grandi maestri della fotografia.

7 agosto: su un sito Internet a Dubai compare un nuovo messaggio firmato dalle Brigate Abu Hafs al-Masri: l'ultimatum «sta per scadere» e «le sue cellule a Roma e in Italia sono pronte a colpire a partire dal 15 agosto».

16 agosto: Berlusconi accoglie Tony Blair e signora a Porto Rotondo vestito di bianco con una bandana in testa. Voci dicono che il premier è reduce da un trapianto di capelli.

19 agosto: l'ambasciata italiana a Bagdad comunica di aver perso da molte ore il contatto con il giornalista free-lance Enzo Baldoni, che si trova in Iraq con un accredito del settimanale *Diario* e il suo autista Ghareeb.

20 agosto: il gruppo «L'esercito islamico in Iraq» rapisce sulla strada tra Bagdad e Najaf due giornalisti francesi, Christian Chesnot, reporter di Radio France International, e Georges Malbrunot, corrispondente per il quotidiano *Le Figaro*. Lo rende noto il 28 agosto la televisione Al Jazira che mostra due brevi sequenze nel quale compaiono i due giornalisti, affermando che i rapitori hanno dato 48 ore al governo di Parigi (che non ha inviato truppe in Iraq) per revocare la nuova legge che bandisce il velo islamico nelle scuole pubbliche francesi.

21 agosto: viene reso noto che Ghareeb è rimasto ucciso, il suo cadavere è stato trovato vicino a Najaf, 50 km da Bagdad. Di Baldoni non si ha alcuna notizia.

24 agosto: Al Jazira trasmette un brevissimo video ricevuto dall'Esercito Islamico con immagini di Enzo Baldoni. Il video è accompagnato da un comunicato nel quale si danno all'Italia 48 ore per lasciare l'Iraq. Il filmato, che ha un fondo scuro e una mappa dell'Iraq sulla

sinistra, ritrae Baldoni che dice di essere un giornalista italiano e di essere in Iraq per scrivere un libro. Il giornalista italiano, per confermare la sua identità, mostra il passaporto.

24 agosto: un doppio attentato colpisce due aerei di linea russi. In conseguenza di deflagrazioni avvenute a bordo, i «Tupolev» si schiantano a pochi minuti di distanza nella regione di Tula e nei pressi di Rostov sul Don. L'azione, che provoca 90 morti, è rivendicata da un gruppo islamico della guerriglia separatista cecena.

26 agosto: il giornalista Enzo Baldoni è stato ucciso dai suoi rapitori. La notizia viene comunicata dalla tv Al Jazira. Il 30 agosto un esperto di montaggio dichiara che Baldoni sarebbe stato ucciso prima dello scadere dell'ultimatum, come dimostrerebbe il fotogramma in cui viene ripreso morto, realizzato in pieno giorno e non la sera.

1 settembre: in un'intervista al *Corriere della Sera*, Antonio Baldoni, padre di Enzo, accusa il governo: «Il rapimento di mio figlio è stato gestito in modo superficiale. Sono stati dei dilettanti...».

1 settembre: una bambina di 4 anni, Denise Pipitone, scompare a Mazara del Vallo.

1 settembre: durante la festa di inaugurazione dell'anno scolastico, un gruppo di terroristi, forse 32 tra uomini e donne, irrompe nella scuola di Beslan, nell'Ossezia del nord, e prende in ostaggio circa 1200 persone, tra bambini, insegnanti e genitori. In una sparatoria durante l'irruzione restano uccise, secondo le diverse fonti, tra le otto e le 20 persone. I sequestratori chiedono la liberazione di alcuni guerriglieri e il ritiro dalla Cecenia delle forze federali di Mosca minacciando di far saltare in aria la scuola.

2 settembre: il presidente russo Vladimir Putin afferma che la priorità è «quella di salvare la vita e la salute degli ostaggi» e tutto sarà «subordinato esclusivamente a questo obiettivo». Gli indipendentisti ceceni di Aslan Mashkadov ribadiscono l'estraneità alla presa della scuola e condannano ogni azione terroristica.

3 settembre: i negoziatori annunciano un accordo con il commando per la restituzione dei corpi delle persone uccise. Durante l'operazione si odono delle esplosioni e un gruppo di ostaggi riesce a fuggire. Scatta il blitz delle forze speciali russe che, tra sparatorie ed esplosioni, fanno saltare il muro di cinta dell'istituto per far uscire gli ultimi ostaggi. Secondo le autorità russe vengono uccisi tutti i terroristi del

commando mentre uno viene arrestato. Alcune fonti giornalistiche parlano di 4 terroristi che sono riusciti a fuggire. Per il magistrato che conduce l'inchiesta il commando era composto da terroristi di dieci nazionalità sotto la guida di Ruslan Kuchbarov. Il bilancio finale della strage è di 394 morti, tra i quali 200 bambini. I feriti sono 705.

3 settembre: secondo l'autopsia, è stata la rottura di una valvola cardiaca brasiliana Tri Technologies a causare la morte di Enzo Barbetta il 27 agosto. Sale così a sei il numero dei pazienti ai quali è stata trapiantata a Padova la protesi, risultata difettosa, da parte dell'equipe del professor Dino Casarotto.

7 settembre: un commando armato, composto da 10 o 20 persone, fa irruzione negli uffici della Ong «Un ponte per...», nel quartiere centrale di al Wuehda a Bagdad, e sequestra due operatrici umanitarie italiane Simona Torretta (29 anni, Roma) e Simona Pari (29 anni, Rimini). Insieme a loro sono prelevati altri due iracheni, Raed Ali Abdul Aziz, un ingegnere che fa parte dello staff di un «Un ponte per...» e Mahnaz Bassam, una collaboratrice di Intersos.

8 settembre: nel sito «Islamic-Minbar.com», un gruppo che si firma «Ansar al Zawahri» (I partigiani di al Zawahri) rivendica il rapimento delle due volontarie italiane. Il gruppo afferma che il rapimento «è il primo dei nostri attacchi contro l'Italia». «Noi minacciamo», scrive ancora Ansar al Zawahri, «il governo Berlusconi di altri attacchi dolorosi come quelli che abbiamo inflitto alla Russia, grazie a Dio e grazie ai fratelli mujahiddin nel Caucaso.»

8 settembre: il Pentagono conferma ufficialmente che le perdite americane in Iraq hanno superato «quota mille». Il totale dei morti della coalizione è 1132.

17 settembre: secondo l'associazione degli anestesisti, fra i 14.000 e i 50.000 decessi in Italia, ogni anno, sono provocati non solo da diagnosi o cure sbagliate, ma anche dalla cattiva organizzazione dei servizi. In media morirebbero quindi per errori vari 90 persone al giorno.

23 settembre: il gruppo «sostenitori di al Zawahri», in un messaggio su un sito web, annuncia l'avvenuta esecuzione di Simona Pari e Simona Torretta, che vengono definite come «agenti criminali dell'intelligence italiana».

28 settembre: alla periferia di Bagdad, nei pressi della moschea di Umm al Qura, i rapitori liberano le due Simone e l'ingegnere Raed

Ali Abdul Aziz. Ad accogliere gli ostaggi è il commissario straordinario della Croce rossa italiana, Maurizio Scelli. Le due donne arrivano in Italia poco dopo le 23. Fonti giornalistiche dicono che è stato pagato un riscatto di un milione di dollari, ma il commissario Scelli smentisce.

28 settembre: la Camera approva l'articolo 34 del testo di riforma della parte seconda della Costituzione. Il testo modifica l'articolo 117 della Costituzione. Restano materie di competenza esclusiva delle regioni: l'assistenza e l'organizzazione sanitaria; l'organizzazione scolastica e la gestione degli istituti scolastici e di formazione; la definizione della parte dei programmi scolastici di interesse specifico della regione e la polizia amministrativa regionale e locale. La regione avrà infine competenza (come già previsto nella Costituzione) su tutte le materie non espressamente riservate allo Stato.

2 ottobre: durante la notte sono sbarcati a Lampedusa 642 immigrati. Stato di massima emergenza nell'isola, dove viene battuto ogni record sul fronte dell'immigrazione clandestina. Sono 1257 gli extracomunitari che si trovano nel centro di prima accoglienza, che può ospitare fino a un massimo di 190 persone.

5 ottobre: con 234 sì, 179 no e 6 astenuti la Camera approva l'articolo 3 del ddl sulle riforme che introduce il Senato federale «allargato» ai rappresentanti delle regioni e delle autonomie locali.

6 ottobre: la Cia consegna al Congresso un rapporto di 1200 pagine sulle armi di distruzione di massa in Iraq. Secondo il rapporto, l'Iraq non possedeva armi nucleari, chimiche o biologiche e non aveva piani concreti per produrle al momento dell'invasione americana.

7 ottobre: un'autobomba, imbottita con 250 kg di esplosivo, esplode contro un'ala dell'hotel Hilton a Taba. Poco dopo altre due autobombe esplodono in due campeggi: il Moon Island e il villaggio Badia, a nord di Nuweiba, nel Sinai. Nelle tre esplosioni restano uccise 34 persone tra cui due turiste italiane: sono le sorelle, Jessica e Sabrina Rinaudo (22 e 24 anni) di Dronero (Cn); 159 i feriti.

11 ottobre: dopo quattro ore di riunione, Romano Prodi e i nove leader dell'opposizione annunciano che è nata la «Grande alleanza democratica». La coalizione di centrosinistra decide un'opposizione serrata su riforme e finanziaria, con manifestazione nazionale il 6 novembre; la richiesta di ritiro delle truppe italiane dall'Iraq, elezioni primarie anticipate entro la fine di febbraio.

14 ottobre: il presidente della Repubblica Ciampi nomina senatore a vita il poeta Mario Luzi, nato a Firenze nel 1914.

15 ottobre: la Camera approva il testo delle riforme costituzionali con 295 sì, 202 no e 9 astenuti. Il premier verrà indicato dagli elettori e avrà il potere di sciogliere la Camera, di nominare e revocare i ministri e determinare la politica generale.

21 ottobre: una sentenza della Corte marziale condanna a 8 anni di carcere il sergente Ivan «Chip» Frederick per gli abusi nel carcere di Abu Ghraib.

28 ottobre: dall'inizio della guerra in Iraq ci sono stati oltre 100.000 morti, molti dei quali donne e bambini. Lo rendono noto i ricercatori della Johns Hopkins University di Baltimora in uno studio pubblicato sulla rivista *Lancet*.

24 ottobre: il centrosinistra vince le elezioni suppletive in tutti i sette collegi chiamati a scegliere altrettanti deputati. La sconfitta più significativa è quella del collegio lombardo, lo stesso che nel 2001 aveva eletto Umberto Bossi. Il candidato della Cdl, Bresciani, cardiologo del leader leghista, viene battuto da Roberto Zaccaria (Margherita), ex presidente della Rai.

2 novembre: George Bush vince nuovamente le elezioni presidenziali con 62.028.719 voti contro i 59.028.550 del candidato democratico John Kerry.

11 novembre: Enrico Mentana annuncia in diretta durante il Tg5 che Mediaset gli ha comunicato l'intenzione di sostituirlo con Carlo Rossella. Mentana rimane a Mediaset come direttore editoriale.

11 novembre: il presidente dell'Autorità nazionale palestinese, Yasser Arafat, muore all'ospedale militare Percy de Clamart, alla periferia di Parigi.

21 novembre: a Napoli cinque vittime della criminalità organizzata in meno di 24 ore, che fanno salire a 113 il totale dei morti ammazzati nel 2004.

24 novembre: in tutti i tribunali italiani si svolge lo sciopero contemporaneo di magistrati e avvocati contro la riforma dell'ordinamento giudiziario, un fatto che non si ripeteva da 14 anni. L'adesione è molto alta: l'85% tra i magistrati, circa il 100% tra gli avvocati.

25 novembre: un benzinaio è ucciso a colpi di arma da fuoco a Lec-

co. La Lega offre una taglia. Il 12 dicembre saranno arrestati due ragazzi italiani di 17 e 18 anni, che confessano.

26 novembre: concluso a Torino il processo per doping. Condannato per frode il medico della Juventus Riccardo Agricola a 1 anno e 10 mesi di reclusione, per aver utilizzato «tutti i possibili espedienti per ottenere miglioramenti nelle prestazioni dei giocatori». Tra le sostanze date anche l'Epo; assolto l'amministratore delegato Antonio Giraudo.

30 novembre: Italia paralizzata per quattro ore dallo sciopero generale proclamato da Cgil, Cisl e Uil contro la Finanziaria. Vi aderisce circa l'80% dei lavoratori con punte del 90-100%.

1 dicembre: la Camera approva definitivamente il testo di riforma dell'ordinamento giudiziario. Tutta l'opposizione vota contro il provvedimento.

2 dicembre: il presidente della Repubblica Ciampi accetta le dimissioni del ministro della Funzione Pubblica Luigi Gazzella e nomina, su proposta del presidente del Consiglio Berlusconi, Marco Follini e Mario Baccini ministri senza portafoglio. Il 3 dicembre il Consiglio dei ministri assegna a Mario Baccini la delega alla Funzione pubblica. Follini diventa vicepresidente del Consiglio.

11 dicembre: Viktor Yushenko, il candidato dell'opposizione alla presidenza dell'Ucraina, viene ricoverato presso la clinica Rudolfinerhaus di Vienna. Secondo i primi accertamenti Yushenko sarebbe stato avvelenato dalla diossina. Il leader politico accusa il governo filo Mosca di averlo avvelenato.

11 dicembre: il Tribunale di Palermo condanna Marcello Dell'Utri a 9 anni per concorso in associazione mafiosa, con obbligo della libertà vigilata per 2 anni, una volta scontata la pena.

14 dicembre: Ferruccio De Bortoli è il nuovo direttore responsabile de *Il Sole 24 ore*.

15 dicembre: Sonya Caleffi, 34 anni, infermiera all'ospedale Manzoni di Lecco, viene arrestata con l'accusa di aver ucciso almeno cinque pazienti con iniezioni di aria.

16 dicembre: il presidente della Repubblica rinvia la riforma giudiziaria alle Camere. Carlo Azeglio Ciampi spiega che la legge si pone in contrasto con gli articoli della Costituzione sull'autonomia della magistratura in quattro punti precisi: il nuovo potere del ministro

della Giustizia di comunicare alle Camere le linee della politica giudiziaria; l'istituzione di un ufficio di monitoraggio sugli esiti dei procedimenti giudiziari; la facoltà di impugnativa concessa al ministro della Giustizia sulle delibere del Csm riguardanti gli incarichi dei magistrati; e il «sensibile ridimensionamento» del Csm nell'assegnazione, nel trasferimento e nella promozione dei magistrati.

19 dicembre: a 83 anni muore nella sua casa di San Marino la soprano Renata Tebaldi.

19 dicembre: Paolo Mieli viene designato alla direzione del *Corriere della Sera* con il voto unanime del Patto dei grandi soci di Rcs.

20 dicembre: chiude dopo quasi 25 anni il *Maurizio Costanzo Show*.

21 dicembre: vengono liberati a Bagdad i due giornalisti francesi Christian Chesnot, di Radio France International, e Georges Malbrunot, di *Le Figaro*, rapiti il 20 agosto dall'Esercito islamico.

26 dicembre: un terremoto colpisce il Sud-Est asiatico. L'epicentro è al largo di Sumatra, ma lo tsunami, l'onda gigantesca generata dal sisma, raggiunge le coste di Sri Lanka, Thailandia, Indonesia, India, Maldive e Malaysia, provocando distruzioni e un numero spaventoso di morti. Tra le vittime, molti turisti occidentali in vacanza. Secondo il bilancio del 22 gennaio 2005, gli italiani morti accertati sono 21, ma i dispersi sono ancora 189 (174 in Thailandia e 15 in Sri Lanka). Secondo il bilancio, ancora provvisorio, del 25 gennaio, le vittime accertate sono 297.271.

31 dicembre: a Roma, in piazza Navona, un giovane turista di Mantova, Roberto Dal Bosco, 28 anni, lancia contro il presidente del Consiglio Silvio Berlusconi, che passeggia nella piazza, il cavalletto della macchina fotografica. Berlusconi subisce una leggera contusione tra l'orecchio destro e il collo che gli provoca un piccolo ematoma. L'aggressore viene arrestato e trasferito nel carcere romano di Regina Coeli. Il 1° gennaio 2005 Dal Bosco torna in libertà.

ANNO 2005

5 gennaio: la giornalista francese Florence Aubenas, 43 anni, inviata di *Liberation*, viene rapita a Bagdad con il suo interprete iracheno, Hussein Hanoun.

7 gennaio: un treno interregionale e un convoglio merci si scontra-

no frontalmente a pochi passi dalla stazione di Bologna a Crevalcore. I morti sono 17, i feriti 15. La causa probabile è un segnale non rispettato.

10 gennaio: un minuto dopo la mezzanotte, a Napoli, viene inflitta la prima multa a un trasgressore della legge, da oggi in vigore, che mette al bando il fumo anche nei locali pubblici.

16 gennaio: il presidente del Consiglio Silvio Berlusconi, in una telefonata alla manifestazione *Neveazzurra* a Roccaraso, dice che «se la sinistra andasse al governo, questo sarebbe l'esito: miseria, terrore, morte. Così come avviene ovunque governi il comunismo. Non sarebbe lo Stato liberale che vogliamo noi» e aggiunge «sono in politica perché il male non prevalga, perché prevalga il bene». Il giorno dopo Berlusconi dichiara che «c'è stata una colossale calunnia» e una «disonestà intellettuale di molti, anzi di troppi». Lui intendeva riferisi al passato e non all'attuale sinistra.

16 gennaio: il deputato di Rifondazione comunista Niki Vendola vince, con il 51%, le primarie del centrosinistra per la candidatura alle elezioni regionali in Puglia, battendo Francesco Boccia, della Margherita. Nelle 112 sezioni hanno votato 79.296 persone.

23 gennaio: il diessino Nicola Latorre, candidato dell'Ulivo, vince con il 55,6% dei voti le elezioni suppletive per il collegio senatoriale Bari 2. Massimo Donadi, anche lui dell'Ulivo, vince con il 57,05% dei voti le elezioni suppletive per il Senato nel collegio 8 di Rovigo.

24 gennaio: l'Onu commemora le vittime dell'Olocausto con una sessione speciale dell'Assemblea Generale convocata nel 60° anniversario della liberazione dei campi di sterminio nazisti.

25 gennaio: Michele Santoro dovrà essere reintegrato dalla Rai nel suo ruolo di conduttore di programmi di attualità e di approfondimento, di prima e seconda serata. Lo ha deciso il giudice Stefania Billi della sezione lavoro del Tribunale di Roma. La Rai deve anche pagare al giornalista un risarcimento da 1,5 milioni di euro e le spese processuali. L'azienda è tenuta inoltre a pubblicare il dispositivo della sentenza su *Corriere della Sera, la Repubblica* e *La Stampa*.

25 gennaio: con l'operazione «Grande mandamento» circa 50 fedelissimi di Bernardo Provenzano sono arrestati. Sono sospettati di essere staffette, portaordini, fiancheggiatori, che per decenni hanno garantito la copertura della latitanza del capo di Cosa Nostra.

26 gennaio: per l'ondata di maltempo che colpisce l'Italia, sul tratto lucano della Salerno-Reggio Calabria centinaia di automobilisti restano bloccati nella neve per quasi 48 ore.

1 febbraio: il papa Giovanni Paolo II viene ricoverato in serata al Policlinico Gemelli di Roma per una laringo-tracheite acuta dovuta a un'influenza contratta domenica 30 gennaio. Il 6 febbraio Giovanni Paolo II appare per dieci minuti alla finestra del decimo piano del Policlinico Gemelli per la recita dell'*Angelus* domenicale. Il messaggio viene letto dal sostituto della segreteria di Stato Leonardo Sandri. Il 10 febbraio, in serata, il Papa, guarito, lascia il Policlinico Gemelli in «papamobile» e rientra in Vaticano.

2 febbraio: alcuni quotidiani pubblicano la foto di un assegno di 11.000 marchi emesso nel giugno 2000 a favore del professor Girolamo Sirchia, attuale ministro della Salute, dalla Immonocor, multinazionale costruttrice di macchinari per il sangue. L'assegno è agli atti dell'inchiesta della Procura di Milano su presunti episodi di corruzione, nell'àmbito della quale era stato posto agli arresti domiciliari il professor Francesco Mercuriali.

3 febbraio: Piero Fassino viene proclamato segretario al 3° congresso dei Ds.

4 febbraio: uomini armati rapiscono Giuliana Sgrena inviata del quotidiano *il Manifesto*, dopo aver bloccato l'auto con a bordo la giornalista, il suo interprete e l'autista all'uscita dell'Università «An-Nahrein» di Bagdad. Come per le due Simone, l'Italia si mobilità chiedendone la liberazione.

5 febbraio: Massimo D'Alema è eletto presidente dei Ds.

6 febbraio: Tony Blair diventa il laburista restato più a lungo primo ministro, superando Harold Wilson, che aveva soggiornato al numero 10 di Downing Street negli anni Sessanta e Settanta, raggiungendo il traguardo dei 2838 giorni.

7 febbraio: davanti alla Corte d'Assise di Bologna presieduta da Libero Mancuso, comincia il processo per l'omicidio del professor Marco Biagi, ucciso dalle Br il 19 marzo 2002.

10 febbraio: il commediografo americano Arthur Miller muore a 89 anni nella sua fattoria di Roxbury in Connecticut, acquistata nel 1958 quando era sposato con Marilyn Monroe.

16 febbraio: un video mostra Giuliana Sgrena con le mani giunte come in preghiera, il viso contratto, la voce interrotta dai singhiozzi. La giornalista de *il Manifesto* chiede aiuto e invita a far pressione sul governo affinché ritiri le truppe dall'Iraq.

22 febbraio: don Luigi Giussani, 82 anni, fondatore di Comunione e Liberazione, muore nella notte nella sua abitazione di Milano.

23 febbraio: il quotidiano *la Repubblica* scrive che il boss latitante di Cosa Nostra Bernardo Provenzano sarebbe stato operato alla prostata in una clinica di Marsiglia. Provenzano avrebbe subìto l'intervento sotto falso nome, utilizzando i documenti intestati a Gaspare Troia. La notizia sarebbe stata riferita dal nuovo collaboratore di giustizia Mario Cusimano.

24 febbraio: papa Giovanni Paolo II viene nuovamente ricoverato. Nel pomeriggio le condizioni di Giovanni Paolo II convincono i medici a effettuare un'operazione di tracheotomia, cioè di inserimento di un piccola cannula sotto il pomo di Adamo e sotto le corde vocali, «per assicurare una adeguata ventilazione al paziente e per favorire la risoluzione della patologia laringea». Il Pontefice dà il suo consenso all'operazione che dura circa 30 minuti e si conclude positivamente.

28 febbraio: il poeta e senatore a vita Mario Luzi, 90 anni, muore a Firenze.

28 febbraio: un attentato suicida a Hilla, rivendicato dal gruppo di al Zarqawi, uccide 118 persone e ne ferisce altre 147.

28 febbraio: nella notte degli Oscar trionfo per Clint Eastwood e per il suo *Million Dollar Baby*.

1 marzo: un filmato mostra un drammatico appello di Florence Aubenas, giornalista francese del quotidiano *Liberation*, ancora nelle mani dei rapitori. Le emittenti francesi decidono di non trasmettere il video.

1 marzo: a conclusione di un'udienza con il rito abbreviato per l'omicidio di Massimo D'Antona, il gup Luisanna Figliolia condanna all'ergastolo Laura Proietti e a 20 anni Cinzia Banelli. La sentenza del gup sconfessa il ruolo della stessa Banelli sia come collaboratrice di giustizia sia come pentita.

1 marzo: attentati a Genova e Milano. Saltano in aria due cassonetti vicino alla stazione carabinieri di Genova Prà. Mentre vicino alla sta-

zione carabinieri di Genova Voltri salta in aria una pentola a pressione piena di esplosivo. A Milano due ordigni esplodono nei pressi del comando regionale dell'Arma dei carabinieri. La rivendicazione è della Fai/Brigata 20 luglio (Federazione anarchica informale).

4 marzo: arriva la notizia della liberazione di Giuliana Sgrena, ma anche della morte del funzionario del Sismi Nicola Calipari, che aveva condotto le trattative per il suo rilascio. L'uomo viene raggiunto da colpi di mitraglietta sparati a un check point americano mentre si trova in auto sulla strada per l'aeroporto. Feriti anche la Sgrena e l'ufficiale del Sismi alla guida dell'auto.

9 marzo: per la prima volta in Italia un produttore di sigarette è condannato a risarcire i familiari di un fumatore morto a causa del tabacco. 200.000 euro: questa la cifra che l'Ente tabacchi italiani dovrà versare.

15 marzo: per l'uccisione di Marco Biagi, la br Cinzia Banelli viene condannata a 16 anni di reclusione.

23 marzo: il Senato approva la riforma della Costituzione che ridisegna completamente l'architettura della Costituzione in vigore dal '48. Dopo questo primo passo le Camere dovranno approvare il testo altre tre volte.

31 marzo: peggiorano le condizioni di salute di Giovanni Paolo II. Il Pontefice è colpito da un'infezione alle vie urinarie che provoca febbre molto alta. Il giorno successivo il portavoce vaticano Joaquin Navarro Valls annuncia che le condizioni di salute del Santo Padre sono molto gravi ma aggiunge che il Papa è «cosciente, lucido e sereno» e ha concelebrato la Santa Messa.

2 aprile: Giovanni Paolo II muore alle 21,37 nel suo appartamento privato. I circa 100.000 fedeli presenti in piazza San Pietro accolgono la notizia in silenzio. Poi si leva un lungo applauso. Il Papa aveva 84 anni, il suo pontificato è durato 26 anni, 5 mesi e17 giorni. Il cardinale Angelo Sodano, segretario di Stato, intona il *de profundis* per Giovanni Paolo II. Il governo italiano dichiara il lutto nazionale per la durata di tre giorni a partire dal 3 aprile, poi prolungato fino all'8 aprile, giorno dei funerali del Santo Padre. Alle esequie di Giovanni Paolo II vi partecipano 200 delegazioni con capi di Stato, reali e premier provenienti da tutto il mondo.

4 aprile: elezioni amministrative. Due regioni (Lombardia e Veneto)

al centrodestra, undici al centrosinistra (Piemonte, Liguria, Emilia Romagna, Marche, Umbria, Toscana, Lazio, Abruzzo, Calabria, Campania, Puglia): è una vera disfatta per la Casa delle Libertà.

5 aprile: lo scrittore americano Saul Bellow muore all'età di 89 anni. Premio Nobel nel 1976, Bellow era considerato uno dei grandi della letteratura americana.

6 aprile: muore il principe Ranieri. I funerali si svolgono il 15 aprile nella cattedrale di Monaco.

9 aprile: nella sala del municipio di Windsor si sposano il principe Carlo e Camilla Parker-Bowles. Alla cerimonia assistono 28 persone, fra parenti e amici, tra cui i figli di Carlo, William e Harry, ma non la Regina Elisabetta.

16 aprile: crisi di governo: Ciampi accetta le dimissioni di Udc e Nuovo Psi. Berlusconi non si dimette e il giorno dopo Fini «congela» le dimissioni annunciate dai ministri di An. Il 23 Berlusconi presenta il nuovo governo: torna Tremonti ed entrano Caldoro, La Malfa e Miccichè. Cambiano posto Scajola e Buttiglione. Restano fuori Gasparri, Urbani, Marzano e Sirchia, sostituito da Storace. È il terzo governo Berlusconi e il secondo della legislatura.

18 aprile: inizia il conclave per l'elezione del successore di Giovanni Paolo II.

19 aprile: alle ore 17,50, fumata bianca in piazza San Pietro: Joseph Ratzinger, tedesco della Baviera, 78 anni, finora custode della dottrina cattolica, è eletto papa al quarto scrutinio. Ratzinger sceglie il nome di Benedetto XVI.

25 aprile: si celebra il 60° anniversario della Liberazione. A Milano in 200.000 partecipano alla manifestazione.

3 maggio: la Cassazione chiude definitivamente la vicenda giudiziaria della strage di piazza Fontana (12 dicembre 1969). Vengono confermate le assoluzioni di Delfo Zorzi, Carlo Maria Maggi e Giancarlo Rognoni. Le spese processuali saranno sostenute dai famigliari delle vittime.

5 maggio: Gran Bretagna, alle elezioni per il rinnovo della Camera dei Comuni, i laburisti vincono conquistando 356 seggi, davanti ai conservatori (197 seggi) e ai liberaldemocratici (62 seggi). Il primo ministro Tony Blair è confermato per il terzo mandato e raggiunge così il primato di Margaret Thatcher.

16 maggio: viene rapita a Kabul Clementina Cantoni, 32 anni, una cooperante milanese che lavora per l'organizzazione umanitaria «Care International». Liberata nella capitale afghana, dopo una lunga trattativa con Timor Shah, responsabile del rapimento. La Cantoni viene rimessa in libertà dopo il rilascio della madre del sequestratore, in stato di fermo perché coinvolta nel sequestro del figlio di un uomo d'affari afghano, rimasto ucciso durante il rapimento.

25 maggio: secondo l'Istat in 10 anni è raddoppiata in Italia la percentuale delle unioni libere, passando da 227.000 nel 1994 a 555.000. Fra le tendenze in crescita, sempre di più i giovani che vivono con la famiglia di origine: dal 28,8 al 34,9%.

29 maggio: in Francia, attraverso il referendum, gli elettori dicono no alla Costituzione europea.

1 giugno: inizia la scalata di Ricucci alla Rcs. La Magiste comunica alla Consob di aver raggiunto il 16,056% di Rcs. Il 17 giugno la Magiste comunica alla Consob di essere salita al 18,5% del capitale di Rcs. Il 30 giugno Ricucci informa di aver raggiunto il 20,10% del capitale di Rcs.

1 giugno: la Corte d'Assise di Bologna emette la sentenza per l'omicidio del professor Marco Biagi e condanna all'ergastolo i br Nadia Desdemona Lioce, Roberto Morandi, Marco Mezzasalma, Diana Blefari Melazzi e Simone Boccaccini.

10 giugno: l'Italia è in recessione. La conferma arriva dall'Istat che certifica per il primo trimestre del 2005 una flessione del pil dello 0,5% rispetto al trimestre precedente. Il debito pubblico, in marzo, supera la soglia dei 1500 miliardi di euro, un livello mai toccato prima.

11 giugno: dopo 157 giorni di detenzione, viene liberata a Bagdad la giornalista Florence Aubenas, rapita insieme all'interprete iracheno, Hussein Hanoun.

12-13 giugno: si vota per i quattro referendum sulla legge per la procreazione medicalmente assistita. Il quorum non è stato raggiunto. La percentuale dei votanti è stata del 25,9%. L'inutile risultato vede i «Sì» vittoriosi con percentuali intorno all'89% per i primi tre quesiti e con il 78,2 nel quarto sulla fecondazione eterologa.

19 giugno: il leader leghista Umberto Bossi torna a partecipare al raduno di Pontida, per la prima volta dopo i gravi problemi di salute.

Bossi dice no al partito unico del centrodestra «perché il partito unico c'è già e siamo noi».

26 giugno: si vota in un collegio di Roma e in un altro di Isola Capo Rizzuto, per elezioni suppletive per due seggi alla Camera. Molto bassa l'affluenza. Dall'inizio della legislatura, si sono svolte sia per la Camera sia per il Senato 14 elezioni suppletive (10 per collegi della Camera, quattro per il Senato), tutte vinte dai candidati del centrosinistra.

30 giugno: il Parlamento spagnolo con 187 voti a favore, 147 contro (Partito popolare e Unione democratica di Catalogna) e 4 astensioni approva la legge che legalizza il matrimonio omosessuale equiparandolo a quello tradizionale e consentendo le adozioni.

4 luglio: il gup di Milano Fabio Paparella fa pubblicare sul *Corriere della Sera* quattro pagine con l'avviso di fissazione dell'udienza preliminare e la richiesta di rinvio a giudizio della Procura per Silvio Berlusconi e altre 13 persone coinvolte nell'inchiesta sulla compravendita dei diritti televisivi Mediaset, in base al Codice di procedura penale e in accordo con il responsabile dell'ufficio gip Renato Samek Ludovici e con i pm Fabio De Pasquale e Alfredo Robledo, titolari delle indagini.

8 luglio: omicidio D'Antona: tre ergastoli per Lioce, Morandi e Mezzasalma.

21 luglio: il Consiglio comunale di Torino approva una delibera che concede agli immigrati regolari, residenti in città da almeno 6 anni, il diritto di voto per le elezioni dei consigli di circoscrizione.

23 luglio: poco dopo l'una del mattino tre attentati colpiscono Sharm el Sheikh, la cittadina balneare egiziana sul Mar Rosso affollata di turisti. Nelle tre esplosioni restano uccise 67 persone, tra cui 6 turisti italiani (i fratelli Sebastiano e Giovanni Conti, rispettivamente con la moglie Daniela Maiorana e la fidanzata Rita Privitera, tutti della provincia di Catania, e le due sorelle Daniela e Paola Bastianutti della provincia di Lecce).

25 luglio: *Il Giornale* svela le intercettazioni telefoniche tra Antonio Fazio e Gianpiero Fiorani sulla scalata Antonveneta.

27 luglio: i pm di Milano Eugenio Fusco e Giulia Perrotti ordinano il sequestro dei pacchetti azionari di Antonveneta detenuti dai cosiddetti concertisti, e tra gli altri, da Ricucci e dalla Bpl di Fiorani. Alla Banca Popolare Italiana di Gianpiero Fiorani vengono sequestrati

circa 80 milioni di azioni pari al 29%, che verranno sbloccate solo il 22 dicembre. I «pattisti» sono accusati di avere rastrellato azioni Antonveneta attraverso l'uso di diversi soggetti sempre e integralmente finanziati dalla Bpl con tassi inferiori a quelli praticati e non richiedendo, nella maggioranza dei casi, alcuna garanzia per l'apertura di credito. Si apprende anche che la procura di Roma ha richiesto ai pm di Milano le intercettazioni telefoniche dei colloqui tra il governatore della Banca d'Italia Antonio Fazio e alcuni indagati, in particolare con Gianpiero Fiorani.

30 luglio: Mediaset si aggiudica i diritti tv per il calcio di Serie A in chiaro per il triennio 2005-2008 con un'offerta di 61.569.000 euro. Vengono assegnati invece alla Rai i diritti tv in chiaro e radio di Coppa Italia, per 26 milioni di euro. La Rai si aggiudica anche i diritti radiofonici della Serie A fino al 2008 per 2 milioni di euro a stagione. Chiude la storica trasmissione *90° minuto*.

1 agosto: muore a Riad, nell'ospedale Feisal dove era ricoverato, re Fahd bin Abdul Aziz al Saud (83 anni), monarca dell'Arabia Saudita e Custode delle due Sante Moschee di Mecca e Medina. Il principe ereditario Abdullah bin Abdul Aziz al Saud, suo fratellastro, è nominato suo successore.

2 agosto: muore il regista teatrale e televisivo Sandro Bolchi, 81 anni.

2 agosto: alla manifestazione per il 25° anniversario della strage alla stazione di Bologna il rappresentante del governo, come ormai accade da anni, è bersaglio di una pesante contestazione, accolto da una bordata di fischi e di insulti. Il 29 luglio la Cassazione aveva condannato all'ergastolo, confermando nella sostanza l'esito del secondo processo d'appello, i terroristi dei Nar Valerio Fioravanti e Francesca Mambro, ritenuti gli esecutori materiali della strage; condanne inoltre per banda armata a 16 anni per Fioravanti, 15 per la Mambro, 12 per Gilberto Cavallini e 8 per Egidio Giuliani, neofascisti romani; 10 anni per depistaggio a Licio Gelli e Francesco Pazienza, 8 anni e 5 mesi a Pietro Musumeci e 7 anni e 11 mesi a Giuseppe Belmonte, ex alti ufficiali del Sismi; annullamento con rinvio a Firenze per Sergio Picciafuoco e conferma dell'assoluzione per l'ideologo nero Massimiliano Fachini, morto anni fa in un incidente in Veneto.

3 agosto: a Teheran, davanti alle massime autorità dello Stato e alla Guida suprema, ayatollah Ali Khamenei, si svolge la cerimonia di in-

sediamento di Mahmud Ahmadinejad nella carica di presidente della Repubblica islamica dell'Iran.

13 agosto: il contingente italiano a Nassjiria viene ridotto di 120/130 unità, in anticipo rispetto ai tempi previsti.

14 agosto: un Boeing 737-300 della compagnia cipriota Helios airways, partito da Larnaca e diretto a Praga, cade a circa 40 km da Atene, 121 le vittime.

17 agosto: in un burrone in alta Val Camonica, sono trovati i corpi dei coniugi bresciani Aldo Donegani e Luisa Di Leo, scomparsi dal 30 luglio. I resti, fatti a pezzi e chiusi in sacchetti per la spazzatura, erano stati lanciati in una scarpata profonda 400 metri. Il nipote e coinquilino Guglielmo Gatti è fermato per duplice omicidio volontario e occultamento di cadavere.

24 agosto: muore a Milano Ambrogio Fogar, 64 anni, esploratore, paralizzato dal 1992 a causa di un incidente automobilistico nel deserto del Turkmenistan durante il raid Parigi-Mosca-Pechino.

27 agosto: Aldo Aniasi, 84 anni, ex sindaco socialista di Milano, ex ministro e comandante partigiano con il nome di battaglia di «Comandante Iso», muore all'Istituto dei tumori di Milano.

29 agosto: l'uragano Katrina colpisce New Orleans provocando danni e inondazioni. Numerosi quartieri sono allagati, tra cui il French Quarter, e alcune strutture abbattute. Il bilancio delle vittime raggiunge le 1130, con 896 corpi recuperati nella sola New Orleans.

31 agosto: nell'àmbito dell'inchiesta sulla scalata a Rcs, la Procura di Roma ipotizza i reati di aggiotaggio e di ostacolo alle attività degli organi di vigilanza nei confronti di Stefano Ricucci.

4 settembre: nel suo intervento al *Workshop Ambrosetti* a Cernobbio il ministro dell'Economia Domenico Siniscalco sfiducia il governatore della Banca d'Italia Antonio Fazio.

5 settembre: la benzina vola alle stelle:1,367 euro per litro.

18 settembre: in Germania si svolgono le elezioni per il rinnovo del Bundestag. L'alleanza Cdu/Csu della candidata conservatrice Angela Merkel conquista il 35,2% dei voti e 226 seggi, contro il 34,2% e 222 seggi per i socialdemocratici Spd del cancelliere uscente Gerhard Schroeder. Nessuna delle coalizioni tradizionali dispone della maggioranza (307 seggi). Dopo settimane di intensi colloqui

tra i due schieramenti l'11 novembre Cdu/Csu e Spd firmano un comune programma di governo. Nasce così la Grosse Koalition, guidato dal nuovo cancelliere Angela Merkel, che diviene il primo cancelliere donna della Germania.

20 settembre: muore a Vienna all'età di 96 anni il cacciatore di nazisti Simon Wiesenthal che era riuscito ad assicurare alla giustizia oltre 1100 criminali di guerra.

28 settembre: si apre il processo per il crac Parmalat nei confronti di Calisto Tanzi e altri ex amministratori di Parmalat e di alcune società. Si tratta del primo processo dopo i patteggiamenti di fine giugno che avevano riguardato tra gli altri il figlio Stefano. A carico degli imputati le accuse di aggiotaggio, false comunicazioni dei revisori e ostacolo all'attività degli organi di vigilanza.

29 settembre: si apprende al Palazzo di Giustizia di Roma che il governatore della Banca d'Italia Antonio Fazio è indagato dai primi giorni di agosto dalla Procura di Roma per abuso d'ufficio nell'àmbito dell'inchiesta su Antonveneta. L'iscrizione di Fazio nel registro degli indagati era stata secretata.

2 ottobre: per la prima volta, l'Italia festeggia i nonni. «Sono insostituibili» ha detto il capo dello Stato Carlo Azeglio Ciampi.

4 ottobre: «Io ho proposto le primarie, e l'ho detto, perché ritengo che Silvio Berlusconi non sia il candidato giusto per il centrodestra». È uno dei passaggi conclusivi di una lettera del segretario dell'Udc Follini al *Corriere della Sera* nella quale ribadisce di essere favorevole al sistema elettorale proporzionale.

4 ottobre: il Pentagono rende noto che il numero dei militari Usa uccisi in azione in Iraq dall'inizio della guerra, ha superato i 1500. Il numero delle perdite americane complessive, comprese le vittime di incidenti e fuoco amico, è di 1939. Se si aggiungono anche quelle in Afghanistan (243) sono 2182.

5 ottobre: prima di ridursi a tempesta tropicale, l'uragano Stan (forza 1), che dal 4 ottobre si è abbattuto sulle coste orientali del Messico e in altri Stati del Centro America, causa 2000 morti. Il Guatemala è il Paese più colpito.

5 ottobre: Berlusconi e Fini accelerano sulla legge elettorale. Se non passerà, riflettono entrambi, non è possibile che non ci siano conseguenze politiche nella maggioranza.

6 ottobre: peggiorano le condizioni di vita in Italia. Una famiglia su quattro che vive al Sud si trova in condizioni di povertà, quasi quattro punti percentuali rispetto all'anno precedente. Lo rileva l'Istat nel rapporto annuale sulla povertà. Le famiglie povere sono l'11,7% per un totale di 7 milioni 588.000 persone, ossia il 13,2% dell'intera popolazione.

8 ottobre: una scossa di terremoto (7,6 della scala Richter) colpisce il nord del Pakistan, dell'India e l'Afghanistan orientale. Secondo un bilancio provvisorio, le vittime sono oltre 26.000. Il 1° novembre il premier pachistano Shaukat Aziz fornisce un nuovo bilancio delle vittime: 57.000.

9 ottobre: muore a Milano Gaetano Afeltra, 90 anni, una delle firme più prestigiose del giornalismo italiano.

9 ottobre: decine di migliaia di persone a Roma (100.000 secondo gli organizzatori, 30.000 secondo la Questura) partecipano, nonostante la pioggia, alla manifestazione del centrosinistra indetta contro la legge finanziaria e le riforma elettorale. È la prima volta che da quando governa il centrodestra una manifestazione viene trasmessa in diretta dalla Rai.

10 ottobre: Lapo Elkann è ricoverato in gravi condizioni per un'overdose di cocaina all'ospedale Mauriziano di Torino. Il giovane nipote dell'avvocato Agnelli non è in pericolo di vita ma è in coma farmacologico ed è intubato. Sarà dimesso il 17 ottobre.

10 ottobre: i sindacati confermano il giudizio negativo contro la Finanziaria e proclamano quattro ore di sciopero generale per venerdì 25 novembre.

11 ottobre: dopo la visita agli Icet Studios di Brugherio dove Adriano Celentano sta preparando *Rockpolitik* in onda su RaiUno dal 20 ottobre, il direttore Fabrizio Del Noce dichiara: «Se non ho il controllo editoriale, di fatto sono già autosospeso». Il responsabile di rete non concorda con la piena autonomia editoriale concessa al cantante e autore televisivo.

13 ottobre: con 323 voti favorevoli, 6 contrari e 6 astenuti la Camera approva la legge elettorale. Il testo ora passa al Senato. I deputati dell'Unione rimangono in aula ma non votano.

14 ottobre: 3000 i rappresentanti del mondo del cinema, del teatro e della lirica che aderiscono alla manifestazione in piazza Montecitorio per protestare contro i tagli previsti dalla Finanziaria.

15 ottobre: Marco Follini annuncia alla direzione dell'Udc le sue dimissioni da segretario. Gli subentra, il 27, Lorenzo Cesa.

16 ottobre: è il giorno delle primarie per l'Unione. Ecco la scheda sui risultati definitivi delle votazioni: Seggi Totali 9651; Elettori 4.311.149; Prodi 74,1% (3.182.686): Bertinotti 14,7% (631.592); Mastella 4,6% (196.014); Di Pietro 3,3% (142.143); Pecoraro Scanio 2,2% (95.388); Scalfarotto 0,6% (26.912); Panzino 0,5% (19.752); Schede Valide 4.294.487; Schede Bianche 0,2% (7583); Schede Nulle 0,2% (9031); Schede Contestate 48.

16 ottobre: due persone armate uccidono a colpi di pistola il vicepresidente del Consiglio regionale della Calabria Francesco Fortugno mentre sta votando in un seggio per le primarie dell'Unione a Locri.

19 ottobre: Michele Santoro si dimette da europarlamentare e annuncia che domani sera sarà ospite della prima puntata di *Rockpolitik* il programma di Adriano Celentano in onda su RaiUno.

21 ottobre: boom di ascolti per Adriano Celentano, ma anche polemiche. Le critiche più dure vengono da An che se la prende con il direttore generale della Rai Alfredo Meocci che invece incassa, oltre al plauso dei consiglieri dell'Unione, la solidarietà del presidente Casini e dell'Udc. Per Prodi è «uno show di libertà».

21 ottobre: ordine del giorno a Bologna su legalità e sicurezza. «Chi lo vota è dentro, chi non lo approva è fuori dalla maggioranza.» Il sindaco Sergio Cofferati decide di metter fine così alle contestazioni interne. Accusato da tempo di mancanza di collegialità nelle decisioni. A criticare Cofferati non è solo la sinistra radicale ma anche una parte del mondo cattolico, i movimenti e la «sua» Cgil per gli sgomberi delle baracche abusive sulle rive del fiume Reno e per la decisione di multare i lavavetri ai semafori della città.

23 ottobre: Silvio Berlusconi sulla trasmissione di Celetano *Rockpolitik* dichiara: «È soltanto l'ultimo episodio di un sistema della comunicazione, televisiva ma anche stampa, che dal 2001 ha sistematicamente attaccato l'operato del governo e il presidente del Consiglio. Basta guardare ogni giorno i canali Rai per vedere battute contro il presidente del Consiglio da parte di Serena Dandini, Sabina Guzzanti, Gene Gnocchi, Enrico Bertolino, Dario Vergassola, Corrado Guzzanti e altri che cerco di non tenere a mente. Oltre, è ovvio a *Rockpolitik*».

25 ottobre: mentre i parlamentari votano l'approvazione della rifor-

ma Moratti, migliaia di studenti, docenti e ricercatori protestano lungo le vie di Roma. Nel pomeriggio scoppiano scontri in via del Corso.

26 ottobre: in una conferenza a Teheran sul tema *Un mondo senza sionismo*, il presidente iraniano Mahmud Ahmadinejad afferma il proposito di «cancellare Israele dalla mappa del mondo».

27 ottobre: alle dichiarazioni del presidente iraniano rispondono l'Onu, l'Ue e gli Usa, che respingono come «inaccettabili» le parole di Ahmadinejad.

27 ottobre: due ragazzi di 17 e 15 anni, di origine tunisina e malese, muoiono folgorati in una centralina elettrica di Clichy-sous-Bois, alla periferia nord di Parigi, nella quale si erano nascosti perché inseguiti dalla polizia per un tentativo di furto. L'episodio scatena prima nel dipartimento di Seine-Saint Denis, poi in altre aree della banlieue parigina scontri violenti, incendi di auto e cassonetti dei rifiuti, assalti a scuole, centri commerciali e commissariati. Agenti della polizia vengono colpiti con armi da fuoco. Gli scontri continuano nei giorni seguenti e si estendono anche ad altre città. Nella notte tra il 4 e il 5 novembre incendi vengono applicati anche a edifici pubblici e commerciali della capitale. Il 7 novembre si contano 1408 veicoli incendiati e 395 persone fermate.

27 ottobre: in un incendio divampato nella notte all'aeroporto Schiphol a circa 15 km da Amsterdam, muoiono 11 immigrati tenuti in stato di fermo in attesa di espulsione.

27 ottobre: l'Abbè Pierre confessa di aver avuto delle relazioni sessuali con delle donne. In un libro che esce in Francia, *Dio mio... perché?*, il fondatore di Emmaus, 93 anni, parla della «forza del desiderio». Il religioso si dice favorevole al sacerdozio delle donne, al riconoscimento delle coppie omosessuali attraverso un'unione, e non è ostile ai preti sposati.

29 ottobre: «Io non sono mai stato convinto che la guerra fosse il sistema migliore per arrivare a rendere democratico un Paese e a farlo uscire da una dittatura anche sanguinosa»: lo afferma Silvio Berlusconi in una intervista a La7 trasmessa nel corso di *Omnibus*. Berlusconi dice di aver tentato «a più riprese» di convincere Bush a non attaccare l'Iraq anzi racconta di aver tentato di «trovare altre vie e altre soluzioni anche attraverso un'attività congiunta con il leader africano Gheddafi».

31 ottobre: «Nessuno di noi, che siamo fra gli alleati più stretti degli

Stati Uniti, ha mai pensato di andarsene dall'Iraq prima che la missione sia compiuta». Un ritiro dall'Iraq ora porterebbe «a una guerra civile senza fine». Lo afferma il presidente del Consiglio Silvio Berlusconi in una conferenza stampa con Bush accanto. Dice anche di considerare le decisioni di Bush assolutamente coerenti. Il centrosinistra insorge alle parole del premier parlando di una ennesima marcia indietro.

1 novembre: «Non mi piacciono gli spot nazionali sulla politica estera», è il commento del presidente della Camera Pier Ferdinando Casini alle rivelazioni del premier che dopo l'incontro alla Casa Bianca con Bush rivela che gli Usa preferirebbero che non fosse Prodi a governare l'Italia.

1 novembre: il congresso dei Radicali italiani approva la costituzione di un nuovo soggetto politico con lo Sdi di Enrico Boselli, che avrà come simbolo la rosa nel pugno. Il congresso riconferma Daniele Capezzone segretario ed elegge Luca Coscioni presidente nazionale.

3 novembre: viene recapitata al sindaco di Bologna Cofferati una busta contenente un ordigno esplosivo, disinnescato poi dagli artificieri nel cortile di Palazzo d'Accursio. «Non mi faccio intimorire» dice il giorno dopo il sindaco escludendo la possibilità di una connessione tra il pacco-bomba e la discussione sulla legalità.

3 novembre: 15.000 persone (10.000 per la polizia) partecipano a Roma alla fiaccolata bipartisan davanti all'ambasciata dell'Iran promossa dal quotidiano *Il Foglio* per dire no alla cancellazione di Israele evocata dal presidente iraniano Mahmud Ahmadinejad. Alla manifestazione sono presenti molti rappresentanti della Cdl e dell'Unione ma non Berlusconi e Prodi. All'ultimo momento rinunciano a partecipare anche Fini e Martino per evitare dure reazioni diplomatiche da parte dell'Iran.

3 novembre: kamikaze pronti a farsi esplodere durante un incontro di calcio internazionale a Milano per creare terrore, ma anche per colpire, tra gli spettatori, il premier Silvio Berlusconi. A rivelarlo è lo stesso Berlusconi in un'intervista su *Libero*. Il premier parla dell'Italia come di un Paese esposto ad «attacchi micidiali» e spiega di essere oggetto di una «minaccia diretta».

3 novembre: Marco Travaglio espresse una legittima critica politica verso Silvio Berlusconi durante la trasmissione *Satyricon* in onda su RaiDue il 14 marzo 2001, e quella di Daniele Luttazzi fu satira, senza

valenza offensiva. Sono le motivazioni della sentenza con la quale la prima sezione civile del Tribunale di Roma ha condannato Silvio Berlusconi a rifondere le spese processuali a Travaglio, Luttazzi, Carlo Freccero, Rai e Ballandi Entertainment pari a 16.855 euro.

4 novembre: l'ex banchiere italo-svizzero Pierfrancesco Pacini Battaglia, 71 anni, uno dei protagonisti delle inchieste di Mani pulite, è arrestato nella sua casa di Bientina (Pisa). Deve scontare una pena di 6 anni di reclusione per appropriazione indebita, pena divenuta definitiva il 26 ottobre scorso quando la Cassazione ha confermato la sentenza di appello per il processo per i 120 miliardi di fondi neri dell'Eni.

4 novembre: il prefetto di Milano Bruno Ferrante accetta di candidarsi alle elezioni per il sindaco di Milano passando attraverso le primarie del centrosinistra. Lo annuncia lo stesso Ferrante comunicando anche le sue immediate dimissioni dalla carica di prefetto. Alle primarie si sono già candidati: Dario Fo, Milly Bossi Moratti e Davide Corritore.

7 novembre: Luigi Spagnolli (centrosinistra-Svp) è il nuovo sindaco di Bolzano.

8 novembre: il governo devolverà 5 milioni e mezzo di euro di risarcimento alla famiglia di Marco Biagi per la revoca della scorta al giuslavorista ucciso dalle Br. La signora Marina Orlandi Biagi cederà la quota a lei spettante in favore di progetti di solidarietà.

8 novembre: ex Cirielli, la maggioranza trova l'accordo sull'emendamento presentato dall'Udc che punta a escludere i processi pendenti in Appello e in Cassazione dai nuovi termini di prescrizione. La richiesta di modifica si propone di fare in modo che la legge non venga considerata come «salva Previti», in quanto di fatto esclude il parlamentare dai possibili effetti del provvedimento.

9 novembre: la Camera approva la proposta di legge. Nel corso della seduta interviene a lungo anche Cesare Previti ribadendo come la ex Cirielli è diventata legge contro una sola persona.

9 novembre: tre kamikaze si fanno esplodere in altrettanti alberghi di Amman, Giordania, frequentati da turisti, 59 morti, compresi alcuni bambini e 90 feriti. La cellula irachena di Al Qaeda rivendica la paternità degli attentati.

11 novembre: rimarrà a Milano il procedimento a carico di 14 impu-

tati, tra i quali Silvio Berlusconi, per presunte irregolarità nell'acquisto di diritti cinematografici e televisivi da parte di Mediaset. Lo stabilisce il gup Fabio Paparella respingendo l'eccezione presentata dai legali del gruppo televisivo, da Fininvest, e dagli avvocati di alcuni imputati che chiedevano il trasferimento dell'udienza a Brescia. Per Niccolò Ghedini, uno dei legali del premier, è una decisione «gravissima».

11 novembre: via libera del Senato, con voto di fiducia, alla Finanziaria 2006.

11 novembre: Silvio Berlusconi lancia la proposta «una casa a quel 19% di famiglie italiane che non ne possiedono una di proprietà». È il progetto per la campagna elettorale di Forza Italia in vista delle prossime politiche. La sinistra, compatta, critica la proposta.

16 novembre: migliaia di persone (70-80.000 secondo gli organizzatori, la metà per le forze dell'ordine) manifestano in Val Susa per dire no alla linea ferroviaria ad alta velocità Torino-Lione. Tra i partecipanti, oltre agli abitanti di tutta la valle, ci sono sindaci, politici, sindacalisti, studenti, parroci e ambientalisti.

16 novembre: comincia il processo d'appello per il delitto di Cogne: il pg Vittorio Corsi chiede una nuova perizia psichiatrica su Annamaria Franzoni, condannata in primo grado a 30 anni di carcere per avere ucciso il figlio Samuele. Il difensore Carlo Taormina si oppone alla richiesta.

16 novembre: il Senato approva in via definitiva la legge di riforma costituzionale (devolution) con 170 sì, 132 no e 3 astenuti (quorum richiesto 161). In aula al momento del voto anche il leader della Lega, Umberto Bossi, tornato a Roma per la prima volta dopo l'ictus.

16 novembre: il vicepresidente del Senato, Domenico Fisichella (An), si dimette dal partito. Lo annuncia durante il suo intervento al Senato contro la devolution.

20 novembre: migliaia di baby accattoni, forse 20.000 secondo l'Opera Nomadi, si aggirano per le strade delle città italiane e circa 50.000 sono i minori stranieri abbandonati e identificati dal 2000 al 2005 nel nostro Paese.

22 novembre: uomini del Corpo forestale dello Stato, su disposizione della Procura di Ascoli Piceno, sequestrano in tutta Italia milioni di litri di quattro differenti marche di latte per l'infanzia della Ne-

stlè. Il latte risulta contaminato dalla vernice utilizzata per la stampa delle etichette.

25 novembre: sciopero generale. Secondo le stime dei sindacati l'adesione è dell'80-90% dei lavoratori, centinaia di migliaia di persone in piazza. Il governo minimizza e parla di «basso livello di adesione», Silvio Berlusconi bolla lo sciopero come «assolutamente inutile» mentre il leader dell'Unione Prodi parla di un «diritto sacrosanto».

26 novembre: «Abbiamo catturato 200 terroristi internazionali sul nostro territorio». Lo dice Silvio Berlusconi nel suo intervento all'assemblea dei parlamentari e dei coordinatori regionali e provinciali di Forza Italia al Palazzo dei Congressi di Roma. Affermazioni imbarazzanti commenta Enzo Bianco, presidente della Comissione parlamentare per i Servizi di Sicurezza. Il giorno dopo Palazzo Chigi conferma i dati diffusi dal premier.

26 novembre: l'intervista di Armando Cossutta al *Corriere della Sera,* nella quale il presidente del Pdci dichiara di essere pronto a rinunciare al simbolo della falce e del martello pur di realizzare un accordo con i Verdi per presentarsi assieme alle elezioni, fa insorgere il partito. Primo fra tutti il segretario Oliviero Diliberto.

26 novembre: Adriano Sofri è operato nella notte all'ospedale Santa Chiara di Pisa per un'emorragia all'esofago. L'intervento è riuscito ma le sue condizioni sono gravi. La malattia riapre il dibattito sulla grazia: all'adesione del centrosinistra si affiancano quelle di alcuni esponenti della Cdl, favorevoli al gesto di clemenza: il sottosegretario all'Interno Alfredo Mantovano (An), il ministro per le Comunicazioni Mario Landolfi (An) e il coordinatore di Fi, Sandro Bondi. Il 28 novembre è concessa a Sofri la sospensione della pena per sei mesi. Il ministro della Giustizia Roberto Castelli dice di stare doverosamente riesaminando il caso: «Non sono cambiate le mie opinioni, ma i fatti».

29 novembre: il Senato approva la proposta di legge ex Cirielli, in quarta e ultima lettura.

29 novembre: è sempre più forte la mobilitazione in Val di Susa contro l'avvio del cantiere per la linea ferroviaria ad alta velocità Torino-Lione a Venaus. I manifestanti si dirigono verso Venaus dove domani verrà aperto il cantiere per la realizzazione del «cunicolo esplorativo» lungo 10 chilometri.

30 novembre: via libera definitivo della Camera al decreto fiscale che

accompagna la Finanziaria 2006. Il decreto prevede una manovra bis correttiva dei conti pubblici del 2005 pari a 2,68 miliardi, nonché nuove entrate fiscali per il 2006 per 4,6 miliardi. Il provvedimento contiene anche altre misure, come la riforma dell'Anas, l'esenzione Ici per le confessioni religiose.

1 dicembre: «Se mi ritirassi adesso, io, l'unico in grado di portare il centrodestra alla vittoria nel 2006, non farei il bene di Forza Italia e soprattutto del Paese»: lo afferma il premier parlando con i coordinatori regionali di Forza Italia, a Palazzo Grazioli. Precedentemente, incontrando i senatori Berlusconi ha confermato «l'attacco a tre punte» per la prossima campagna elettorale della Casa delle Libertà e annunciato di presentare a breve una data per il ritiro delle truppe dall'Iraq.

2 dicembre: a Raleigh, nella Carolina del Nord, viene eseguita l'esecuzione capitale di Kenneth Lee Boyd, attraverso un'iniezione letale, la numero 1000, da quando è stata reintrodotta la pena di morte nello Stato nel 1976.

2 dicembre: «Se vinceremo alle elezioni politiche del 2006 torneremo al maggioritario, cercando l'accordo con l'opposizione». Lo dice il leader dell'Unione Prodi, intervenuto alla conferenza programmatica dei Ds di Firenze. Nell'occasione si esprime anche a favore della Tav, convinto che l'Italia non debba essere isolata dal resto dell'Europa.

2 dicembre: vicenda Sme, i giudici della Corte d'Appello di Milano confermano le condanne di primo grado: 5 anni al parlamentare di Fi Cesare Previti e 4 all'avvocato Attilio Pacifico; pena ridotta da 8 a 7 anni per l'ex capo del Gip di Roma Renato Squillante e assoluzione per l'ex giudice Filippo Verde.

3 dicembre: il ministro delle Politiche agricole Gianni Alemanno è il candidato di An alle elezioni per il sindaco di Roma. Contro il sindaco uscente Walter Veltroni, oltre ad Alemanno sono candidati il ministro per la Funzione pubblica Mario Baccini (Udc) e Mauro Cutrufo (Dc).

4 dicembre: Rita Borsellino, sorella del magistrato Paolo Borsellino, assassinato dalla mafia nel '92, vince le primarie dell'Unione in Sicilia per il candidato a governatore. La Borsellino ottiene il 66,9% dei voti (124.309) contro il 33,1% (61.631) di Federico Latteri.

6 dicembre: 22 feriti (19 cittadini e 3 poliziotti) è il bilancio del blitz

effettuato dalle forze dell'ordine nella notte a Venaus, per sgombrare i presidi istituiti dai manifestanti contro la Tav in Val di Susa. L'Unione critica l'azione di forza decisa da Pisanu mentre la Cdl difende le scelte del ministro dell'Interno.

7 dicembre: nell'àmbito dell'inchiesta sulla scalata ad Antonveneta, sono stati iscritti nel registro degli indagati della Procura di Milano anche il presidente e amministratore delegato di Unipol Giovanni Consorte e il vicepresidente Ivano Sacchetti. Secondo l'ipotesi d'accusa, Consorte e Sacchetti avrebbero preso parte al rastrellamento dei titoli dell'istituto di credito padovano insieme con gli altri «concertisti» già indagati, appoggiando quindi l'ex amministratore delegato di Bpl Gianpiero Fiorani nel tentativo di acquisire la banca veneta. Il 27 dicembre, nel primo interrogatorio come indagato per aggiotaggio, a Consorte e al suo vice Sacchetti vengono contestati dai 40 ai 50 milioni di euro di plusvalenze sospette, ottenute negli anni con operazioni di acquisto e repentina vendita di titoli alla Bpl di Fiorani e all'Hopa di Emilio Gnutti, che poi, a loro volta, avrebbero girato parte delle plusvalenze per ricompensarli. Il 28 dicembre il presidente e vicepresidente di Unipol, Giovanni Consorte e Ivano Sacchetti, decidono di dimettersi nel cda che si terrà il 9 gennaio 2006.

8 dicembre: feriti 17 tra carabinieri e poliziotti più 2 cittadini. È il bilancio dei disordini a Venaus dove i manifestanti No Tav occupano nuovamente il luogo da dove erano già stati allontanati. I manifestanti, nel pomeriggio, sospendono la protesta in segno di buona volontà in attesa delle decisioni del vertice che si terrà a Roma.

12 dicembre: il premier Silvio Berlusconi non risparmia critiche alla sinistra e al comunismo. «I leader della sinistra italiana», afferma, «sono eredi dei metodi del Pci. E se la sinistra prenderà il governo non ci sarà né alternanza né democrazia.» Poi aggiunge: «Il cambio lira-euro è un disastro provocato da Prodi. La lira è stata svenduta».

13 dicembre: l'ex numero uno della Banca Popolare Italiana Gianpiero Fiorani viene arrestato nella sua abitazione di Lodi con un ordine di custodia cautelare nell'ambito dell'inchiesta milanese sulla scalata Antonveneta. Mandato di cattura anche per l'ex direttore finanziario Gianfranco Boni e arresti domiciliari per l'ex dirigente Silvano Spinelli. L'ordinanza di custodia cautelare firmata dal gip Clementina Forleo disegna un sistema di collaudate spartizioni di denaro fra Fiorani, Boni e Spinelli. Ai tre, infatti, andava, secondo la ricostruzione degli inquirenti, il 60% dei proventi delle operazioni fi-

nanziarie compiute dai cosiddetti «clienti privilegiati», i quali ricevevano il restante 40% di guadagno.

13 dicembre: il ministro Roberto Castelli dice no, per la seconda volta, alla grazia per Adriano Sofri. «Non vi è un accanimento nei suoi confronti. Lui potrà vivere la convalescenza da uomo libero.»

14 dicembre: il Senato approva, in via definitiva, la nuova legge elettorale con il sistema proporzionale. «Finalmente una legge democratica» commenta Berlusconi. Critiche dall'opposizione che vota contro il testo. Il 22 dicembre il presidente Carlo Azeglio Ciampi firma la riforma.

14 dicembre: Torino, al processo d'appello per doping sentenza di assoluzione per l'amministratore delegato della Juventus Antonio Giraudo (assolto anche in primo grado) e per il medico Riccardo Agricola (condannato a 1 anno e 10 mesi di reclusione in primo grado) dall'accusa di frode sportiva. La corte ha stabilito che il fatto non è previsto dalla legge come reato. Il pm Guariniello dichiara che ricorrerà in Cassazione.

15 dicembre: il commediografo Giuseppe Patroni Griffi, 84 anni, muore nella sua casa romana.

15 dicembre: il ministro dell'Istruzione, Letizia Moratti, ufficializza la candidatura a sindaco di Milano per il centrodestra e delinea i punti principali del suo programma.

19 dicembre: il governatore della Banca d'Italia Antonio Fazio rassegna le sue dimissioni nelle mani del consigliere anziano Paolo Emilio Ferrari.

22 dicembre: la Camera conferma la fiducia al governo approvando l'emendamento al ddl sulla tutela del risparmio relativo alla Banca d'Italia e alla nomina del suo governatore. Il governo ricorre alla fiducia altre due volte: sull'emendamento relativo al falso in bilancio e sull'intero articolo 30 del ddl sul Risparmio. Il giorno dopo anche il Senato conferma la fiducia al governo.

29 dicembre: il *Corriere della Sera* dà notizia di un invito a comparire al premier Silvio Berlusconi per corruzione da parte della Procura di Milano nell'àmbito dell'inchiesta sui diritti tv di Mediaset. Due le ipotesi di reato: la corruzione in atti giudiziari del teste e il concorso in falsa testimonianza addebitata all'avvocato londinese David Mills. Il

premier, scrive il giornale, convocato il 3 dicembre, non si è presentato. «La sintesi dell'intera vicenda è una sola e non è giuridica. È iniziata la campagna elettorale.» Così l'onorevole Niccolò Ghedini, difensore di Silvio Berlusconi, commenta la pubblicazione della notizia.

29 dicembre: il Consiglio dei ministri, su proposta del presidente Berlusconi, acquisito il parere favorevole del Consiglio superiore della Banca d'Italia, approva la nomina di Mario Draghi a governatore della Banca d'Italia. Il decreto viene controfirmato dal presidente della Repubblica.

31 dicembre: l'ultimo messaggio di Carlo Azeglio Ciampi agli italiani, trasmesso a reti unificate, è il più breve del settennato (12 minuti e mezzo), e anche il più commosso. Il presidente della Repubblica dice di aver vissuto il mandato «come un dovere, una missione» all'insegna del senso della dignità e dell'imparzialità. Ciampi riafferma, tra l'altro, la laicità dello Stato e invita i cittadini al rispetto dei valori fondamentali come la libertà, l'unità del Paese, la famiglia e il dialogo. Un percorso, sottolinea, da compiere con spirito costruttivo e con «l'orgoglio di essere italiani». Il discorso riceve un coro di consensi dalle forze politiche; qualche critica solo da Rifondazione comunista, Lega Nord e Radicali italiani.

ANNO 2006

1 gennaio: un ragazzo di 14 anni muore in un ospedale della Turchia orientale per sospetta influenza aviaria. Lo stesso giorno, ancora nell'ospedale di Van, muore anche Fatma, 15 anni, sempre per l'influenza aviaria. Il 6 gennaio la terza vittima. Il 7 gennaio la Commissione europea comunica che quello riscontrato nei polli nella zona orientale della Turchia è il ceppo altamente patogeno dell'H5N1. Il 9 gennaio le autorità sanitarie turche dispongono lo stato di quarantena in varie parti del Paese.

1 gennaio: il gigante energetico russo Gazprom taglia all'Ucraina i rifornimenti di gas, dopo che Kiev ha rifiutato di adeguarsi al pagamento delle stesse tariffe adottate negli altri Paesi europei. L'Ucraina finora ha pagato 50 dollari per mille metri cubici di gas russo, la Gazprom ha proposto di portare il prezzo a 230 dollari, con un incremento del 460%, concedendo a Kiev un congelamento dei prezzi nel primo trimestre del 2006. La crisi tra Russia e Ucraina coinvolge anche l'Europa, dove Paesi come Austria, Francia, Germania e Italia

sono i principali importatori di gas russo, che transita per i gasdotti del territorio ucraino. Il 3 gennaio la Commissione Ue chiede a Russia e Ucraina di tornare al tavolo delle trattative. Il 4 gennaio le compagnie energetiche russa Gazprom e ucraina Naftogaz annunciano di aver raggiunto un accordo sul prezzo del gas russo. Aleksei Miller, presidente di Gazprom in una conferenza stampa congiunta a Mosca dichiara che l'accordo, di durata quinquennale, prevede la vendita di gas russo all'Ucraina al prezzo di 95 dollari per mille metri cubi.

1 gennaio: nella provincia del Marib, nello Yemen orientale, uomini appartenenti alla tribù yemenita al Zaydi rapiscono cinque turisti italiani, due uomini e tre donne. I sequestratori chiedono al governo la liberazione di otto persone della loro tribù in carcere. Dopo le manifestazioni di solidarietà agli ostaggi del 3 e 4 nella capitale San'a e nella città di Marib, il 5 gennaio gli italiani vengono liberati grazie a un'azione congiunta delle autorità yemenite e italiane.

4 gennaio: alla vigilia di un intervento al cuore il primo ministro israeliano Ariel Sharon, 77 anni, viene colpito da quella che i medici descrivono come una «forte emorragia cerebrale», dopo l'ictus, decisamente più lieve, di tre settimane prima. Le sue condizioni risultano immediatamente critiche e i poteri sono trasferiti temporaneamente al vicepremier Ehud Olmert.

10 gennaio: l'Iran toglie i sigilli agli impianti dove intende riavviare le attività di ricerca nucleare, nonostante il parere contrario della Ue e degli Usa.

10 gennaio: sono oltre mezzo milione gli italiani che hanno deciso di dire addio alle «bionde». È uno dei risultati principali raggiunto in un anno di applicazione della legge «antifumo». Per l'ex ministro della salute Girolamo Sirchia, padre della legge, si tratta di un bilancio «molto positivo».

11 gennaio: il faccia a faccia Berlusconi-Bertinotti nel salotto di *Porta a Porta* non regala grandi sorprese, a parte l'annuncio del premier, sollecitato dal segretario di Rifondazione, di volersi recare in Procura per riferire su quanto è venuto a conoscenza sulla vicenda Unipol-Bnl, precisando che intende parlare di «certi incontri» per convincere alcuni soci Bnl a cedere le loro quote a Unipol.

12 gennaio: il presidente del Consiglio incontra i magistrati della Procura di Roma per una deposizione spontanea sulla vicenda Unipol. Il giorno dopo durante una conferenza stampa trasmessa da

RaiUno, Berlusconi dice di aver parlato di «un incontro conviviale» di esponenti Ds con il presidente delle Generali Antoine Bernheim, notizia avuta dal produttore Tarek Ben Ammar.

12 gennaio: il Senato approva definitivamente il ddl sulla inappellabilità delle sentenze di condanna. Il provvedimento, promosso dal forzista Gaetano Pecorella, rende inappellabili le assoluzioni. Contraria l'opposizione che lo considera un altro provvedimento *ad personam*. Contrari i magistrati favorevoli, invece, gli avvocati penalisti.

14 gennaio: il segretario Ds Piero Fassino rivolge un appello al presidente del Consiglio, ai leader della Cdl, e anche al centrosinistra per «un comune senso di responsabilità» per consentire «un clima sereno» nella campagna elettorale. Berlusconi risponde: «I Ds hanno mentito perché sono intervenuti direttamente nel gioco Unipol-Generali» e Fassino «dovrebbe guardarsi allo specchio» prima di lanciare certe proposte. Niente di strano, invece, per Berlusconi, per i suoi incontri con Gianpiero Fiorani il quale, sostiene il Cavaliere, «veniva a informarmi».

14 gennaio: in Toscana parte la campagna per la raccolta di firme sul referendum popolare contro la riforma costituzionale promossa dalla maggioranza.

18 gennaio: in una conferenza stampa dopo essere stato ascoltato dai magistrati romani che indagano sulla scalata di Unipol alla Bnl, Tarak Ben Ammar dice: «Sia io, sia Bernheim, non abbiamo mai detto a Berlusconi che esponenti politici, di sinistra o di destra, abbiano fatto pressioni sulla cessione delle quote di Bnl di proprietà delle Generali».

19 gennaio: il presidente del Consiglio Silvio Berlusconi scriverà a circa 600.000 bebé nati nel 2005 per annunciare ai loro genitori le modalità per riscuotere i 1000 euro previsti dal bonus bimbi introdotto dalla Finanziaria.

20 gennaio: il presidente della Repubblica rinvia alle Camere la legge Pecorella.

22 gennaio: circa 10.000 persone sfilano in corteo a Messina per protestare contro la realizzazione del Ponte sullo Stretto. Nell'àmbito dell'iniziativa denominata «No Ponte, No Tav», promossa da associazioni ambientaliste, partiti, movimenti e società civile, a Susa sfilano per solidarietà con i manifestanti siciliani, circa 15.000 perso-

ne, tra cui sindaci, amministratori e rappresentanti della comunità montana.

23 gennaio: a Cosenza la polizia arresta un sacerdote di 69 anni, Francesco Bisceglia, con l'accusa di violenza sessuale, singola e di gruppo, nei confronti di una suora. Insieme a Bisceglia, conosciuto come padre Fedele e fondatore della struttura di accoglienza Oasi Francescana di Cosenza, viene arrestato anche un suo stretto collaboratore, Antonio Gaudio, al quale vengono ordinati gli arresti domiciliari. La suora aveva raccontato agli inquirenti di aver subìto ripetutamente abusi sessuali tra febbraio e giugno 2005, e di aver subìto minacce da parte dei suoi aggressori. Padre Fedele si difende parlando di un «complotto». Il 30 gennaio il gip del tribunale di Cosenza accoglie la richiesta della difesa di concedere al sacerdote gli arresti domiciliari nel convento dell'Ordine dei Cappuccini, a Belvedere Marittimo. Il 31 gennaio la difesa assume come perito il criminologo Francesco Bruno, che dovrà esaminare la fondatezza delle accuse contestate a padre Fedele e l'esito della perizia psichiatrica cui è stata sottoposta la suora. Sempre il 31 gennaio la difesa dichiara che «padre Fedele, a causa di una patologia alla prostata che lo ha colpito da tempo, non può avere rapporti sessuali perché impotente». In questo modo verrebbe a cadere l'intera tesi dell'accusa. Il 9 marzo 2006 il Tribunale del Riesame di Catanzaro rimette in libertà l'assistente di padre Fedele. Secondo i giudici la suora sarebbe inattendibile per le contraddizioni delle sue dichiarazioni. Il 15 maggio padre Fedele viene scarcerato dai giudici del Tribunale della libertà di Catanzaro.

25 gennaio: si svolgono le elezioni per il rinnovo del Parlamento palestinese. Gli elettori votano in Cisgiordania, Gerusalemme Est e nella Striscia di Gaza alle seconde elezioni parlamentari dieci anni dopo le prime, tenute nel 1996. Hamas vince le elezioni e conquista 74 seggi, Al Fatah ottiene 45 seggi, Indipendenti 4, Lista Abu Ali Mustafa-Fplp 3, Terza Via 2, Palestina indipendente 2 e Al Badil(Fdlp-Fida-Ppp) 2.

26 gennaio: il segretario del Prc, Fausto Bertinotti, presenta i candidati «esterni» per le elezioni politiche, tra cui il transessuale Vladimir Luxuria, il leader no-global Francesco Caruso e il diplomatico della rappresentanza palestinese in Italia Ali Rashid.

26 gennaio: dopo una serie di caricature giudicate sacrileghe del profeta Maometto apparse sulla stampa danese e norvegese l'Arabia Saudita richiama il proprio ambasciatore in Danimarca per protestare

contro il governo danese. Dodici vignette satiriche di Maometto, la riproduzione della cui immagine è vietata dall'Islam, erano state pubblicate il 30 settembre 2005 dal quotidiano danese *Jyllands-Posten* e riprese il 10 gennaio dalla rivista norvegese, *Magazinet*. Migliaia di messaggini sono stati inviati attraverso i telefoni cellulari per chiedere il boicottaggio dei prodotti scandinavi. Il 28 anche il governo iraniano protesta ufficialmente con Danimarca e Norvegia. Il 30 Carsten Justen, direttore di *Jyllands-Posten*, attraverso una lettera diffusa dall'agenzia giordana Petra, si scusa con il mondo musulmano; contemporaneamente il primo ministro danese, Anders Fogh Rasmussen, prendendo le distanze dalle caricature ricorda che in Danimarca esiste la libertà di stampa.

28 gennaio: «Nel 1994 ci fu un golpe...». Silvio Berlusconi conclude il suo comizio a Cagliari ricordando la fine del suo primo governo. «Scalfaro allora disse a Bossi: "Berlusconi è nel baratro, i giudici di Milano lo condanneranno. In quel baratro non finirci anche tu". I giudici di Milano dopo sette anni mi assolsero, ma gli italiani nel frattempo non ci videro più al governo.» Conclude Berlusconi: «Se vincesse la sinistra tutta l'Italia sarebbe sotto l'emblema della falce e del martello».

29 gennaio: esce il libro di David Ray Griffin dal titolo: *Il crollo del World Trade Center: perché la versione ufficiale non può essere vera*. L'autore approfondisce il motivo per cui le Torri Gemelle e l'edificio 7 del World Trade Center sono crollati, smentendo il rapporto ufficiale realizzato dalla Commissione 11/9 secondo il quale la causa andava individuata nell'altissima temperatura scaturita dagli incendi. Per Griffin solo esplosivi ad alto potenziale, inseriti all'interno, avrebbero potuto causare lo scioglimento dell'acciaio. La nuova ipotesi fa immediatamente il giro del web e occupa i forum di tutto il mondo.

29 gennaio: si svolgono a Milano le primarie dell'Unione per scegliere il candidato a sindaco. Votano 82.496 persone. Vince Bruno Ferrante (67,85%), Dario Fo (23,09%) poi Milly Moratti e Davide Corritore. Le primarie dell'Unione si svolgono anche a Cagliari, Grosseto e Novara, dove vincono i candidati della Margherita, rispettivamente Gianmario Selis, Emilio Bonifazi e Augusto Ferrari, a Gorizia, dove si afferma Enrico Gherghetta (Ds).

29 gennaio: ospite della trasmissione di Fabio Fazio *Che tempo che fa*, il presidente di An Gianfranco Fini, che pur rivendicando la legitti-

mità e la necessità della legge proposta da An sulle droghe, rivela di essersi «fatto uno spinello»: «È stato durante un viaggio in Giamaica. Devo anche dire che sono rimasto rintronato per due giorni».

31 gennaio: la Corte d'Assise di Busto Arsizio condanna le cosidette Bestie di Satana, per gli omicidi di Chiara Marino, Fabio Tollis e Mariangela Pezzotta. A Nicola Sapone, considerato la mente del gruppo, oltre che l'esecutore materiale degli omicidi, due ergastoli; Paolo Leoni e Marco Zampollo, 26 anni; Elisabetta Ballarin, 24 anni e tre mesi; Eros Monterosso, 24 anni. Inoltre Sapone è riconosciuto colpevole di istigazione al suicidio per la morte di Andrea Boutade.

31 gennaio: il gup del tribunale militare di La Spezia rinvia a giudizio l'ex deputato Spd ed ex ufficiale della Wehrmacht, Klaus Konrad, accusato per la strage di San Polo (Arezzo) perpetrata dai nazisti il 14 luglio 1944 in cui morirono 61 persone tra cui donne e bambini. Con Konrad è rinviato a giudizio anche l'ex maggiore Herbert Handsck. Sempre il tribunale militare di La Spezia rinvia a giudizio un altro ufficiale nazista, Heinrich Nordhorn, 83 anni, con l'accusa di aver preso parte, nell'agosto del 1944, alla strage di Branzolino e San Tomé (Forlì), in cui morirono 10 persone. Contemporaneamente la Procura di Stoccarda mette sotto accusa un ex ufficiale della Wehrmacht, oggi ottantaquattr'enne di cui non viene resa nota l'identità, per aver ordinato la strage di civili nel giugno 1944, a Civitella in Val di Chiana (Arezzo), in cui persero la vita 18 persone.

2 febbraio: la Commissione Servizi e Prodotti dell'Autorità per le Garanzie nelle Comunicazioni condanna il Tg4 perché non ha offerto «adeguata informazione» all'opposizione nei notiziari e nei programmi di approfondimento tra novembre e dicembre 2005, dando «netta prevalenza alla presidenza del Consiglio e al governo», dovrà perciò trasmettere un messaggio «riparatorio» prima che scatti la campagna elettorale. L'Autority condanna anche *Ballarò* di RaiTre che dovrà ospitare rappresentanti della Lista Pannella e dell'associazione Luca Coscioni e della Lega Nord; *Matrix* di Canale 5 e *L'incudine* di Italia 1 che dovranno dare spazio alla Lega Nord.

3 febbraio: muore a Roma all'età di 79 anni Romano Mussolini, pianista jazz di fama internazionale, figlio del Duce e padre di Alessandra.

5 febbraio: a Trabzon, nel nord della Turchia, don Andrea Santoro (58 anni, originario di Priverno) viene ucciso a colpi d'arma da fuoco nella chiesa di Santa Maria. Il 7 febbraio viene arrestato Ouzhan

Akdil, 16 anni, che confessa l'omicidio in seguito alle vicende delle caricature di Maometto. Secondo la tv turca il giovane, Ouzhan Akdil, sarebbe legato al traffico di prostitute. Don Andrea infatti, giunto a Trabzon circa due anni fa, si era dedicato al recupero di ragazze, per lo più provenienti dall'Est europeo, costrette a prostituirsi.

8 febbraio: a Los Angeles presso lo Shrine Theatre Laura Pausini vince il Grammy per il miglior album latino pop con il cd *Resta in ascolto*.

9 febbraio: la Commissione Servizi e Prodotti dell'Autorità per le Garanzie nelle Comunicazioni condanna Mediaset a pagare una multa di 150.000 euro per la puntata di *Liberitutti* andata in onda il 4 febbraio su Rete 4. In studio era stato invitato il presidente del Consiglio Silvio Berlusconi: in quell'occasione, secondo l'Authority sono state violate le norme dell'atto di indirizzo sull'informazione nel periodo pre-elettorale, in particolare i princìpi di «completezza e correttezza dell'informazione, obiettività, equità, lealtà, imparzialità, pluralità dei punti di vista e parità di trattamento».

9 febbraio: dopo quasi sette ore di riunione, il centrosinistra raggiunge l'intesa sul programma. Tutti d'accordo su unioni di fatto, scuola e Iraq. Soltanto Emma Bonino lascia il vertice in rotta con gli alleati, dichiarando che tutte le proposte della Rosa nel pugno sono state respinte. Nei confronti del dissenso della Bonino, Romano Prodi si è mostrato fiducioso spiegando che ci saranno ulteriori approfondimenti con lei ed Enrico Boselli.

10 febbraio: con la frase di rito «dichiaro aperta a Torino la celebrazione dei XX Giochi olimpici invernali», il presidente della Repubblica italiana Carlo Azeglio Ciampi dà il via ufficiale alle Olimpiadi. Tre miliardi di telespettatori seguono la cerimonia in televisione.

11 febbraio: ventidue cigni migratori provenienti dal Sud e giunti in Italia a causa dell'eccezionale freddo nelle zone dei Balcani, sono trovati morti in Sicilia, Calabria e Puglia. Campioni dei volatili, analizzati presso l'Istituto di riferimento nazionale per l'aviaria di Padova, risultano positivi ai test del virus dell'aviaria e in sei casi è accertata la presenza del virus H5N1 altamente patogeno.

11 febbraio: dopo aver sentito i presidenti delle Camere, Marcello Pera e Pier Ferdinando Casini, e aver ricevuto il presidente del Consiglio Silvio Berlusconi, il presidente della Repubblica, Carlo Azeglio Ciampi, scioglie le Camere e firma il decreto di convocazione dei co-

mizi elettorali. Gli italiani andranno alle urne il 9 e 10 aprile per eleggere deputati e senatori.

12 febbraio: il settimanale inglese *News of the world* pubblica foto tratte da un video che mostra soldati britannici che picchiano selvaggiamente ragazzini iracheni. Il video, della durata di due minuti e 25 secondi, secondo il settimanale sarebbe stato girato a Bassora, nel sud dell'Iraq. Il primo ministro Tony Blair promette di aprire un'inchiesta.

12 febbraio: «Su Napoleone ovviamente scherzavo: io sono il Gesù Cristo della politica, una vittima, paziente, sopporto tutto, mi sacrifico per tutti. Così dovete fare anche voi imprenditori». È quanto dice il presidente del Consiglio, Silvio Berlusconi, durante una cena elettorale ad Ancona.

14 febbraio: il ministro per le Riforme, il leghista Roberto Calderoli, fa vedere nel programma tv di Clemente Mimun una t-shirt con le vignette su Maometto. L'azione di Calderoli provoca proteste nel mondo islamico e il 18 febbraio, dopo i gravi incidenti di Bengasi (Libia) con morti e feriti il ministro è costretto a dimettersi.

14 febbraio: il Senato approva definitivamente la legge sulla inappellabilità che era stata rinviata alle Camere dal capo dello Stato. Il provvedimento era stato «ritoccato» dopo i rilievi del Quirinale.

22 febbraio: i carabinieri del comando provinciale di Foggia denunciano 147 genitori perché responsabili di inosservanza dell'obbligo d'istruzione elementare per i minori.

23 febbraio: la Commissione parlamentare di inchiesta sul caso Ilaria Alpi, presieduta da Carlo Taormina, approva a maggioranza (12 a 7) la relazione finale che sostiene che la giornalista del Tg3 Ilaria Alpi e l'operatore televisivo Miran Hrovatin, furono uccisi il 20 marzo 1994 a Mogadiscio per un tentativo di sequestro finito male. In conferenza stampa, Taormina ha parlato di una «centrale giornalistica di depistaggio». Conclusioni «inaccettabili». Così l'opposizione definisce i risultati della Commissione.

23 febbraio: Mario Maccione e Massimiliano Magni sono condannati in secondo grado rispettivamente a 16 e 9 anni di carcere, accusati insieme alle altre «Bestie di Satana» del duplice omicidio di Fabio Tollis e Chiara Marino. I due ragazzi, che all'epoca dei fatti avevano entrambi 17 anni, erano stati giudicati in primo grado dal Tribunale

dei minorenni di Milano, che aveva assolto Magni e condannato Maccione a 19 anni. Ora i legali di Magni intendono chiedere l'applicazione della legge Pecorella sull'inappellabilità in caso di assoluzione in primo grado.

25 febbraio: il Tribunale d'Appello bis di Palermo conferma la sentenza del processo di primo grado del 1996 e condanna l'ex dirigente del Sisde, Bruno Contrada, a 10 anni di reclusione per concorso esterno in associazione mafiosa.

28 febbraio: gli agenti della Questura di Palermo e del Gico della Guardia di finanza sequestrano beni per un valore complessivo di 334 milioni di euro a imprenditori di Palermo. I decreti di sequestro riguardano disponibilità patrimoniali, societarie e finanziarie riconducibili a persone appartenenti alla organizzazione mafiosa radicata nella borgata di San Lorenzo a Palermo, guidata dai boss latitanti Salvatore e Sandro Lo Piccolo.

1 marzo: il presidente del Consiglio Silvio Berlusconi parla davanti al Congresso Usa, a Washington. Nel suo discorso, di circa 30 minuti, esprime grande ammirazione per gli Stati Uniti e riconoscenza per aver sconfitto nazifascismo e comunismo. Dichiara inoltre che non c'è futuro senza il legame transatlantico mentre ci sono solo rischi nel credere alla possibilità di una «fortezza Europa». L'intero intervento è trasmesso in diretta in Italia da Canale 5. Berlusconi passa da un iniziale inglese all'italiano. L'intervento è molto applaudito ma sono pochi i deputati presenti.

2 marzo: un bambino di 17 mesi affetto da una forma di epilessia, Tommaso Onofri, è rapito da alcuni malviventi che fanno irruzione nella sua abitazione a Casalbaroncolo, una zona di campagna tra Parma e Sorbolo. Al momento del fatto il piccolo si trova in casa assieme ai genitori, due dipendenti delle Poste di Parma, e al fratellino maggiore di otto anni. Secondo la ricostruzione dei genitori, i banditi avrebbero sottratto circa 150 euro, ma prima di andarsene hanno portato con loro il piccolo, forse usandolo come ostaggio per la fuga. Il 1 aprile sono sottoposte a fermo di polizia giudiziaria per il reato di sequestro del piccolo Tommaso tre persone: Mario Alessi, Salvatore Raimondi e Antonella Conserva. Mario Alessi, un operaio siciliano con precedenti penali, dopo un lungo interrogatorio confessa di essere il sequestratore e di avere ucciso il bimbo dopo 20 minuti dal sequestro a colpi di badile perché non smetteva di piangere e di avere nascosto il corpicino sul

greto del fiume Enza. Nella notte il corpo viene ritrovato dai vigili del fuoco. Doveva essere un sequestro lampo forse per estorcere denaro a Paolo Onofri, il padre di Tommaso, direttore dell'ufficio postale in cui lavorava.

6 marzo: ad Alexandria, in Virginia, comincia il processo a Zacarias Moussaoui, 37 anni, l'unico incriminato per gli attacchi terroristici dell'11 settembre 2001. Il presunto terrorista ha dichiarato di far parte di al Qaida e di essersi recato in Afghanistan per l'addestramento, ma nega di aver partecipato al progetto dell'11 settembre. L'imputato rischia la pena di morte. Il 27 marzo Moussaoui rivela che l'11 settembre 2001 un quinto aereo, da lui stesso pilotato, avrebbe dovuto colpire la Casa Bianca. Il 3 aprile la giuria popolare stabilisce che Moussaoui ha i requisiti per essere condannato a morte.

7 marzo: in Francia centinaia di migliaia di lavoratori e studenti manifestano in 160 cortei contro il contratto di primo impiego approvato il 6 marzo dal Senato in via definitiva. Il nuovo contratto consente l'assunzione di giovani con meno di 26 anni in aziende con più di 20 dipendenti e prevede un periodo di 24 mesi in cui si può licenziare senza giusta causa. Il 9 marzo, in segno di protesta scioperano quasi la metà delle università francesi. Il governo decide di modificare l'articolo. Il 23 marzo manifestazioni in 45 città del Paese. A Parigi gruppi di teppisti incappucciati si scontrano violentemente con la forze dell'ordine. Negli scontri 60 persone, di cui 27 poliziotti, rimangono feriti.

7 marzo: la Banca Mondiale approva lo stanziamento di 42 milioni di dollari all'Autorità nazionale palestinese (Anp), per aiutare il governo a fronteggiare la crisi finanziaria che mette a rischio l'erogazione di servizi essenziali ai palestinesi.

8 marzo: in un editoriale intitolato «La scelta del 9 aprile», il direttore del *Corriere della Sera*, Paolo Mieli, scrive che l'Unione «ha i titoli adatti a governare al meglio per i prossimi cinque anni». Mieli scrive anche che sarà un bene se nel centrodestra cresceranno le due punte alternative a Berlusconi, Gianfranco Fini e Pier Ferdinando Casini. «I lettori del *Corriere* già sapevano di leggere qualcosa di vicino all'Unità». È il commento di Berlusconi.

8 marzo: i carabinieri di Milano eseguono 16 ordinanze di custodia cautelare a carico di investigatori privati, pubblici ufficiali (due finanzieri e un poliziotto) e impiegati di una società di telefonia mobile,

accusati di associazione per delinquere finalizzata alla corruzione, falso e rivelazione del segreto d'ufficio. Gli investigatori privati operanti a Milano, Roma e Firenze, avrebbero versato denaro ai pubblici ufficiali in cambio di informazioni rivendute a prezzi elevati ai loro clienti. Il 9 marzo ulteriori indagini rivelano che parte di queste attività di spionaggio sono di tipo politico: durante le elezioni regionali del 2005, persone dello staff del ministro della Salute, Francesco Storace, allora governatore del Lazio, avrebbero «investigato» sui suoi avversari: Piero Marrazzo, candidato del centrosinistra, e Alessandra Mussolini, leader di Alternativa sociale, candidata con una lista contrapposta a quella di Storace, accedendo illegalmente agli archivi elettronici dell'anagrafe del Comune di Roma. Il 10 marzo il ministro della Salute, Francesco Storace, travolto dallo scandalo rassegna le dimissioni. Il presidente del Consiglio Silvio Berlusconi assume l'incarico ad interim. Nel mirino degli inquirenti anche Niccolò Accame, all'epoca dei fatti portavoce di Storace, ora a capo della Comunicazione del ministero della Salute, indagato per delle intercettazioni di colloqui avuti con uno degli investigatori arrestati. Il 23 marzo i magistrati di Roma iscrivono sul registro degli indagati per il reato di accesso abusivo a un sistema informatico e violazione della legge elettorale, Fabio Sabbatini Schiuma (An), vicepresidente del Consiglio comunale della Capitale, Mirko Maceri, ex direttore di Laziomatica e l'avvocato Romolo Reboa che presentò l'esposto sulle firme false della lista elettorale di Alessandra Mussolini. Il 29 marzo anche Francesco Storace viene iscritto tra gli indagati dalla Procura per concorso in violazione del sistema informatico e concorso in violazione della legge elettorale.

9 marzo: durante la puntata di *Porta a Porta*, la leader di Alternativa sociale Alessandra Mussolini si rivolge al candidato del Prc Vladimir Luxuria dicendo: «Meglio fascista che frocio». A innescare lo scontro tra Mussolini e Luxuria è stato il leader dell'Italia dei Valori, Antonio Di Pietro, che parlando di immigrazione ha dato della fascista alla Mussolini.

12 marzo: il presidente del Consiglio, Silvio Berlusconi, abbandona lo studio dove è in corso la registrazione della trasmissione di RaiTre *In mezz'ora*, condotta da Lucia Annunziata. Berlusconi cerca di parlare del programma elettorale, non rispondendo alle domande della Annunziata, che lo interrompe e il nervosismo cresce fino al «me ne vado» del premier.

13 marzo: il ministro dell'Energia iraniano, Parviz Fattah, annuncia

che l'Iran inizierà entro settembre la costruzione di una nuova centrale nucleare. La nuova centrale dovrebbe essere alimentata con uranio arricchito.

13 marzo: si svolge su RaiUno, moderato da Clemente Mimun, il primo dei due «faccia a faccia» televisivi previsti tra Romano Prodi e Silvio Berlusconi, i due candidati per il centrosinistra e il centrodestra alla presidenza del Consiglio. Rigide le regole del duello tv, che dura un'ora e mezza: la stessa domanda a tutti e due i contendenti viene fatta alternativamente da Roberto Napoletano, direttore de *Il Messaggero*, e Marcello Sorgi, editorialista de *La Stampa*. Quasi tutti i sondaggi assegnano a Prodi una vittoria di misura.

15 marzo: «La legge elettorale? Glielo dico francamente: l'ho scritta io, ma è una porcata». Con questa dichiarazione a *Matrix* l'ex ministro leghista Roberto Calderoli bolla la riforma del sistema di voto che, da ministro delle Riforme, aveva invece difeso.

16 marzo: alla festa per il ventesimo anniversario come presidente del Milan, Silvio Berlusconi dichiara, davanti ad allenatori e generazioni di campioni: «Mi raccomando, votate Forza Italia», riferendosi al voto del 9 aprile.

18 marzo: il presidente del Consiglio, Silvio Berlusconi, interviene a sorpresa al convegno della Confindustria a Vicenza. Quando Berlusconi arriva scatta un applauso caloroso (qualcuno parla della presenza di una «claque» di 300 persone accreditate all'ultimo momento). Berlusconi difende i suoi cinque anni di governo e ribadisce che secondo lui in Italia non c'è crisi economica e che questa «è solo nella volontà della sinistra e dei giornali che le sono alleati». Berlusconi polemizza con il moderatore Ferruccio De Bortoli e poi, in maniera aggressiva, con Diego Della Valle. «Vedo il signor Della Valle – dice Berlusconi – che scuote la testa. Se un imprenditore è andato fuori di testa nel sostenere la sinistra credo che abbia molti scheletri nell'armadio e ha molte cose da farsi perdonare, e si mette sotto il manto protettivo della sinistra e di Magistratura Democratica» e poi: «Prego il signor Della Valle che se si rivolge al presidente del Consiglio gli dia del lei e non del tu».

20 marzo: su proposta del ministro dell'Interno, Giuseppe Pisanu, il presidente della Repubblica, Carlo Azeglio Ciampi, conferisce una medaglia d'oro al valor civile alla memoria di Fabrizio Quattrocchi, sequestrato e ucciso in Iraq il 14 aprile del 2004.

24 marzo: una rivista di 160 pagine, intitolata *La vera storia italiana*, stampata in 11 milioni di copie, sarà spedita da Forza Italia ad altrettante famiglie italiane.

28 marzo: in Israele si svolgono le elezioni per il nuovo Parlamento. Votano il 63,2% degli elettori: record negativo nella storia di Israele. Il partito centrista Kadima, fondato da Ariel Sharon e guidato dal premier ad interim Ehud Olmert, vince le elezioni conquistando la maggioranza relativa.

29 marzo: in seguito all'insediamento del nuovo governo palestinese di Hamas guidato dal premier Ismail Haniyeh, il presidente Usa George W. Bush ordina a tutti i diplomatici e i rappresentanti del governo americano di non stabilire rapporti con i ministri e i rappresentanti dell'Autorità palestinese. La decisione americana è in linea con la scelta di Russia, Onu e Ue di congelare le relazioni con il governo palestinese fino a quando Hamas non riconoscerà lo Stato ebraico e rinuncerà al terrorismo.

2 aprile: Punta Perotti, l'ecomostro da 300.000 metri cubi, che copre l'orizzonte sul lungomare di Bari, viene abbattuto alle 10,30 con 350 kg di tritolo inseriti negli oltre 1000 fori praticati nei pilastri dell'edificio centrale.

3 aprile: né vincitori né vinti, è il commento della stampa per il secondo «faccia a faccia» televisivo tra Romano Prodi e Silvio Berlusconi. Il duello tv, su RaiUno, è moderato da Bruno Vespa. Il tema dominante è l'economia, in particolare il fisco. Nel finale Berlusconi annuncia che in caso di vittoria abolirà l'Ici, la tassa sulla casa.

4 aprile: all'assemblea della Confcommercio, il presidente del Consiglio, Silvio Berlusconi, rivolgendosi alla platea dice: «Ho troppa stima dell'intelligenza degli italiani per pensare che ci siano così tanti coglioni che possano votare contro il loro interesse». Immediatamente si sollevano nel Paese grandi polemiche.

5 aprile: la «vela» di Cimabue con l'Evangelista Matteo e la «vela» raffigurante un cielo stellato, crollate nel terremoto del 26 settembre 1997, vengono ricollocate sulle volte della Basilica Superiore di Assisi, al termine del lavoro di recupero eseguito dall'Istituto centrale per il restauro.

6 aprile: il ministro dell'Interno Giuseppe Pisanu rende noto che vi era un progetto terroristico nel nostro Paese; tra gli obiettivi degli

attentatori la metropolitana di Milano e la basilica di San Petronio, a Bologna, dove c'è l'affresco che raffigura una scena del XXVIII canto dell'Inferno di Dante in cui Maometto appare nudo tra gli idolatri.

7 aprile: a *Radio anch'io*, il presidente del Consiglio Berlusconi ipotizza la cancellazione della tassa sui rifiuti.

8 aprile: il ministro degli Esteri Fini fornisce i dati definitivi dei votanti tra gli italiani all'estero. I plichi inviati sono stati 2.699.421. Le buste contenenti le schede votate restituite ai Consolati sono state 1.135.617, pari al 42,07% del totale.

9 aprile: il gip Clementina Forleo concede gli arresti domiciliari a Gianpiero Fiorani e Gianfranco Boni dopo 4 mesi di carcere a San Vittore.

9 aprile: elezioni politiche, aperti alle 8 i seggi elettorali per il rinnovo del Parlamento italiano. Per l'elezione del Senato sono chiamati alle urne circa 43 milioni di elettori, divisi in 60.977 sezioni. Gli elettori per la Camera dei deputati sono invece poco più di 47 milioni. Per la prima volta si vota con il nuovo sistema elettorale, un proporzionale con premio di maggioranza (nazionale alla Camera, regionale al Senato). I rappresentanti eletti dagli italiani all'estero sono 12 parlamentari e 6 senatori.

10 aprile: il centrosinistra vince le elezioni. Alla Camera la coalizione di Romano Prodi ottiene 348 seggi contro i 281 della Cdl, 1 seggio va all'Associazione Italiani Sud America. Il centrosinistra vince per 25.224 voti, il 49,805% contro il 49,739%. Al Senato, invece, il centrodestra ottiene 155 seggi contro i 154 del centrosinistra. Il risultato viene però ribaltato con i voti degli italiani all'estero, totale: 158 seggi al centrosinistra, 156 al centrodestra, 1 seggio all'Associazione Italiani Sud America.

11 aprile: Silvio Berlusconi ai giornalisti dichiara: «Con il Paese diviso in due occorre sedersi a un tavolo e fare come in Germania». Annuncia che ci sarà una verifica del voto e solo dopo «la certezza dei numeri» incontrerà Prodi. Il centrosinistra liquida l'ipotesi come «impraticabile». Romano Prodi aggiunge: «Ho vinto con le vostre regole elettorali, e ora governo io».

11 aprile: a Corleone (Palermo), gli agenti della squadra mobile di Palermo arrestano il capo della mafia Bernardo Provenzano (73 an-

ni), latitante da 42 anni. I 30 agenti, guidati dal funzionario dello Sco Renato Cortese, dopo diversi mesi di appostamenti, intercettazioni e pedinamenti trovano Provenzano nascosto in un casolare in campagna di proprietà di un pastore Giovanni Marino, arrestato per favoreggiamento. Il blitz scatta quando Provenzano riceve da Marino attraverso una finestra un pacco che conteneva indumenti di ricambio e cibo inviati dalla moglie del boss Saveria Benedetta Palazzolo. Una grande folla, riunita davanti agli uffici della squadra mobile di Palermo, alla vista del boss mafioso inveisce gridando «bastardo»; al contrario ci sono stati molti applausi e lacrime di commozione all'arrivo del procuratore Pietro Grasso e del responsabile del dipartimento anticrimine della polizia, Nicola Cavaliere.

11 aprile: a Gerusalemme, nel corso di una seduta del governo, il segretario Israel Maimon annuncia che è necessario mettere agli atti che il primo ministro Ariel Sharon, in coma dal 4 gennaio 2006 in seguito a un ictus, è «incapace» di svolgere le proprie mansioni. Il 14 aprile il vicepremier Ehud Olmert, finora premier ad interim, diventa primo ministro.

12 aprile: il presidente della Repubblica, Carlo Azeglio Ciampi, riceve il presidente del Consiglio uscente. Berlusconi dice di aver parlato con Ciampi di «brogli unidirezionali, assolutamente unidirezionali», ma non fornisce indicazioni sulla risposta di Ciampi.

14 aprile: Silvio Berlusconi, in una lettera al direttore del *Corriere della Sera*, Paolo Mieli, scrive che «Comunque si concludano le verifiche dei conteggi ufficiali, chiunque si veda attribuire il consistente premio di maggioranza alla Camera, le cose non cambiano: si è di fronte a uno stallo, a una situazione nella quale, almeno sulla base del voto popolare, non ci sono né vincitori né vinti. A questo punto, il senso di responsabilità impone una riflessione».

14 aprile: il ministero dell'Interno rende noto che: «Il numero delle schede contestate si riduce da 43.028 a 2.131 per la Camera dei deputati, e da 39.822 a 3.135 per il Senato».

14 aprile: a Teheran, nel corso di una conferenza internazionale di sostegno ai palestinesi, il presidente Mahmud Ahmadinejad dichiara: «Mentre esistono seri dubbi sull'Olocausto degli ebrei, non ve ne sono affatto invece sulla catastrofe e sull'olocausto che riguarda i palestinesi». Ahmadinejad, inoltre, afferma che «il regime sionista rappresenta una minaccia per il mondo islamico».

18 aprile: i militari del Nucleo valutario della Guardia di finanza di Roma arrestano Stefano Ricucci per il reato di aggiotaggio, di false fatturazioni e occultamento di scritture contabili. Sono finiti in manette anche un sottufficiale delle Fiamme Gialle, Luigi Leccese, un ex colonnello dell'Esercito, Vincenzo Tavano e l'imprenditore Tommaso Di Lernia: sono accusati di favoreggiamento e rivelazioni di segreti d'ufficio, informavano Ricucci sullo stato delle indagini e delle intercettazioni telefoniche a cui era sottoposto.

22 aprile: a Roma, muore nella sua casa l'attrice Alida Valli. Aveva 85 anni.

27 aprile: Alfredo Meocci è incompatibile con la carica di direttore generale della Rai, secondo il verdetto del Consiglio dell'Autorità per le Garanzie nelle Comunicazioni. Contestualmente l'Authority condanna la Rai a una multa di 14.379.307 di euro e Meocci a una multa di 373.923 euro.

27 aprile: la Corte d'Appello di Milano respinge tutte le eccezioni, compresa quella sulla legittimità costituzionale della legge sull'inappellabilità, proposte da accusa e difesa, pertanto, per Silvio Berlusconi, prosciolto e assolto in primo grado, non ci sarà il processo d'appello per la vicenda Sme.

29 aprile: il segretario di Rifondazione comunista Fausto Bertinotti è eletto presidente della Camera al quarto scrutinio, ottiene 337 voti. Franco Marini della Margherita è eletto presidente del Senato. Nella terza votazione, Marini ottiene 165 voti, tre più del quorum previsto, Giulio Andreotti 156 voti, una scheda era bianca. Hanno partecipato alla votazione tutti i 322 senatori aventi diritto.

2 maggio: il presidente Ciampi riceve al Quirinale il presidente del Consiglio, Silvio Berlusconi, che rassegna le dimissioni del governo da lui presieduto. Ciampi invita Berlusconi a rimanere in carica per il disbrigo degli affari correnti.

4 maggio: a conclusione del processo Imi-Sir la Corte di Cassazione condanna il parlamentare di Forza Italia Cesare Previti a 6 anni di reclusione. Il 5 maggio Cesare Previti si presenta al carcere romano di Rebibbia e il 10 il magistrato di sorveglianza gli concede gli arresti domiciliari.

5 maggio: un ordigno esplode al passaggio di due veicoli blindati italiani in azione di pattugliamento nella zona della Musay Valley, a cir-

ca 40 km da Kabul. Nell'esplosione, restano uccisi due alpini del contingente Isaf, la missione internazionale della Nato in Afghanistan, sono il tenente Manuel Fiorito (27 anni) e il maresciallo ordinario Luca Polsinelli (29 anni), altri 4 militari restano feriti.

9 maggio: a Roma, muore all'ospedale Forlanini Pietro Garinei (87 anni), padre della commedia musicale italiana. Il suo nome è legato al lungo sodalizio con Sandro Giovannini, scomparso nel 1974, e al teatro Sistina dove ha lavorato fino agli ultimi giorni.

10 maggio: i giudici della decima sezione del Tribunale di Milano condannano definitivamente a 10 anni di reclusione Vanna Marchi e sua figlia Stefania Nobile; invece per Francesco Campana, marito della Marchi, 4 anni di reclusione. Inoltre devono risarcire di 2 milioni e 200.000 euro le persone truffate.

10 maggio: il Parlamento in seduta comune, integrato con i rappresentanti delle Regioni, elegge presidente della Repubblica Giorgio Napolitano, 80 anni, Ds, ex presidente della Camera.

12 maggio: la Procura di Napoli emette 41 inviti a comparire nell'inchiesta che coinvolge i vertici del calcio italiano e fa emergere un inquietante quadro di condizionamenti, manovre e tentativi di alterare i risultati del campo di gioco. La principale accusa ipotizzata è quella di associazione per delinquere finalizzata alla frode sportiva. Nei giorni successivi i giudici interrogano tra gli altri Luciano Moggi, direttore generale della Juventus, che sarebbe al vertice di quella che viene definita la «cupola» del pallone, insieme all'amministratore delegato Antonio Giraudo, al vicepresidente Figc Innocenzo Mazzini, ai designatori arbitrali Bergamo e Pairetto e all'arbitro internazionale Massimo De Santis.

16 maggio: a Milano, vengono danneggiate 40 tombe situate nel «campo 8» del cimitero ebraico, alle spalle del cimitero Maggiore. Per gli inquirenti e per i rappresentanti della comunità ebraica si tratterebbe di atti di vandalismo e non di episodi di chiaro antisemitismo.

16 maggio: il presidente della Repubblica, Giorgio Napolitano, conferisce al leader dell'Unione Romano Prodi l'incarico di formare il nuovo governo, a sole 24 ore dall'insediamento al Quirinale e dopo 8 ore di consultazioni.

17 maggio: il leader dell'Unione Romano Prodi scioglie la riserva e

sale al Quirinale per presentare la lista dei ministri che compongono il suo secondo governo, a 10 anni esatti dal primo. Il governo è formato da 25 ministri oltre a Prodi, tra questi: vicepresidenti Massimo D'Alema (che è anche ministro degli Esteri) e Francesco Rutelli (Beni culturali), Giuliano Amato all'Interno, Clemente Mastella alla Giustizia, Parisi alla Difesa, Padoa Schioppa all'Economia, Livia Turco alla Salute. Le altre donne sono: Linda Lanzillotta, Emma Bonino, Barbara Pollastrini, Giovanna Melandri e Rosy Bindi. Nel pomeriggio il governo giura al Quirinale.

20 maggio: il cardinale Crescenzio Sepe, prefetto della Congregazione per l'Evangelizzazione dei Popoli, viene nominato da Benedetto XVI arcivescovo di Napoli. Il porporato viene scelto dal Papa per sostituire alla guida della diocesi partenopea il cardinale Michele Giordano, in pensione per raggiunti limiti di età.

21 maggio: *Il Codice da Vinci* incassa 224 milioni di dollari nel mondo (77 milioni solo in America) nel suo primo fine settimana. Il film tratto dal bestseller di Dan Brown stabilisce un record mondiale con un incasso di 147 milioni di dollari nel primo giorno di uscita nei cinema non americani, superando i 145 milioni incassati l'anno scorso dal terzo episodio di *Guerre Stellari*.

23 maggio: la Camera vota la fiducia al governo Prodi con 344 voti a favore e 268 contrari.

23 maggio: in un messaggio audio apparso su un sito web, ma di cui non è accertata l'autenticità, il leader di al Qaida Osama bin Laden afferma di aver personalmente assegnato i compiti ai 19 kamikaze degli attacchi dell'11 settembre 2001 contro le Torri Gemelle di New York.

25 maggio: il presidente del Consiglio partecipa all'assemblea annuale di Confindustria. Prodi promette alle imprese: «Ci impegniamo a dare molto e chiederemo molto» e invita gli imprenditori a riavviare la concertazione e a non sottovalutare l'importanza della coesione sociale. Senza lanciare allarmismi, Prodi ribadisce però che, sul fronte dei conti pubblici, «le tendenze sono peggiori del previsto e le risorse sono scarse, ma il Paese deve ripartire».

27 maggio: alle 5,54 del mattino (le 00,54 in Italia), un terremoto, 6,2 della scala Richter, colpisce l'isola di Giava, in Indonesia: la scossa, che rade al suolo case ed edifici, provoca secondo un bilancio provvisorio almeno 6234 vittime. È il peggior disastro naturale che colpisce l'Indonesia dopo lo tsunami del 26 dicembre 2004.

28 maggio: nel suo viaggio in Polonia papa Ratzinger fa tappa nel lager di Auschwitz-Birkenau, chiede «perdono e riconciliazione» e grida a Dio «di non permettere più una simile cosa». «Perché, Signore, hai taciuto? Perché hai potuto tollerare tutto questo? È in questo atteggiamento di silenzio che ci inchiniamo profondamente nel nostro intimo davanti alla innumerevole schiera di coloro che qui hanno sofferto e sono stati messi a morte» dice Benedetto XVI.

29 maggio: alle elezioni amministrative vota solo il 71,2% contro l'80,6% delle precedenti. In Sicilia la Cdl, con Totò Cuffaro (53%) batte Rita Borsellino (41,6%). A Milano Letizia Moratti, con il 52%, supera Bruno Ferrante (47%). A Roma, netta vittoria di Walter Veltroni (61,4%) su Gianni Alemanno (37,1%). A Torino, successo ancora più ampio per Sergio Chiamparino (66,6%) su Rocco Buttiglione (29,5%). Anche a Napoli successo del centrosinistra, con Rosa Russo Iervolino, confermata sindaco con il 57% contro Franco Malvano 37,8%. Nelle otto province l'Unione batte la Cdl 5 a 3.

29 maggio: il ministro delle Infrastrutture, Antonio Di Pietro, al termine di un incontro con il sottosegretario alla presidenza del Consiglio, Enrico Letta, denuncia: «Non ci sono soldi e il rischio maggiore è che molti cantieri e opere infrastrutturali siano destinati a uno stop».

31 maggio: il presidente della Repubblica concede la grazia a Ovidio Bompressi. Giorgio Napolitano ha usato, in modo autonomo dal Guardasigilli, il potere di grazia che gli spetta in base all'articolo 87 della Costituzione.

3 giugno: in uno dei mercati più affollati di Bassora esplode una bomba: nell'attentato muoiono almeno 28 persone, mentre i feriti sono più di 100.

3 giugno: in una sessione straordinaria del Parlamento, il Montenegro proclama la sua indipendenza. Il 21 maggio, al referendum sull'indipendenza il «Sì» aveva avuto il 55,5% dei consensi.

4 giugno: a San Martino in Campo (Perugia) il presidente del Consiglio, Romano Prodi, e i ministri si incontrano per due giorni. Prodi avverte: «Le responsabilità di governo devono venire prima di quelle di partito». Dalla riunione esce la decisione di tagliare il 10% delle spese ministeriali come contributo al riallineamento dei conti pubblici.

5 giugno: lungo una strada di Nassjiria, un ordigno esplode al passaggio di un mezzo del contingente italiano, con 5 uomini a bordo. Nell'attentato muore il caporal maggiore Alessandro Pibiri, 25 anni, originario di Cagliari, per le ferite riportate. Il caporal maggiore Luca Daga, 28 anni, rimane ferito gravemente. Dall'inizio della missione Antica Babilonia, giugno 2003, sono 31 i militari italiani morti in Iraq.

5 giugno: le Corti islamiche di Mogadiscio proclamano la loro vittoria nella battaglia della città. Bilancio: 400 morti e più di 1500 feriti, in maggioranza civili. Il governo centrale si dichiara disponibile ad aprire un negoziato per garantire la pace e la sicurezza nella città.

5 giugno: Francesco e Salvatore Pappalardi, due fratellini di 13 e di 11 anni, scompaiono dalla loro casa a Gravina (Bari). Il 6 giugno viene fatta la denuncia della loro scomparsa. Vengono interrogati, per molte ore, i genitori, separati, e il convivente della madre. Il 16 giugno il pm Antonio Lupo impone il silenzio stampa.

6 giugno: il ministero del Tesoro informa che il deficit 2006 si dovrebbe attestare al 4,1% rispetto al 3,8% previsto dal precedente governo. Il ministro Tommaso Padoa Schioppa, annuncia che una manovra-bis sui conti 2006 è «oramai inevitabile».

7 giugno: il ministro degli Esteri, Massimo D'Alema, in visita in Iraq, conferma che il ritiro del contingente italiano avverrà con un «processo graduale che si concluderà entro l'autunno». Ma Prc, Pdci e Verdi insistono per il ritiro immediato. L'ex presidente del Consiglio Berlusconi denuncia: «È una fuga dalle responsabilità, che rischia di apparire come un cedimento ai ricatti dei criminali».

7 giugno: due caccia F-16 Usa bombardano Hibhib, un villaggio a 9 km a nord di Baquba, muoiono 7 persone tra cui Al Zarqawi, il capo di al Qaida in Iraq. La notizia diventa ufficiale l'8 giugno, durante una conferenza stampa a Bagdad, il generale Usa William Caldwell mostra la foto del cadavere di Al Zarqawi, in primo piano, con gli occhi chiusi.

8 giugno: polemiche per un'intervista al settimanale tedesco *Die Zeit*, in cui il presidente del Consiglio, Romano Prodi, definisce «folkloristici» i partiti comunisti italiani e afferma che Silvio Berlusconi avrebbe «schiavizzato» l'Italia. L'intervista viene smentita da Prodi. Forza Italia considera le parole di Prodi un caso politico, mentre il Prc chiede una verifica dei rapporti nella maggioranza.

9 giugno: lo scrittore e critico Enzo Siciliano, 72 anni, muore in una clinica romana. Nel 1996 era stato nominato presidente della Rai, dove era rimasto fino al gennaio '98.

9 giugno: al governo arriva la «carica dei 102» (25 ministri, 10 vice-ministri e 66 sottosegretari), tanti sono i componenti dell'esecutivo. Il secondo governo Prodi batte di una lunghezza quello di Andreotti che, nel 1991, contava 101 unità.

9 giugno: inizia il Campionato mondiale di calcio di Germania, a Monaco si gioca il primo incontro tra i padroni di casa e il Costa Rica.

9 giugno: quattro razzi israeliani centrano un campo di addestramento militare dei Comitati di resistenza popolare palestinese a sud di Gaza. Quattro morti, fra cui il comandante Jamal Abu Samehadana. Secondo Israele, Samahadana stava per coordinare un attentato terroristico di enorme portata.

10 giugno: nasce alle 5,21 una bimba da una donna di 38 anni ricoverata da 78 giorni all'ospedale di Niguarda (Milano) in stato di morte cerebrale. La piccola, che pesa 713 grammi, non presenta problemi particolari.

13 giugno: un'autobomba esplode in un mercato di Kirkuk, nell'Iraq settentrionale. Nell'attentato muoiono almeno 24 persone.

13 giugno: il presidente Usa Gorge W. Bush arriva segretamente in Iraq. Nell'incontro con il governo nazionale iracheno e il primo ministro Nouri al Maliki, Bush annuncia che: «Il futuro dell'Iraq è nelle vostre mani». È la seconda visita di Bush dall'inizio della guerra.

15 giugno: Bill Gates, co-fondatore e presidente di Microsoft, annuncia in una conferenza stampa che lascerà il colosso del software nel luglio 2008 per dedicarsi alle attività benefiche della sua Fondazione «Bill & Melissa Foundation».

15 giugno: l'assemblea dei soci del Milan elegge per acclamazione Silvio Berlusconi presidente della società. Berlusconi era già stato a capo del Milan dal 24 marzo 1986 fino al 29 dicembre 2004, quando aveva lasciato la carica in base alla legge sul conflitto di interessi.

15 giugno: il Senato degli Stati Uniti respinge per 93 voti a 6 la proposta di ritirare tutte le truppe dall'Iraq entro la fine del 2006. Lo stesso Senato approva il bilancio suppletivo da 94,5 miliardi di dollari che prevede stanziamenti per 66 miliardi per l'intervento america-

no in Iraq e Afghanistan. Con i nuovi stanziamenti, il Congresso ha complessivamente destinato 410 miliardi di dollari per la guerra al terrorismo.

16 giugno: Vittorio Emanuele di Savoia (69 anni), viene arrestato nel pomeriggio, per ordine del giudice per le indagini preliminari del Tribunale di Potenza, Alberto Iannuzzi, nell'àmbito di un'inchiesta coordinata dal pubblico ministero, Henry John Woodcock. Nei confronti del principe le accuse sono di associazione per delinquere finalizzata alla corruzione e al falso in riferimento al «mercato» dei nulla osta per i videogiochi e altri apparecchi elettronici utilizzati per il gioco d'azzardo e allo sfruttamento della prostituzione per il reclutamento di ragazze da offrire a clienti importanti del casinò di Campione d'Italia. La procura ha ordinato l'arresto e il trasferimento in carcere anche per Rocco Migliardi, Ugo Bonazza, Gian Nicolino Narducci, Achille De Luca, Roberto Salmoiraghi (sindaco di Campione d'Italia) e Massimo Pizza. Arresti domiciliari per Salvatore Sottile (portavoce del leader di An Gianfranco Fini) con l'accusa di concussione per aver preteso favori sessuali da ragazze in cambio di raccomandazioni in Rai.

19 giugno: la Procura di Roma chiede il rinvio a giudizio per Mario Lozano, il marines Usa che il 4 marzo del 2005 sparò sulla Toyota con a bordo Giuliana Sgrena e Nicola Calipari, che rimase ucciso. Nella richiesta di giudizio si ipotizza «un delitto politico» che lede gli interessi dello Stato italiano.

19 giugno: nel corso della requisitoria del processo contro l'ex rais iracheno Saddam Hussein, il pubblico ministero Jaafar al Moussawi chiede la condanna a morte per l'ex presidente perché colpevole dell'uccisione di 148 persone del villaggio sciita di Dujahil.

20 giugno: agenti della polizia di Stato eseguono 52 arresti tra i componenti di cosche da anni al vertice delle famiglie mafiose del capoluogo siciliano. Gli arresti sono stati disposti dopo aver decifrato i «pizzini» trovati nel covo di Bernardo Provenzano.

21 giugno: manifestazione della Cdl a Roma per il sì al referendum con Silvio Berlusconi, Gianfranco Fini, Roberto Calderoli e Lorenzo Cesa. Polemiche per una frase di Berlusconi che afferma: «Nessun italiano può sentirsi degno di essere tale se domenica non sarà andato a dare il proprio sì alla riforma costituzionale che darà a questo Paese più democrazia e libertà».

21 giugno: l'Autorità garante delle comunicazioni diffida le televisioni del gruppo Mediaset che mandano in onda degli spot giudicati parziali e a sostegno del sì del referendum.

21 giugno: il consiglio d'amministrazione della Rai nomina all'unanimità Claudio Cappon direttore generale. Cappon aveva ricoperto lo stesso incarico fra il 2001 e il 2002, e succede ad Alfredo Meocci.

22 giugno: il procuratore federale Stefano Palazzi deferisce alla Commissione d'appello federale (Caf) Juventus, Milan, Fiorentina e Lazio e 26 tra dirigenti e arbitri nell'àmbito dell'inchiesta sportiva sullo scandalo del calcio.

23 giugno: Romano Prodi promette agli italiani che dopo la vittoria del no al referendum la prima proposta sarà quella di portare il numero dei deputati da 630 a 400 contro i 518 previsti nella riforma costituzionale della Casa delle Libertà.

24 giugno: crollano un ponteggio e parte di una costruzione in muratura in un cantiere aperto nella zona di Castelluccio, sulla strada statale Catania-Siracusa. Il bilancio è di 14 feriti, due dei quali in gravi condizioni, e una vittima, un operaio messinese di 25 anni. Tra le possibili cause del crollo, ipotizzata dal ministro delle Infrastrutture Antonio Di Pietro, una «poca attenzione verso i sistemi di sicurezza della struttura, e in particolare della messa in quiete del cemento armato dei pilastri di appoggio».

25 giugno: 26 anni dopo la strage senza colpevoli, torna a Bologna il DC9 di Ustica. L'aereo che il 27 giugno 1980 viaggiava dal capoluogo emiliano a Palermo esplose sul cielo di Ustica: 81 i morti. Il relitto era stato ripescato alla profondità di 3500 metri e ricostruito. Quello che resta del DC9 farà parte del «Museo della Memoria» di Bologna.

26 giugno: referendum, il no alla riforma costituzionale vince con il 61,7%. Il no ha prevalso in quasi tutte le regioni italiane, con le sole eccezioni di Lombardia e Veneto. L'affluenza è del 53,6%, era da 11 anni che il numero dei votanti non superava la quota del 50%.

26 giugno: in Germania la nazionale azzurra si qualifica per i quarti di finale dei Mondiali di calcio battendo l'Australia per 1-0 con un gol di Totti su rigore al 50° minuto del secondo tempo.

27 giugno: l'ex giocatore bianconero Gianluca Pessotto tenta il suici-

dio gettandosi dalla finestra della sede della Juventus. Pessotto, che era stato nominato da poche settimane team manager dalla nuova dirigenza della squadra torinese, era in cura per depressione.

28 giugno: trattative diplomatiche sono in corso per assicurare la liberazione del caporale israeliano Ghilad Shalit, rapito il 25 giugno e tenuto in ostaggio a Gaza da miliziani legati a Hamas, in cambio di detenuti palestinesi e di un libanese.

30 giugno: Palazzo Chigi vara un pacchetto antideficit e dodici nuove norme a favore dei consumatori. Tra le novità: aboliti vincoli e regole protezionistiche di alcune professioni, ritorna l'Ici per gli immobili della Chiesa non destinati al culto, i passaggi di proprietà delle auto non si faranno più dal notaio ma in comune, aspirine e farmaci da banco potranno essere venduti al supermercato.

30 giugno: il Pentagono rende noto il numero dei soldati americani morti in Iraq (2530) e in Afghanistan (308). In Iraq sono 230 le vittime degli altri contingenti alleati. Secondo le fonti ufficiali sono circa 50.000 i civili morti in Iraq.

30 giugno: ad Amburgo l'Italia batte l'Ucraina per 3-0 e accede alle semifinali, dove trova la Germania. Le reti vengono segnate da Zambrotta e da Toni che realizza una doppietta. Gli azzurri tornano in semifinale ai Mondiali dopo 12 anni.

Indice dei nomi

Bergman, Ingrid 55
Bergonzoli, Annibale 38
Berlusconi, Marina 199
Berlusconi, Piersilvio 199
Berlusconi, Silvio 11-13, 15, 52, 84, 95, 980 105-108, 110-11, 123, 125-26, 196-206, 208-9, 216, 221
Bernabei, Ettore 51, 223
Bernanos, Georges 38, 227
Bernardini, Fulvio 212
Berti Arnoaldi, Checco 52-53
Berti, Riccardo 9
Besuschio, Paola 187
Bettazzi, Luigi 13
Biagi, Dario 133
Biagi, Marco 179-80
Bianchi, Enzo 130
Bidona, Verdiana 168
Bilancia, Donato 45
Bin Laden, Osama 77, 90-91, 96
Bindi, Rosy 206
Biscardi, Aldo 105
Blair, Tony 91, 93-95, 200
Blefari Melazzi, Diana 179
Blixen, Karen 133
Bobbio, Norberto 123
Bocca, Giorgio 53, 195, 222
Boccaccini, Simone 179
Boccassini, Ilda 198, 201
Bolchi, Sandro 223
Boldrini, Arrigo 52
Böll, Heinrich 121
Bolognesi, Bruna 167, 173
Bolognesi, Daniela 167, 172-173
Bolognesi, Marco 167, 172-73

Bolognesi, Paolo 167, 172-75
Bombacci, Nicola 59
Bonaparte, Napoleone 105-06, 151, 197
Bondi, Sandro 13
Bonolis, Paolo 45
Bonomi, Ivanoe 55
Bonomi, Ruggero 38
Borghezio, Mario 124
Boris di Bulgaria 225
Boris III di Bulgaria 61
Bormann, Martin 71
Borrelli, Francesco Saverio 210
Borsellino, Paolo 33-35
Borsellino, Rita 33
Bossi, Umberto 108, 125-26, 128-30, 204-05
Bozzi, Pierangela 11, 196, 223
Brandt, Willy 120-21, 182
Braun, Eva 59
Braun, Werner von 65
Brecht, Bertold 155
Bregantini, Giancarlo 23-24
Bulgarelli, Giacomo 212
Buonarroti, Michelangelo 10
Burri, Sonia 168
Buscetta, Tommaso 28-31
Bush, George W. 11, 89-91, 93, 99, 153-54, 200

Caccia, Bruno 32
Cagol, Margherita 187
Calderoli, Roberto 11, 124
Calipari, Filippo 97
Calipari, Nicola 97-100
Calipari, Rosa Maria 97, 99-100
Calipari, Silvia 97
Callipo, Filippo 36

Den Xiaoping 155
Dessì, Antonio 26
Dessì, Carmelo 26-27
Di Pietro, Antonio 198
Donat Cattin, Carlo 166
Donat Cattin, Marco 166
Dönitz, Inge 60
Dönitz, Karl 59-60, 67, 71
Doria Ricolfi, Marina 220
Dos Passos, John Roderigo 38
Duvivier, Julien 225-226

Eisenhower, Dwight D. 61, 65, 190
Emanuele Filiberto di Savoia 220
Englehart, Jeff 92-93
Erode 43, 172

Fabbri, Giovanni 199
Faenza, Roberto 33
Falcone, Giovanni 28, 32-35, 201
Fallaci, Bruno 55
Farina, Renato 213-14
Farioli, Umberto 187
Fassino, Piero 107
Fava, Giuseppe 32
Favaro, Omar Mauro 42, 49
Fazio, Antonio 214
Fazio, Fabio 10, 130
Federico di Danimarca 62
Federico II 64
Fellini, Federico 223
Ferone, Giuseppe 31-32
Ferrara, Giuliano 105
Fini, Gianfranco 95, 98, 108,-09, 128, 151, 197, 204-05

Fiora, Marco 43
Fioravanti, Valerio 175-77
Fiore, Roberto 110
Fliot, Julie 85
Follini, Marco 204
Fontana, Lucio 215
Fortugno, Francesco 19, 21, 23, 25-27, 35
Franceschini, Alberto 184, 187, 190-91
Frank, Anna 115
Frank, Hans 67
Frank, Margot 115
Franzoni, Annamaria 49
Frattini, Franco 103
Fresu, Maria 168, 174
Frick, Wilhelm 72
Friedeburg, Hans Georg von 60
Fritzsche, Hans 70-71
Funk, Walther 67, 71

Gabanelli, Milena 33, 99
Galesi, Mario 178-80
Galli, Guido 141
Garcia Lorca, Federico 38-40
Gardner, Ava 55
Garinei, Pietro 223
Garioni, Vincenzo 159-60
Gasparri, Maurizio 198, 202-03
Gates, Bill 157
Gelli, Licio 175, 199-200, 216, 219
Genghini, Mario 199
Gentiloni, Paolo 10-11, 198
Gheddafi, Muammar el- 124-125
Ghirelli, Antonio 55

315

Indice

317

Finito di stampare nel mese di novembre 2006
presso il Nuovo Istituto d'Arti Grafiche - Bergamo
Printed in Italy